L'AVENTURE
DES MOTS FRANÇAIS
VENUS D'AILLEURS

DU MÊME AUTEUR

Dictionnaire de la prononciation française dans son usage réel (en collaboration avec André Martinet), Paris, Champion – Genève, Droz, 1973, 932 p.

La Dynamique des phonèmes dans le lexique français contemporain, Paris, Champion – Genève, Droz, 1976, 481 p. (Préface d'André Martinet).

La Phonologie du français, Paris, PUF, 1977, 162 p.

Phonologie et société (sous la direction d'Henriette Walter), Montréal, « Studia Phonetica » 13, Didier, 1977, 146 p.

Les Mauges. Présentation de la région et étude de la prononciation (sous la direction d'Henriette Walter), Centre de recherches en littérature et en linguistique sur l'Anjou et le Bocage, Angers, 1980, 238 p.

Enquête phonologique et variétés régionales du français, Paris, PUF, « Le linguiste », 1982, 253 p. (Préface d'André Martinet).

Diversité du français (sous la direction d'Henriette Walter), Paris, SILF, École pratique des Hautes Études (4ᵉ Section), 1982, 75 p.

Phonologie des usages du français, Langue française, n° 60 (sous la direction d'Henriette Walter), Paris, Larousse, déc. 1983, 124 p.

Graphie-phonie (sous la direction d'Henriette Walter), Journée d'étude du Laboratoire de phonologie de l'École pratique des Hautes Études (4ᵉ Section), Paris, 1985, 82 p.

Mots nouveaux du français (sous la direction d'Henriette Walter), Journée d'étude du Laboratoire de phonologie de l'École pratique des Hautes Études (4ᵉ Section), Paris, 1985, 76 p.

Cours de gallo, Centre national d'enseignement à distance (CNED), ministère de l'Éducation nationale, Rennes, 1ᵉʳ niveau, 1985-1986, 130 p., et 2ᵉ niveau, 1986-1987, 150 p.

Le Français dans tous les sens, Paris, Robert Laffont, 1988, 384 p. Préface d'André Martinet (Grand Prix de l'Académie française, 1988).
Traduction anglaise : *French inside out*, par Peter Fawcett, Londres, Routledge, 1994, 279 p.
Traduction tchèque : *Francouzština známá i neznámá*, par Marie Dohalská et Olga Schulzová, Prague, Jan Kanzelsberger, 1994, 323 p.

Bibliographie d'André Martinet et comptes rendus de ses œuvres (en collaboration avec Gérard Walter), Louvain-Paris, Peeters, 1988, 114 p.

Des mots sans-culottes, Paris, Robert Laffont, 1989, 248 p.

Dictionnaire des mots d'origine étrangère (en collaboration avec Gérard Walter), Paris, Larousse, 1991, 413 p.

L'Aventure des langues en Occident. Leur origine, leur histoire, leur géographie, Paris, Robert Laffont, 1994, 498 p. Préface d'André Martinet (Prix spécial du Comité de la Société des gens de lettres et Grand Prix des lectrices de *Elle*, 1995).
Traduction portugaise : *A Aventura das línguas do Occidente*, par Manuel Ramos, Lisbonne, Terramar, 1996, 496 p.
Traduction espagnole : *La Aventura de las lenguas en Occidente*, par Maria Antonia Martí, Madrid, Espasa (à paraître en 1997).

HENRIETTE WALTER

L'AVENTURE
DES MOTS FRANÇAIS
VENUS D'AILLEURS

ROBERT LAFFONT

*Au « CHEF D'ARMÉE à la lance forte »,
mon compagnon indispensable
dans cette périlleuse aventure.*

ISBN 2-221-08275-3

SOMMAIRE

Voir la table des matières détaillée en fin de volume

PRÉAMBULE

Nous sommes tous des polyglottes...

... ou presque, ou nous pouvons du moins le devenir, même si, comme les Français, on a la réputation de ne pas avoir le don des langues. Car c'est dans la langue française elle-même que nous pouvons trouver des points de départ commodes pour aller vers les autres langues. On sait bien que le français est une langue issue du latin, mais on oublie souvent qu'il s'est enrichi au cours de sa longue histoire d'apports venus des quatre coins du monde : apports celtiques, germaniques et grecs, mais aussi arabes, néerlandais ou italiens, et encore espagnols, anglais, amérindiens, africains, persans, turcs, japonais... Car les mots ont souvent fait des voyages au long cours avant de s'implanter en français.

Le lexique ne connaît pas les frontières

Tous ces apports venus de plus ou moins loin, on peut tenter de les identifier, à la manière du notaire qui cherche à reconstituer l'origine de propriété d'une vieille demeure.

On comprend fort bien que, du latin au français, les mots aient pu changer d'allure, comme par exemple SETA(M), qui est devenu *soie*, ou AQUA(M), qui s'est réduit à sa plus simple expression : *eau*. Il nous faut en outre bien admettre que les mots ont aussi changé de sens : par exemple DOMUS, qui, en latin, désignait la maison, non seulement a évolué phonétiquement en *dôme*, mais se réfère aujourd'hui en français à une partie très particulière d'un édifice, la coupole. Mais ce que l'on oublie très souvent, c'est que le latin n'est pas l'unique source de la langue française, où l'on trouve par milliers des mots venus d'ailleurs [1].

Toutefois, seuls certains d'entre eux portent la marque de leur origine.

Des mots comme *boomerang, ersatz, karaoké, bungalow, geyser, zakouski, football, handball* ou le plus récent *panini*, sont immédiatement reconnus comme de provenance étrangère, même si l'on ne peut pas toujours deviner que *boomerang* vient d'une langue d'Australie, *ersatz* de l'allemand, *karaoké* du japonais (de *kara* « vide » et de *oké* « orchestration »), *bungalow* du hindi (par l'intermédiaire de l'anglais), *geyser* de l'islandais, *zakouski* du russe, *football* de l'anglais, *handball* de l'allemand et *panini* de l'italien.

Mais comment imaginer, sous leur allure vraiment française, que des quantités de mots sont des étrangers bien acclimatés dans notre langue ? Des recherches sont nécessaires pour apprendre par exemple que *chérubin* vient de l'hébreu, ou *pyjama*, du persan, *coche*, du hongrois, *vanille*, de l'espagnol, ou encore *tomate* et *chocolat* du nahuatl, cette langue des populations aztèques qui peuplaient le Mexique au moment de la conquête espagnole.

Pourquoi se plaindre des emprunts ?

Pour désigner tous ces mots que les langues du monde apportent à l'une d'entre elles, les linguistes ont un euphémisme plaisant : ils parlent pudiquement « d'emprunts » chaque fois qu'une langue prend des mots à sa voisine, tout en n'ayant pas la moindre intention de les lui rendre un jour. Et, chose curieuse, au lieu de voir les usagers de la langue emprunteuse se réjouir de l'adoption d'un mot étranger qui lui faisait défaut, et ceux de la langue donneuse marris du larcin dont elle a été victime, c'est exactement l'inverse qui se produit.

Les Français, en particulier, sont à la fois amusés et ravis lorsqu'ils apprennent qu'en espagnol le bidet (de la salle de bains) s'appelle aussi *bidé* et que les papiers d'identité y sont désignés par le mot français *carné (sic)* ; ils se réjouissent à l'idée que *carte blanche* et *dessert* s'emploient très naturellement en allemand, cette langue étonnante où le *Baiser* est une meringue et le *Krokant* du praliné ; ils sont aux anges quand ils voient des mots comme *beige, bâton* (« rouge à lèvres ») ou *passe-vite* (« presse-purée ») dans un texte portugais, et ils se sentent un peu consolés quand ils se rendent compte qu'en anglais on dit couramment *déjà vu, vis-à-vis* ou encore *fait accompli* et que *cul-de-sac* désigne sans fausse pudeur dans cette langue ce que nous préférons appeler une *impasse*. En danois, on dit *avis* (« journal »), *citron-fromage* (« mousse au citron »), ou *brunette* (« petite femme brune »), et en néerlandais on parle de *coupon* pour « ticket », de *perron* pour « quai » et de *taart* pour « gâteau ». Enfin, en roumain, on n'a que l'embarras du choix, entre *butic (sic)* qui est un petit commerce où l'on vend de tout, *fular, apartament, portmoneu* ou encore *jurfix* « fête organisée par des jeunes chez l'un d'entre eux » et *galanterie*, qui, en plus du sens qu'il a en français, désigne la lingerie et les sous-vêtements. Et ce ne sont que quelques exemples parmi des milliers d'autres.

En revanche, quel tollé quand on apprend que tel chanteur vient de publier en *CD* le *best of* de ses chansons *live*, ou que tel *show* de *rap* passera en *prime time* à la télévision !

La morale de cette histoire, c'est que, lorsqu'une langue distribue son patrimoine, contre toute logique ses usagers s'en réjouissent, alors que, si elle bénéficie de mots venus de l'étranger, ils s'en désolent.

Des trésors venus d'ailleurs

Ce livre voudrait montrer au contraire que, lorsqu'une langue « emprunte » des mots, elle s'enrichit de mille façons (ch. 1, DES EMPRUNTS PAR MILLLIERS, p. 15, et ch. 2, LE CAS PARTICULIER DE L'ARGOT, p. 21).

On découvrira au cours des pages qui suivent que le lexique français ne s'est pas contenté de développer son héritage latin de toutes les façons possibles, mais qu'il a parfaitement su tirer parti de ses contacts avec les usages linguistiques de ses voisins en les adaptant et en les intégrant à ses propres structures. Après une brève incursion à la recherche des langues de ceux qui ont peuplé le pays avant l'arrivée des premiers Celtes – nos Gaulois – (ch. 3, DES INCERTITUDES INÉVITABLES, p. 29), on abordera les apports du gaulois lui-même. On s'apercevra que le latin parlé par les populations de l'ancienne Gaule s'était teinté de gaulois, et que le français a gardé quelques traces de cette vieille langue celtique jusqu'à nos jours (ch. 4, VESTIGES DU GAULOIS, p. 37). Avec les invasions germaniques, c'est un autre vaste pan du tissu lexical qui s'enrichira de nouveautés (ch. 8, L'HÉRITAGE GERMANIQUE, p. 83), avant que n'interviennent les mots des diverses langues régionales qui, sur l'ensemble du territoire, étaient nées du latin en même temps que le français. Le Moyen Âge devait apporter en plus son contingent de mots arabes, souvent par l'intermédiaire de l'espagnol, du catalan, du provençal ou de l'italien. Et c'est à la même époque que des mots néerlandais allaient pénétrer dans la langue française (ch. 9, LE TEMPS DES FOIRES, p. 99, et ch. 10, LES LANGUES DE L'ORIENT ET DE LA MÉDITERRANÉE, p. 113).

Mais cela n'était rien auprès de tout ce qui allait arriver d'Italie sous le règne de François Ier (ch. 11, LES APPORTS DES SŒURS LATINES. L'ITALIEN, p. 137). Le goût pour l'italien deviendra vraiment irrésistible à la cour de Catherine de Médicis : la France va alors s'enthousiasmer pour tout ce qui vient d'Italie, qu'il s'agisse des arts martiaux ou des arts tout court, de la mode vestimentaire, des manières de table ou des façons de parler. Il y a, à cette époque, un tel engouement pour l'Italie qu'on parlera d'italomanie et que le roi Henri III demandera au grammairien et lexicographe Henri Estienne de rédiger des ouvrages dans le but de prouver la supériorité de la langue française sur la langue italienne.

On peut voir dans cette intervention royale au XVIe siècle l'un des nombreux signes montrant que la question de la langue française a toujours été un souci majeur de nos gouvernants, au Moyen Âge et sous l'Ancien Régime comme sous la République : cette requête venue de haut se manifestait 700 ans après l'intervention de Charlemagne en faveur de la re-latinisation du dialecte roman qui était en passe de devenir la langue française et 400 ans avant que le général de Gaulle ne demandât à Étiemble d'écrire un pamphlet pour lutter contre l'anglais envahissant [2]. En France, la langue a toujours été considérée comme une affaire de l'État, qui a souvent légiféré pour la protéger des influences étrangères.

Or les langues qui ont contribué à faire du français ce qu'il est aujourd'hui se comptent par dizaines : depuis des langues voisines comme l'italien (ch. 11, p. 137), l'espagnol (ch. 12, p. 151), le néerlandais (ch. 9, p. 99) ou l'anglais (ch. 14, p. 177), dont la générosité est même parfois considérée comme gênante, jusqu'aux langues venues du bout du monde (ch. 15, p. 197), comme le japonais, le nahuatl, l'algonquin ou le tupi, comme le bantou ou le hottentot, qui lui ont apporté la pointe d'exotisme coloré qui lui manquait.

À toutes ces langues, plus ou moins éloignées dans l'espace ou dans le temps, il faut ajouter, en leur faisant une place de choix, deux langues tout à fait privilégiées, parce qu'elles n'ont jamais cessé d'enrichir le français et que leur influence n'est pas près de disparaître : le latin classique (ch. 5, UNE LANGUE DEUX FOIS LATINE, p. 51) et le grec ancien (ch. 6, PERMANENCE DU GREC CLASSIQUE, p. 65). Nous savons tous combien nous devons aux Grecs et à la langue grecque : le vocabulaire savant en est totalement imprégné. Mais le latin ? Il ne faudrait pas oublier que le français n'est pas simplement une langue issue du latin ; il lui a aussi beaucoup emprunté. Au fond, le français est une langue deux fois latine : à la fois par ses origines et par ses constants retours aux sources tout au long de son histoire.

On voyagera aussi, mais d'une autre façon, avec tous ces mots formés sur un nom de lieu étranger, comme *mousseline* (à partir de Mossoul) ou *berline* (à partir de Berlin), sur le nom propre d'une personnalité étrangère, comme *dahlia* (à partir de Dahl, nom d'un botaniste suédois, élève de Linné), ou encore avec les créations néologiques nées de l'imagination d'un étranger, comme *gaz*, inventé par un Hollandais, ou *album* par un Allemand (ch. 7, DU NOM PROPRE AU NOM COMMUN, p. 75).

Grâce à toutes ces langues qui ont contribué à divers titres à forger la personnalité de la langue française, cet ouvrage permettra de voyager autour du monde. On prendra parfois le temps de s'arrêter sur des sites particulièrement mis à contribution, comme le germanique ancien, l'italien ou l'anglais. On se déplacera aussi d'une langue à l'autre, à la recherche d'un vocabulaire particulier, celui des arbres, par exemple, celui de la botanique ou de la médecine. Et on se divertira çà et là grâce à des « à la manière de » quelque peu iconoclastes : le lecteur sera invité à tenter d'y retrouver à la fois les textes littéraires transfigurés et l'origine étrangère des mots de substitution.

QUELQUES POINTS DE REPÈRE À TRAVERS LES ÂGES

	langue *(exemples)*
ANTIQUITÉ	**ligure** *(avalanche...)*
	ibère *(baraque...)*
	gaulois *(braguette, galet...)*
MOYEN ÂGE	**francique** *(hangar...)*
	latin classique *(fragile...)*
	néerlandais *(boulevard...)*
	vieux scandinave *(homard...)*
	langues régionales *(rescapé, cigale, échantillon)*
	arabe *(sirop, jupe...)*
XVIe-XVIIe	**italien** *(caresser, réussir, à l'improviste...)*
	espagnol *(camarade...)*
	nahuatl *(chocolat...)*
	portugais *(pintade...)*
	tupi *(palétuvier...)*
	grec ancien *(typographie...)*
XVIIIe	**italien** *(caleçon...)*
	anglais *(bol...)*
	algonquin *(mocassin...)*
	allemand *(nouille...)*
	polonais *(mazurka...)*
	tchèque *(robot...)*
	russe *(cosaque...)*
	langues scandinaves *(rutabaga...)*
XIXe-XXe	**anglais** *(rail, silicone, formater...)*
	bantou *(okoumé...)*
	tahitien *(paréo...)*
	malgache *(raphia...)*
	japonais *(mousmé...)*

1

DES EMPRUNTS PAR MILLIERS

Le poids de la dette

Combien compte-t-on de mots d'origine étrangère en français ?

Il est toujours hasardeux de donner des chiffres, même approximatifs, en matière de lexique, car le nombre des mots d'une langue change tous les jours : certains d'entre eux tombent lentement et imperceptiblement dans l'oubli, tandis que des créations indigènes ou des emprunts aux autres langues pénètrent sans discontinuer dans l'usage, au gré des besoins et des rencontres. De plus, l'origine exacte d'un mot reste souvent conjecturale. On peut néanmoins, en restreignant le champ d'investigation au français de la fin du XXe siècle et au seul domaine de l'usage courant, tenter de se faire une idée globale de la masse d'emprunts aux langues étrangères par rapport au fonds lexical autochtone.

Une étude effectuée en 1991 [3] avait établi l'existence, en français, d'un peu plus de 8 000 mots d'origine étrangère, sur un corpus représenté par un dictionnaire usuel d'environ 60 000 entrées, ce qui correspond à un peu plus de 13 % du vocabulaire total. Les mots trop archaïques ou trop régionaux, trop spécialisés ou trop savants avaient ensuite été séparés pour n'étudier dans le détail que ceux qui étaient présents parmi les 35 000 mots du *Petit Dictionnaire de la langue française Larousse* ou du *Micro-Robert Plus*. On aboutissait alors à environ 4 200 mots courants d'origine étrangère (soit un peu moins de 13 %). Il faut ajouter que dans ce résultat ne figuraient ni les créations à partir du grec ancien (comme *photographie* ou *biologie)*, ni les emprunts tardifs au latin (comme *sacrement,* face à *serment,* ou *fragile,* face à *frêle)*. Ces deux apports importants font l'objet de deux chapitres particuliers dans le présent ouvrage (cf. chap. 5, UNE LANGUE DEUX FOIS LATINE, p. 51, et ch. 6, PERMANENCE DU GREC CLASSIQUE, p. 65).

Récréation

DES MOTS GAULOIS TOMBÉS DANS L'OUBLI

Si le français moderne a conservé vivants quelques éléments de la langue gauloise comme *alouette, char, chemin, cloche* ou *sapin,* de nombreux mots gaulois, encore présents dans les dictionnaires, ne sont plus en fait que des « mots-souvenirs ». En voici quelques-uns, qu'il serait divertissant d'introduire, sans crier gare, dans une conversation entre amis, juste pour tester leur degré d'attention. Essayez d'abord de deviner leur signification entre les trois solutions proposées ci-dessous :

1. un bièvre a. portion de cours d'eau
      b. tige entre deux pièces mobiles
      c. castor

2. une drille a. chiffon
      b. excroissance végétale s'enroulant en hélice
      c. personne extravagante

3. des landiers a. habitants des Landes
      b. chenets
      c. cornes de cerf

4. la mègue* a. petit-lait
      b. mie de pain
      c. terme argotique, féminin de *mec*

5. un tacon a. talon d'une chaussure du Moyen Âge
      b. jeune saumon
      c. vieil imbécile

6. la vergne ** a. hêtre
      b. chêne
      c. aulne

* *Mègue* a donné naissance à un dérivé inattendu : *mégot.*
** Le nom de cet arbre est présent dans un grand nombre de toponymes. Il est parfois masculin.

Réponses : 1c – 2a – 3b – 4a – 5b – 6c.

Les « grosses » dettes

Malgré les incertitudes où l'on se trouve pour proposer des estimations chiffrées, on peut prendre le risque de dresser un palmarès approximatif des langues les plus « prêteuses ».

À la place d'honneur se trouve l'anglais, mais cette situation est assez récente, car jusqu'au milieu du xxᵉ siècle c'était l'italien qui venait en tête [4]. Il est aujourd'hui au deuxième rang, suivi de près par le germanique ancien – surtout la langue des Francs, le francique – et par les autres idiomes gallo-romans, qui ont eux-mêmes souvent été les véhicules du gaulois (cf. ch. 4, VESTIGES DU GAULOIS, p. 37). Viennent ensuite l'arabe et les langues celtiques, qui précèdent l'espagnol et le néerlandais. L'allemand moderne et les dialectes germaniques actuels arrivent en neuvième position.

Quelques chiffres peuvent être avancés pour les langues les mieux représentées dans le corpus des mots courants.

Sur 4 192 mots courants d'origine étrangère :

ANGLAIS	1 053 mots, soit	25 % des 4 192 mots
ITALIEN	698	16,6 %
GERMANIQUE ANCIEN	544	13,0 %
DIALECTES GALLO-ROMANS	481	11,5 %
ARABE	214	5,1 %
LANGUES CELTIQUES	158	3,8 %
ESPAGNOL	157	3,7 %
NÉERLANDAIS	151	3,6 %
ALLEMAND	147	3,5 %
PERSAN ET SANSKRIT	109	2,6 %
LANG. AMÉRINDIENNES	99	2,4 %
LANGUES D'ASIE	86	2,0 %
LANG. CHAMITO-SÉMITIQUES	56	1,3 %
LANGUES SLAVES	53	1,2 %
AUTRES LANGUES	186 mots, soit	4,5 % des 4 192 mots.

Le nombre des mots empruntés à une autre langue que celles de la liste ci-dessus (AUTRES LANGUES) est toujours inférieur à 35 et plusieurs d'entre elles n'atteignent pas 10.

Il est en outre significatif de remarquer que les 1 053 mots empruntés à l'anglais, s'ils représentent le quart de tous les emprunts, tiennent une place très modeste en regard des 35 000 mots considérés comme représentatifs du français courant : à peine 3 %.

RÉPARTITION PAR LANGUES DES 4 192 MOTS D'EMPRUNT
(vocabulaire courant)

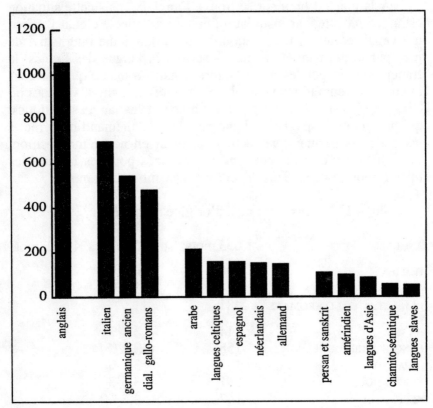

Les « petites » dettes

En dehors des langues citées ci-dessus, si on fait le compte de toutes les langues représentées dans la langue française, on en dénombre une bonne centaine, parmi lesquelles :

LES LANGUES PRÉ-INDO-EUROPÉENNES (ibère, ligure...)
L'HÉBREU
LES LANGUES SLAVES (russe, tchèque, polonais...)
LES LANGUES AUTOUR DE L'OCÉAN INDIEN (tamoul, hindi, malais, malgache...)

LE PORTUGAIS

LE TURC

LES LANGUES SCANDINAVES MODERNES (suédois, danois, norvégien...)

LES LANGUES AFRICAINES (bantou, malinké, wolof...)

AUTRES LANGUES (hongrois, finnois, basque, arménien, créoles, dalmate, osque...)

Récréation

LE BONHEUR DE PASTICHER

Tout le monde connaît le début du poème de Verlaine intitulé *Green* :

> *Voici des fruits, des fleurs, des feuilles et des branches*
> *Et puis voici mon cœur qui ne bat que pour vous.*
> *Ne le déchirez pas avec vos deux mains blanches*
> *Et qu'à vos yeux si beaux l'humble présent soit doux.*

Il a été pastiché trois fois avec des mots d'origine étrangère (en **gras**) et correspondant pour chaque pastiche à une même langue.

Quelle est la langue d'origine pour A, pour B et pour C ?

A. Voici de l'*ambre* ancien, du *talc* et du *benjoin*
Et puis un *élixir* dans sa *carafe* pour vous ;
Écoutez ma *guitare*, acceptez ce *camée* ;
Venez sur ce *divan*, quittez votre *jaquette* :
Vous serez ma *gazelle*, et moi votre *laquais*.

B. Voici un *slip*, un *short*, des *boots* et des *socquettes*
Et puis voici en *prime* mon *cardigan* pour vous.
Ne me renvoyez pas de votre *kitchenette*
Et qu'à vos yeux d'*esthète* tous ces *items* soient doux.

C. Voici un *canari*, du *jade* et des *jonquilles* ;
Et puis voici mon *casque* plein de *vanille* pour vous.
Ne l'*escamotez* pas, prenez cette *pacotille* :
Elle charme les *moustiques* et rend les *gitans* fous.

Réponses : A : arabe – B : anglais – C : espagnol.

Les prochains chapitres présenteront quelques commentaires sur chacun des apports de ces langues à la langue française dans son ensemble, après un exposé sur les emprunts aux langues étrangères dans le vocabulaire de l'argot.

2

LE CAS PARTICULIER DE L'ARGOT

Le vocabulaire argotique

Les chiffres avancés pour la langue française dans son ensemble ne permettent pas de faire la part de ce qui revient à l'argot, c'est-à-dire à toutes ces formes lexicales que l'on considère comme déviantes par rapport à la langue française officielle, celle qu'on enseigne. Le vocabulaire de l'argot traditionnel, tel que le décrit le dictionnaire de Richelet en 1680, était alors le langage « des gueux et coupeurs de bourse qui s'expliquent d'une manière qui n'est intelligible qu'à ceux de leur cabale ». Cette définition est aujourd'hui bien dépassée, et une controverse oppose ceux qui estiment que l'argot n'existe plus à ceux qui soutiennent qu'il a seulement assumé une nouvelle fonction : langue emblématique, signe d'appartenance à un groupe, ou simple clin d'œil linguistique.

Sans entrer dans cette polémique, qui pose un vrai problème difficile à résoudre parce que la situation reste sujette à fluctuations, on peut remarquer que ces productions lexicales spontanées n'ont pas cessé de proliférer selon les mêmes procédés depuis plus d'un siècle et demi, et cela malgré leur propagation, au siècle dernier, hors des milieux de la pègre, ce qui lui avait fait perdre sa caractéristique la plus centrale : celle de langage secret [5].

Ce qui reste en effet remarquable dans l'histoire de ce vocabulaire argotique toujours en mouvement, c'est la constance de ses modes de renouvellement favoris : l'abondance de la dérivation et surtout le goût de la suffixation parasite, la troncation des mots et les déformations voulues, mais aussi la métaphore et la métonymie, souvent teintées d'ironie, et enfin l'emprunt aux langues étrangères.

Les emprunts en argot ancien

On imagine aisément que le recours à l'emprunt ait pu être de tout temps une des sources de la création argotique. Et pourtant, la place réelle des emprunts dans l'ensemble des procédés de renouvellement de ce vocabulaire particulier reste encore à définir.

Victor Hugo estimait déjà que, « selon qu'on y creuse plus ou moins avant, on trouve dans l'argot, au-dessous du vieux français populaire, le provençal, l'espagnol, de l'italien, du levantin, cette langue des ports de la Méditerranée, de l'anglais et de l'allemand, du roman dans ses trois variétés : roman français, roman italien, roman roman, du latin, enfin du basque et du celte [6] ». La réalité actuelle est au moins aussi variée.

À l'origine, quelques mots étaient communs aux argots français, italien (appelé *furbesco*), et espagnol (appelé *germania*) : *ance* « eau », *lime* « chemise », *arton* « pain », *marque* « fille », *crie* « viande », *ruffle* « feu ».

En fait, le *furbesco*, venu d'Italie, avait fourni au français les mots :

gonze « un niais »
casquer, mais à l'origine avec le sens de « tomber »
lazagne « lettre » ;

et l'argot espagnol y avait ajouté les mots :
godin « homme riche »
luque « faux certificat »
taquin « tricheur ».

Mais c'est au tsigane que l'argot français doit :
berge « année »   *chourin* « couteau »
grès « cheval »   *manouche* « bohémien »
maravédi « pièce d'or [7] ».

Dans le lexique argotique actuel

Une étude récente a été entreprise pour estimer le volume des emprunts présents dans le lexique argotique contemporain [8].

Les résultats de ce travail montrent que, sur un total de 1 105 emprunts à d'autres langues (sur un corpus d'environ 6 500 mots argotiques), ce sont les parlers régionaux qui viennent en première place (397 mots) et qu'ils ne sont suivis que de très loin par l'italien (159), l'anglais (157) et les langues germaniques autres que l'anglais (125). Viennent ensuite l'arabe (89), l'espagnol (57) et le tsigane (54). Enfin, les langues celtiques ont fourni 18 mots, et toutes les autres, moins de 10 mots chacune.

Si on compare ces chiffres à ceux obtenus pour les emprunts faits par la langue commune (cf. ch. 1, DES EMPRUNTS PAR MILLIERS, p. 15), à savoir, pour les trois groupes les plus importants :

1° anglais, avec 1 053 mots,
2° italien, avec 698 mots,
3° parlers gallo-romans, avec 481 mots,

on constate que l'ordre d'importance est inversé pour le vocabulaire argotique, où l'anglais et l'italien sont presque à égalité et où ce sont les parlers gallo-romans, c'est-à-dire les langues régionales de France, qui l'emportent :

1° parlers gallo-romans, avec 397 mots,
2° italien, avec 159 mots,
3° anglais, avec 157 mots.

Les langues régionales en tête

Lorsqu'on examine de plus près la liste des emprunts de l'argot aux langues régionales, on se rend compte en outre qu'une grande partie de ce vocabulaire appartient aujourd'hui à la langue familière connue de tous, et n'a plus rien d'un code secret. Ainsi :

des *verbes* comme :

turbiner	(dialecte du Nord)	*mégoter*	(oïl de l'Ouest)
arnaquer	(picard)	*dégoter*	(angevin)
cafouiller	(picard)	*zigouiller*	(poitevin)
pioncer	(picard)	*bicher*	(lyonnais)
roupiller	(picard)	*resquiller*	(provençal)
baguenauder	(languedocien)		

des *noms* comme :

gambette	(picard)	*pognon*	(lyonnais)
tiffes	(dauphinois)	*mouise*	(franc-comtois)
grolles	(lyonnais)	*moutard*	(francoprovençal)
pagaye	(provençal)		

des *adjectifs* comme :

ringard	(oïl du Nord)	*maous(se)*	(angevin)
morfal	(rouchi)	*sinoque*	(savoyard).

Dans cette dernière rubrique, si *ringard* est resté très vivant, *morfal, maous(se)* et *sinoque* paraissent aujourd'hui un peu... ringards.

Historique des emprunts dans le domaine de l'argot

Un deuxième classement général des emprunts en argot, par ordre chronologique cette fois, permet de constater que les attestations des emprunts avant le xvᵉ siècle sont très rares. On sait en effet que c'est seulement grâce au procès des Coquillards dijonnais au xvᵉ siècle qu'ont été dévoilées les premières réelles informations sur le langage secret de la bande de ces malandrins.

LES COQUILLARDS ET LEUR ARGOT

On les appelait ainsi parce qu'ils portaient une coquille pour se faire passer pour des pèlerins de Saint-Jacques-de-Compostelle. Ces bandes de voleurs organisées, qui représentaient au xvᵉ siècle l'une des séquelles de la guerre de Cent Ans, réunissaient des aventuriers des grands chemins auxquels se mêlaient des groupes d'Italiens et d'Espagnols. Leur façon de parler a fourni l'essentiel des premiers recueils d'argot.

Parmi les attestations les plus anciennes, on trouve *mitan* « milieu » venu vers 1200 du franc-comtois ; *pine* « pénis » (1265), *maquereau* « proxénète » (1270) du néerlandais ; *maravédi* « sou » (1203), probablement du tsigane (cf. ch. 12, *carte* LES GENS DU VOYAGE, p. 154) par l'intermédiaire de l'espagnol, et le verbe *pier* « boire » (1292) du grec. Les emprunts au grec sont souvent passés dans l'argot français par le truchement de l'italien.

Le verbe *gourer* « tromper », que l'on trouve chez Villon, avait été précédé au xiiᵉ siècle par *goure* « boisson falsifiée », que l'on rapproche de l'arabe *gurûr* « tromperie [9] ».

Les attestations des emprunts en argot restent tout de même rares au xvᵉ siècle, mais on peut signaler *dalle* « gorge, gosier » (1450) venu du normand, et *argousin* « policier » (1450) venu du catalan.

Aux xviᵉ et xviiᵉ siècles, d'autres emprunts peuvent être identifiés et certains d'entre eux sont aujourd'hui passés dans la langue familière commune. Tel est le cas, par exemple, de *loustic* « mauvais plaisant » (1557) venu de l'allemand *lustig* « joyeux », de *gonze* « individu » (1628), venu de l'italien *gonzo* « lourdaud », et qui a donné naissance à *gonzesse*, forme féminine plus généralisée, tandis que *salamalecs* « ronds de jambe, politesses exagérées » (1659) vient de l'arabe *salam alayk* « paix sur toi » et que *pinard* « vin » (1616) est issu d'un parler régional roman non spécifié.

La langue des galériens

Dès la fin du XVIe siècle, on trouve un nombre important de formes argotiques d'origine méridionale, et on peut les expliquer par l'afflux des malfaiteurs attendant d'être embarqués sur les galères des ports de la Méditerranée. François Ier avait en effet créé la peine des galères, qui avait eu Marseille pour port d'attache, puis Toulon sous Henri IV. Plus tard, le bagne de Marseille et celui de Toulon, au milieu du XVIIIe siècle, joueront le même rôle [10].

Récréation

À LA MANIÈRE DE LA FONTAINE

À quelle langue sont empruntés tous les mots écrits en gras qui travestissent cette fable de La Fontaine ?

> La *cigale* ayant *rôdé*
> Tout l'été
> *Capota* dans la *panade*
> Quand la *brume* fut venue,
> Pas la moindre *bartavelle*
> À *tarabuster*
> Jusqu'à la saison nouvelle...
> Elle alla crier sa *dèche*
> Chez la *soubrette*, à l'*auberge* :
> « Cessez vos *balivernes*
> *Railla* cette *donzelle*,
> Vous *gambadiez*, au temps chaud ?
> J'en suis fort aise...
> Eh bien, *bisquez* maintenant.

Réponse : provençal.

Voici quelques exemples de formes d'origine méridionale qui sont encore bien vivantes : *cabot* « chien » (1821), *costaud* « souteneur, gaillard » (1884), *esquinter* « éreinter » (1861), *pègre* « voleur », et en particulier « voleur de quai », réputé pour avoir de la poix (*pego* en provençal) aux doigts. On peut encore citer, parmi beaucoup d'autres emprunts aux langues régionales, *limace* « chemise » (1835, de l'argot marseillais), *se baguenauder* « se promener » (1750, du languedocien), *au rencart* (1740, du normand), *décaniller* « s'enfuir » (1792, du lyonnais), *moutard* (1827, du francoprovençal).

Les autres langues

L'italien de son côté a constamment fourni du vocabulaire à l'argot à partir du XIVe siècle : *chiourme* « ensemble des bagnards » dès 1350, *bisbille* « dispute » en 1550, *dab* ou *dabe* « père » en 1725, *patraque* « en mauvaise forme physique » en 1743, *à la manque* « mal fait » en 1836, *scoumoune* « malchance », attesté en 1955, mais probablement beaucoup plus ancien.

C'est essentiellement du XVIIIe siècle que datent les premiers emprunts à l'allemand : par exemple *schnaps* « eau-de-vie », *capout* (dont la graphie est variable) « détruit, mort », *estourbi* « assommé », *nix* « non » affirmé avec force (aujourd'hui, on dirait plutôt *niet*), *fifrelin* « menue monnaie, sans valeur ».

En ce qui concerne l'arabe, en dehors de *salamalecs*, qui est attesté dès 1659, les emprunts de l'argot à cette langue commencent au XIXe siècle avec *maboul* « fou » (1860), *toubib* « médecin » (1863), *clebs* « chien » (1895), *flouze* ou *flousse* « argent » (1895), *béni-oui-oui* « qui approuve tout, sans esprit critique » (1959), *souk*, d'abord avec le seul sens de « magasin » (1959), puis celui de « désordre » (1960).

Les emprunts au tsigane se multiplient également au XIXe siècle, par exemple : *surin* (anciennement *chourin*) « couteau » (1827), *gadjo* « non-gitan », ou « homme naïf » (1899), *choucard* « beau, bon » (1947), *chouraveur* « voleur » (1962).

Quant à l'anglais, il n'offre qu'une dizaine d'attestations d'apports à l'argot au XIXe siècle, dont *job* « travail » en 1831, et *bifteck* en 1833. Ce dernier mot a d'abord pris le sens de « partie postérieure charnue du corps humain », avant de désigner de façon

mi-humoristique, mi-ironique « les Anglais », et enfin « la prostituée » (considérée comme source de revenus).

Lexique argotique et lexique tout court

Mais c'est surtout dans la seconde partie du xxᵉ siècle que
l'anglais devient l'une des principales sources des emprunts. On
constate dans le lexique argotique d'origine anglaise un glissement d'un argot traditionnel propre au « milieu » (*paddock* « lit »
dès 1939, *racket* « extorsion de fonds par la violence » en 1961)
vers un usage plus général : par exemple, plus récemment, *gay*
« homosexuel jeune et militant », *groupie* « jeune admiratrice d'un
musicien » en 1970, *cool* « détendu, sympa » dès 1977, *loser* « un
perdant » en 1983 et *tagger* ou *tagueur* « jeune marginal traçant
des graffitis » en 1988.

Le vocabulaire argotique rejoint ainsi, à la fin du xxᵉ siècle,
les tendances les plus évidentes du vocabulaire général, en puisant
dans l'anglais la plus grande partie de ses emprunts.

3

DES INCERTITUDES INÉVITABLES

Des mots sans date de naissance

Il faut se rendre à l'évidence : sauf exception, on ne peut pas vraiment savoir à quel moment un mot étranger a été adopté. Seule la plus ancienne attestation écrite connue pourrait réduire l'incertitude, mais on n'est jamais sûr qu'elle corresponde à sa première apparition dans la langue. En effet, un mot peut fort bien avoir circulé pendant des années, des décennies, voire des siècles avant de se manifester dans un texte écrit. Un cas extrême est représenté par le mot *frimas*, dont on sait qu'il est issu du germanique (au IVe siècle) et attesté en ancien français sous la forme *frime* (1050), mais *frimas* n'apparaît pour la première fois dans un texte écrit que chez Villon en 1456, c'est-à-dire avec un retard de plus de mille ans.

La question de la date d'emprunt reste encore plus mystérieuse lorsque la langue d'origine a disparu sans laisser de descendants. Tel est le cas pour un certain nombre de mots dont on sait seulement qu'ils ne sont ni latins ni même gaulois, mais qu'ils appartiennent à des langues ayant précédé ces idiomes sur le territoire.

Avant le gaulois et avant le latin

Nous connaissons bien les noms de certains habitants qui peuplaient la Gaule avant l'arrivée des Gaulois : Aquitains, Ibères, Ligures, mais leurs langues restent pratiquement inconnues.

Les Ibères, qui occupaient à l'origine la péninsule Ibérique, s'étaient aussi installés dans le sud de la Gaule, et ils s'étaient probablement implantés jusque dans le Cantal et dans la région de Nîmes, pour être ensuite repoussés vers le Roussillon. De leur côté, les Ligures semblent avoir occupé le sud-est et l'est de la Gaule, ainsi que l'Italie du Nord. Mais dans ces deux cas, seuls les toponymes gardent le souvenir de ces langues qui n'ont pas eu de rejetons.

Le basque, langue vivante

En revanche, on a de bonnes raisons de penser que les Aquitains sont probablement les lointains ancêtres des Basques, dont la langue, contre vents et marées, a survécu à toutes les invasions, à commencer par celles des Gaulois au cours du premier millénaire avant J.-C. Malheureusement, la plus ancienne attestation en langue basque ne date que du xe siècle après J.-C. et le premier livre seulement de 1545 [11]. Dans ces conditions, on a bien du mal à se faire une idée du basque à date ancienne. Mais, par bonheur, le basque est une langue encore bien vivante.

Grâce au basque moderne, on peut aisément comprendre le sens d'un bon nombre de toponymes de cette région sur le territoire français : la *Bidassoa,* c'est « le fleuve, la rivière », *Mendigorri* signifie « montagne rouge », *Baigorri* « rivière rouge » et *Iriberri* « village neuf ». Mais le lexique français d'origine basque se résume à bien peu de chose : à deux termes concernant le jeu de pelote basque (*pelotari* « joueur de pelote basque » et *chistera* « sorte de gant d'osier servant à renvoyer la balle », ce dernier ayant été emprunté au latin CISTELLA), à l'adjectif *bizarre*, au substantif *bagarre* « dispute violente et désordonnée » et au nom de l'*orignal*, cervidé du Canada dont le nom, donné par des immigrants basques, a ensuite fait le voyage inverse.

Des mots venus de la nuit des temps

Quelques mots français comme *baraque, caillou, caparaçon, carapace* et *chalet* sont certainement prélatins, mais viennent-ils du gaulois, de l'ibère, du ligure ou d'une autre langue méditerranéenne aujourd'hui disparue ?

Le mot *baraque*, qui a été introduit en français par l'intermédiaire de l'espagnol, pourrait se rattacher à une racine ibère à l'origine, *bar* « boue », la baraque étant d'abord une maison en torchis.

Pour *caillou*, on pourrait opter pour la racine *cal* « pierre, gravier de rivière », que l'on trouve aussi en gaulois [12].

Quant au ligure, il semble avoir laissé à la langue française *avalanche*, *marron* « châtaigne » et *tomme* (qui désigne le fromage en savoyard).

Les mots *gave*, *gaver*, *gavotte*, *gouailler*, *jabot* et *joue* dérivent tous de la même racine prélatine *gaba* « gorge, gosier ». Ils ont pénétré en français par l'intermédaire du normand ou du picard pour les premiers, par l'auvergnat, le limousin et le franco-provençal pour les derniers.

Enfin, voici encore d'autres mots d'origine aussi lointaine, mais qu'on ne peut attribuer à aucune langue précise : *calanque, clapier, garrigue, givre, marelle, mélèze, motte, patte* « chiffon », *pic, pot.*

D'OÙ VIENT LE NOM DE LA ROSE ?

Il vient, bien sûr, du latin ROSA, mais le mot latin lui-même ? Vient-il d'une langue sémitique ? Peut-être est-il ensuite passé par l'étrusque ? L'hypothèse est plausible [13].

En fait, le nom de la fleur la plus connue reste d'origine inconnue.

Le nom du lapin

Le nom du lapin, qui a peut-être été emprunté à une ancienne langue méditerranéenne, a causé bien des soucis aux Français soucieux de bonnes manières. En effet, le nom de ce petit rongeur était CUNICULUS en latin, devenu *conil* et *conin* en ancien français. On voit tout de suite les jeux de mots un peu lestes que ces formes pouvaient susciter, et on comprend pourquoi ils ont été abandonnés au XVᵉ siècle et remplacés par *lapin*, mot formé à partir de LEPUS, qui désignait pourtant en latin un autre animal, le *lièvre*. En faisant une entorse au sens, on pensait avoir préservé la bienséance, mais on n'avait pas mesuré toutes les conséquences de ce nouveau choix : avec le nom de la femelle du lapin, le problème restait entier.

Récréation

LES CHIENS

1. Tous les mots en **gras** sont des emprunts à une même langue. Laquelle ?

2. Ces quatre lignes reprennent la structure de la première strophe d'un poème intitulé « Les chats ». Qui en est l'auteur ?

Les *ermites athées* et les *prêtres austères*
Aiment également, pour leur *zèle magique*,
Les chiens *myopes* et *glauques*, à l'*iris écliptique*,
Qui comme eux sont *ascètes* et comme eux sans *colère*.

Qui comme eux sont frileux et comme eux sédentaires.
Les chats puissants et doux, orgueil de la maison,
Aiment également, dans leur mûre saison,
Les amoureux fervents et les savants austères

Réponses : 2. Le grec. 1. Baudelaire.

Le recours aux toponymes

Grâce aux noms de lieux, on peut retrouver certains éléments des langues aujourd'hui disparues, et c'est surtout avec les noms décrivant la configuration du terrain que l'on peut remonter le plus loin dans l'histoire d'une langue. Ces formes fossilisées se trouvent en abondance en France, où la très grande majorité des noms de montagnes, de fleuves et de rivières – qu'on nomme des *oronymes* et des *hydronymes*, si on veut à la fois faire plus court et plus savant – datent d'avant l'arrivée des Celtes, dont la présence effective en Gaule est attestée vers le milieu du premier millénaire avant J.-C.

Or, si on connaît les noms de certaines populations qui avaient précédé les Celtes en Gaule, on ne connaît pas grand-chose des langues qu'elles parlaient, car seule la langue basque a survécu au déferlement des invasions successives.

Et pourtant, les linguistes s'accordent pour avancer que les noms de la *Loire*, de la *Sarthe*, du *Rhône*, de la *Gironde* et même de la *Garonne* sont préceltiques (mais le suffixe *-onne* dans *Garonne* est aussi une forme celtique désignant une étendue d'eau), comme le sont ceux du *Couesnon*, qui se jette dans la baie du Mont-Saint-Michel, de l'*Adour*, qui se jette dans l'Atlantique, et de l'*Hérault*, qui se jette dans la Méditerranée, ou encore ceux de la *Meuse*, de l'*Ain* ou de l'*Oise*, de la *Vienne* et de l'*Aveyron*, du *Var*, du *Gard* et du *Verdon*. Et ils affirment en revanche que les noms du *Rhin*, de la *Marne*, de l'*Orne*, de la *Mayenne*, du *Doubs* ou du *Lot* sont celtiques [14].

LES DIVERSES SORTES DE NOMS PROPRES

Beaucoup de noms propres sont le plus souvent d'anciens noms communs, qui se sont figés pour désigner une divinité, un peuple, une famille, une personne, un lieu, etc.

On peut ainsi distinguer entre divers noms propres :

théonyme	nom de divinité
ethnonyme	nom de peuple
patronyme	nom de famille
anthroponyme	nom de personne
hagionyme	nom de saint
hagiotoponyme	nom de lieu, formé sur un nom de saint
toponyme	nom de lieu
hydronyme	nom de cours d'eau
odonyme	nom de chemin, de voie ou de rue
oronyme	nom de montagne

Mais comment peut-on prétendre que cela est vrai, puisque nous ne savons presque rien des langues qui ont précédé le gaulois sur le territoire qui deviendra la France ? En fait, il faut, pour arriver à des résultats en toponymie, réunir une vaste documentation, qui fait appel à des disciplines aussi diverses que la phonétique historique (ou histoire des prononciations), l'archéologie et la préhistoire, la géologie [15], la botanique, l'étude des mouvements des populations, de l'évolution de la société, des techniques, de la naissance des villes, etc. C'est seulement grâce à l'établissement de faits concordants que l'on parvient alors à formuler des hypothèses sur l'origine de ces noms de lieux.

Cuq et Cucuron

Il y a en France une bonne centaine de toponymes comportant un élément *Cuq*, pour lesquels on peut faire l'hypothèse d'une origine préceltique [16]. Il y en a, par exemple, en Charente, en Dordogne et dans le Lot-et-Garonne *(Cuq)*, dans le Gers *(Le Cuq)*, dans l'Isère *(Cucuron)*, dans le Pas-de-Calais *(Cucq)*, dans les Pyrénées-Atlantiques *(Cuqueron)*, mais aussi en Corse *(Cucco)* et en Calabre *(Monte Cucco*[17]*)*. Ce qui frappe lorsqu'on visite ces lieux, c'est qu'ils sont tous situés sur une hauteur arrondie. Cela permet de faire l'hypothèse que le mot *cuq* signifiait « hauteur, colline », et cette hypothèse se vérifie lorsqu'on retrouve cette même racine dans des formes qui ont survécu régionalement, avec le même sens ou un sens voisin : dans la région lyonnaise, par exemple, le *cuchon* (où l'on reconnaît *cuq*, avec un suffixe diminutif) désigne un petit tas, ou un amoncellement plus ou moins important ou encore une meule.

Mais ce qui est décisif pour reconnaître qu'il s'agit bien d'un mot qui n'est pas celtique, c'est qu'on trouve aussi *kukkuru* « pointe, hauteur » en sarde, et *cucca* « tête » en sicilien. En effet, on sait que les Celtes, qui occupaient les deux tiers de l'Europe au moment de leur plus grande expansion, n'ont jamais poussé jusqu'au sud de l'Italie et n'ont jamais résidé dans les grandes îles de la Méditerranée (Corse, Sardaigne, Sicile[18]).

Moralité : ne jamais se laisser prendre aux apparences des noms de lieux. Malgré la consonance évocatrice du mot, un *cuq*, c'est un monticule ou une montagne, et *Montcuq* (Lot) exprime donc deux fois la même chose, une fois avec la forme latine *(montem* « montagne ») et une deuxième fois avec la forme préceltique *(cuq)*. On trouve la même tautologie dans *Puy-de-Serre*, en Vendée (du latin *podium* « lieu élevé » et prélatin *serra* « montagne », par un dialecte vendéen[19]) ou, en Sicile, dans *Montegibello* (latin *montem* et arabe *djebel* « montagne ») ou encore, en Grande-Bretagne, dans *Cheetwood* (celtique *chet* « forêt » et anglais *wood* « forêt[20] »).

D'autres hauteurs cachées

C'est également un sommet arrondi que désignait à l'origine le nom de *Le Truc*, petite localité de la commune de Saint-Colomban-des-Villars, en Savoie. Et méfions-nous aussi de *Menton* (Alpes-Maritimes), qui ne doit pas faire penser au bas du visage, mais dont la première syllabe porte témoignage d'une racine évoquant également une idée de relief. On pourrait relier cette forme au basque *mendi* « montagne », qu'on retrouve dans deux noms de ville des Pyrénées-Atlantiques comme *Mendibels*

« montagne noire » ou *Mendigorri* « montagne rouge ». *Auteuil* aussi est trompeur, car ce toponyme, qui semble une forme vide de sens pour les Parisiens contemporains, devrait pourtant leur faire penser à une localité sur une hauteur : sous sa forme actuelle, on ne sent plus qu'il est effectivement formé de l'adjectif latin ALTUS « haut » et du celtique *ialo* « clairière ».

Mais la toponymie n'aboutit pas toujours à des certitudes, et il faut bien avouer que dans les cas de *Béziers, Bordeaux, Angoulême, Cimiez, Collioure* ou *Toulouse,* dont on pense seulement qu'ils sont sans doute aussi d'origine préceltique, le sens de ces mots reste, et restera peut-être encore longtemps, mystérieux.

4

VESTIGES DU GAULOIS

Du gaulois, malgré tout

Heureusement, il y a des mots qui circulent d'une langue à l'autre, faute de quoi les langues mortes seraient à tout jamais perdues. Pour le gaulois, nous n'avons que peu de traces écrites parce que les druides, qui détenaient la science, la religion et la justice, ne diffusaient leur savoir que par voie orale. Mais leur langue, nous la connaissons un peu grâce à deux sources très inégales : d'une part, les quelques dizaines de formes lexicales passées dans le latin populaire des premiers siècles de notre ère et qui ont continué à vivre en français, souvent en passant par les patois, d'autre part, les milliers de toponymes qui perpétuent le souvenir de « nos ancêtres les Gaulois » sur tout le territoire.

Il existe aussi un petit glossaire gaulois-latin, qui date probablement du ve siècle après J.-C., mais qui ne compte que dix-huit mots, glosés en latin tardif (cf. p. suivante, *encadré* LE GLOSSAIRE D'ENDLICHER [21]).

Parmi les mots glosés, on trouve *onno* « fleuve, cours d'eau », qui apparaît, par exemple, dans *Garonne*, ce qui se comprend dans le cas d'un fleuve, mais aussi dans *Divonne*, qui est le nom d'une divinité des eaux. Il y a la forme gauloise *aballo* « pommier », qu'on reconnaît dans *Avallon* (Yonne) et aussi dans *Avalogile* (Cantal) « clairière de pommiers [22] », ainsi que *brio* « pont », qui est à l'origine de *Brive*, et *nanto* « vallée », qui apparaît encore dans *Nantes, Nantua* ou *Dinan*.

LE GLOSSAIRE D'ENDLICHER : 18 MOTS EXPLIQUÉS

Voici quelques extraits du seul glossaire gaulois-latin qui nous soit parvenu de l'Antiquité, le glossaire d'Endlicher, du nom du savant qui l'a fait connaître en 1836.

aremorici : *antemarini*, quia* *are* « ante », *more* « mare », *morici* « marini » = **Armoricains** « ceux qui sont devant la mer »

onno : *flumen* « cours d'eau »

cambiare : *rem pro re dare* « donner une chose contre une autre, échanger »

aballo : *poma* « pommier »

brio : *ponte* « pont »

nanto : *valle* « vallée »

anam : *paludem* « marais »

doro : *osteo* « entrée, porte »

* quia : « parce que ».

Les mots venus du gaulois

S'il est clair que les Gaulois ont fini par adopter la langue latine, ils ont aussi donné au latin une partie de leur vocabulaire, en particulier dans le domaine des véhicules à roues : témoins les noms du *char*, de la *carriole*, du *carrosse*, de la *charrue,* qui existent encore en français, mais c'est au moins une quinzaine de noms de véhicules que le latin avait empruntés à ces Gaulois qui étaient des charrons hors pair [23].

L'ensemble des mots français sûrement venus du gaulois pourrait composer une petite liste de plusieurs dizaines d'unités, parmi lesquelles : *alouette, ambassade, braguette* ou *cervoise.*

Le vieux mot *bouge*, qui désignait à l'origine un sac, a connu une longue histoire. Quand le sac était petit, on disait une *bougette*, et c'est sous cette forme que le mot est parti en Angleterre au moment de la conquête normande au milieu du xie siècle. Il s'y est fixé, sans cesser de désigner une petite bourse, mais sa prononciation a suivi les habitudes articulatoires du pays. Lorsqu'il est revenu en France sous la forme *budget* à l'époque de la Révolution, il était méconnaissable et il ne désignait plus une petite bourse, mais n'importe quel financement annuel, et en particulier l'énorme budget de l'État [24].

MERDE À CÉSAR !

La cohabitation avec les envahisseurs romains, après les premiers affrontements, semble bien avoir été pacifique, mais les Gaulois ont aussi eu leur mot de Cambronne sous l'occupation romaine, car une chronique latine rapporte qu'un Gaulois n'avait pas hésité à crier aux Romains : **Cecos ac Caesar !**, ce qui signifie, vous l'aviez deviné, « Merde à César [25] ! ».

C'est surtout dans le domaine de la vie rurale et des produits artisanaux que l'on trouve des mots d'origine gauloise : *cervoise, crème, lie, benne, tonneau, ruche, soc.*

Les arbres et les arbustes sont particulièrement bien représentés, avec *bouleau, bruyère, chêne, coudrier, if, verne* « aulne ».

Signalons encore quelques poissons : *alose, brochet, limande, lotte, tanche,* ainsi que quelques animaux terrestres : *bièvre* « castor », *blaireau, bouc, chamois.*

Il ne faut enfin pas s'étonner si, bien souvent, c'est par l'intermédiaire des dialectes régionaux que les mots gaulois ont traversé les siècles pour venir jusqu'à nous :

galet, galette, galoche, quai, par le normand ;

chai, par le poitevin, et *guenille,* par une variété d'oïl de l'Ouest ;

boue, par une variété d'oïl du Nord ;

souche et *rabouilleuse,* par le berrichon ;

luge, par le savoyard ;

auvent, braguette, bruyère, carriole, combe et *gaspiller,* sans doute par les langues romanes d'oc.

RABOUILLEUSE : UN MOT GAULOIS SAUVÉ DE L'OUBLI

Qui se douterait qu'une **rabouilleuse** est une personne qui trouble l'eau des ruisseaux avec une branche d'arbre pour attraper les écrevisses, si Balzac [26] n'en avait pas fait le titre d'un de ses romans ?

On retrouve une partie de ce mot dans l'ancien français **bouille** « bourbier ».

À la manière de...

Et, pour terminer sans tristesse, voici une petite fable pour rire, dont le seul intérêt est de réunir des mots d'origine celtique sur une trame connue (et pardon aux mânes de La Fontaine !) :

Maître *mouton* par sa *luge bercé*
Tenait en son *bec* une *galoche,*
Quand un *gaillard,* gras comme une *loche,*
Jaillit de son *char* et dit, tout *renfrogné* :
« Hé ! Bonjour, Monsieur du *carrosse,*
Que vous êtes *changé,*
Que vous me semblez *cloche* !
Sans mentir, si votre *charrue*
Se rapporte à votre *carriole,*
Vous êtes le *valet* des *druides* de ces bois !

Tous les mots en italique sont d'origine celtique, sinon proprement gauloise. Cela est particulièrement vrai pour le mot *cloche*, ici pris métaphoriquement. Il a été introduit en français non pas par le gaulois, mais bien plus tard, au Moyen Âge, par les missionnaires irlandais. Pour désigner la cloche, le mot celtique avait alors remplacé le mot du latin classique SIGNUM. Le gaélique d'Irlande a aussi donné *whisky,* qui vient de la forme celtique *uisgebeatha,* mot à mot « eau-de-vie ».

LES GAULOIS ET LES AUTRES CELTES

On a coutume de nommer Gaulois les habitants de la Gaule, **cisalpine** en Italie « de ce côté des Alpes » (pour les Romains), **transalpine** en France, « de l'autre côté des Alpes ». Les Gaulois étaient en fait des Celtes, au même titre que les habitants de l'Irlande, de l'Écosse – dont la langue est le gaélique – ou du pays de Galles, où l'on parle le gallois.

L'intermédiaire breton

Les apports anciens par le gaulois se sont prolongés en France grâce à une autre langue d'origine celtique, le breton : une langue proche du gallois et du cornique, revivifiée à partir des îles Britanniques aux ve et vie siècles après J.-C., par des populations celtiques chassées d'Angleterre par les invasions des Angles, des Saxons, des Jutes et des Frisons.

Certains mots typiquement bretons frappent immédiatement l'imagination, comme *menhir* « pierre longue » ou *dolmen* « table de pierre », mais leur attestation tardive (au XIXe siècle) semble indiquer qu'il s'agit de créations récentes dues aux archéologues. D'autres formes empruntées sont moins faciles à repérer, par exemple le mot *bijou*. On s'accorde d'une manière générale [27] pour y reconnaître le breton *bizou* « anneau », formé sur *biz* « doigt ». En revanche, on attribue un peu rapidement *plouc* au breton, à cause des nombreux toponymes en *plou-* (*Plougastel, Ploubalay,* etc.). Et on a tort, car il faut y reconnaître le latin *plebs* « peuple », qui, sous la forme *plou* (ou *pleu, plé*), a généralement désigné l'église paroissiale, puis la paroisse en latin médiéval. Dans les toponymes, à côté de *Plougastel*, où les deux parties sont latines « paroisse » + « château », on trouve souvent des formes hybrides latino-bretonnes comme *Pleubian*, qui se décompose en *pleu*, variante de *plou* « paroisse » et en *bihan* « petit » en breton. C'était donc la « petite paroisse », tandis que *Pleumeur* désignait la « grande paroisse ».

DU PAIN ET DU VIN

Les Grecs disaient de ceux qui ne parlaient pas grec que c'étaient des Barbares parce qu'on ne comprenait pas ce qu'ils disaient. Certains prétendent que les Français, entendant les Bretons répéter **bara gwin,** disaient qu'ils **baragouinaient** alors qu'ils demandaient simplement du pain (**bara**) et du vin (**gwin**).

Le druide sous son chêne

Une des images d'Épinal les plus répandues dans la mémoire collective lorsqu'on veut évoquer les Gaulois est peut-être celle du druide rendant la justice sous un chêne. Et cela se comprend si l'on prend en compte le fait que la Gaule était alors très largement couverte de forêts [28] et que les Gaulois vouaient aux bosquets et aux arbres une vénération profonde car ils les considéraient comme les sanctuaires de puissances invisibles [29].

Les clairières ont dû être les premiers lieux habités à la lisière de ces bois, et on retrouve le gaulois *ialo* « clairière » dans le suffixe *-euil* ou *-eil*, comme dans *Argenteuil*, *Créteil* ou *Creil*, et de nombreux autres toponymes ont gardé le souvenir des arbres qui les entouraient : l'if *(eburo)* a donné naissance aux noms d'*Évreux*, *Embrun*, *Ivry*, et le bouleau (BETUA, d'où le diminutif BETULLUS) à *Belloy* (Oise, Somme, Val-d'Oise), *La Boulaye* (Saône-et-Loire), *Le Boulois* (Doubs) ou encore à *Bouleuse* (Marne). Dans *Avallon* (Yonne) ou dans *Avalleur* (Aube), on reconnaît – si on se rappelle qu'un ancien /b/ a souvent évolué en /v/ en français, comme dans *avoir*, de HABERE – le nom du pommier, *aballo* (avec la même racine indo-européenne que dans l'anglais *apple* et l'allemand *Apfel)*. Mais la place d'honneur doit être réservée aux deux arbres qui, si l'on en croit les toponymes, étaient les arbres-cultes des Gaulois : le chêne et l'aulne.

Le chêne gaulois : présent partout

Le nom du chêne était *cassanos* en gaulois, QUERCUS en latin. On retrouve la racine latine dans le nom de la forêt *hercynienne* (où le QU latin prononcé /kw/ correspond au /h/ germanique), mais le terme latin n'est représenté qu'en Corse, avec *Quercitello*.

En revanche, les toponymes issus de *cassanos* sont plus de deux cents, répartis sur l'ensemble de la France, dans 74 départements. La carte ci-contre illustre non seulement cette répartition uniforme mais aussi un phénomène de phonétique historique qui, à partir d'une forme ancienne *ca-*, divise les parlers de France en trois zones :

> *Que-*, dans le nord du pays : *Quesnoy* (Nord), *Le Quesne* (Somme)...
>
> *Ca-*, dans le sud du pays : *Cassagne* (Haute-Garonne), *Cassagnoles* (Gard), *Lacassagne* (Hautes-Pyrénées) et aussi *Cassano* en Haute-Corse...
>
> *Cha-*, *Che-*, partout ailleurs : *Chassaigne* (Allier), *Chanoy* (Loiret), *Chessenaz* (Haute-Savoie), *Le Chesnay* (Eure, Yvelines)...

Cette même répartition phonétique se retrouve dans d'autres toponymes, par exemple dans les dérivés du latin CASTELLUM représentés par *Le Cateau* (Nord) et *Castelnaudary* (Aude), mais aussi par *Châteauroux* (Indre). Elle n'est qu'une illustration de l'évolution générale qui a fait, par exemple, du latin CANTARE le français *chanter*, le picard *canter* et le provençal *canta*[30].

LES NOMS GAULOIS DU CHÊNE DANS LES TOPONYMES

L'un des arbres les mieux représentés dans les toponymes de France est le chêne, très abondant sur l'ensemble du territoire et objet de culte chez les Gaulois.

Cette carte, établie à partir de 221 toponymes [31] formés à partir de *cassanos* « chêne », permet aussi d'illustrer l'évolution phonétique de la succession **ca**, différente selon les régions : la consonne initiale s'est maintenue en Normandie et en Picardie, de même que dans une grande partie du domaine d'oc et en Corse. Partout ailleurs, elle a abouti à **cha** ou **che**.

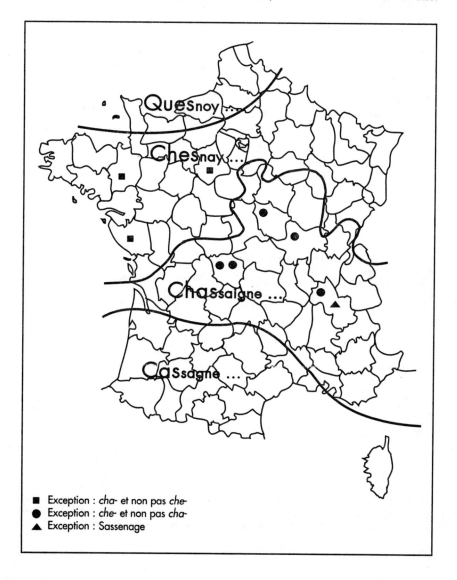

■ Exception : *cha-* et non pas *che-*
● Exception : *che-* et non pas *cha-*
▲ Exception : Sassenage

LISTE DES 221 TOPONYMES ÉVOQUANT LE CHÊNE

Les chiffres placés après certains noms indiquent le nombre de toponymes attestés sous ce nom dans le même département (Ex. **Ardèche** : Chassagnes 2).

Ain : Chagne (La), Chanay, Chanay (Le), Chanes, Chaneye, Chanoz, Chasnas, Chassagne (La), Chêne – **Allier** : Chassagne (La), Chassaigne, Chassaignes, Chassaing, Chassignol, Chassignole (La), Chêne-du-Loup – **Alpes de Haute-Provence** : Chasse – **Ardèche** : Charnas, Chassagnes 2 – **Ardennes** : Charnois, Chesne (Le), Chesnois (Le), Chesnois-Auboncourt – **Aube** : Chanet (Le), Chêne (Le), Cassaigne (La), Cassaignes, Cassés (Les), Cassignole (La) – **Aveyron** : Cassagnes, Cassagnes-Bégonhès, Cassagnes-Comtaux, Cassagnoles – **Calvados** : Chesnée (La), Quesnay (Le), Torquesne (Le) – **Cantal** : Cassan, Cassaniouze, Chanet, Chassagne 2 – **Charente** : Chasseneuil-sur-Bonnieure – **Charente-Maritime** : Chaniers, Chêne (Le), Chênes (Les), Chepniers – **Cher** : Chêne-Fourchu (Le), Chênes (Les) – **Corrèze** : Bellechassagne – **Côte-d'Or** : Chaignay, Chaignot, Chassagne (La), Chassagne-Montrachet – **Creuse** : Chassagne (La) 5, Chassaing, Chassaing-Cheval, Chassignol, Chassignole (La), Chêne (Le), Chéniers – **Deux-Sèvres** : Chesnaie (La) – **Dordogne** : Cassagne (La), Chassaignes, Chassaing, Chasseignas – **Doubs** : Chassagne-Saint-Denis, Chêne (Le) – **Eure** : Chennebrun, Chesnay (Le), Chesne (Le), Quesnay (Le) – **Eure-et-Loir** : Chassant, Chêne-Doré, Chesnaye (La) 2 – **Gard** : Cassagnoles, Cassan – **Gers** : Cassaigne – **Gironde** : Casseuil – **Haute-Corse** : Cassano – **Haute-Garonne** : Cassagnabère-Tournas, Cassagne, Cassagnère (La) – **Haute-Loire** : Chassagne, Chassagnes 2, Chassignolles – **Haute-Marne** : Chanoy, Chassagne (La) – **Haute-Savoie** : Chainaz, Chanenaz, Chassenaz, Chêne-en-Semine – **Haute-Vienne** : Chassagnas, Chassagna, Chasseneuil (Le) – **Hautes-Alpes** : Chanets (Les), Chassagne, Chassaignes – **Hautes-Pyrénées** : Lacassagne – **Hérault** : Cassagnoles – **Ille-et-Vilaine** : Beauchesne, Chasné – **Indre** : Chasseigne, Chasseneuil, Chassignolle, Chêne-Éclat, Chénier – **Indre-et-Loire** : Chêne (Le), Chêne-Pendu, Chesnaie (La) – **Isère** : Chanas, Chanay, Chasse, Chasse-sur-Rhône, Chêne (Le), Sassenage – **Jura** : Chainée, Chanay, Chassagne (La), Chêne-Bernard, Chêne-Sec – **Landes** : Cassen – **Loir-et-Cher** : Beauchêne 2, Chesnay (Le) – **Loire** : Chassagnole, Chassenet, Chassignol, Chêne (Le) – **Loire-Atlantique** : Chêne (Le) – **Loiret** : Chanoy, Chêne-Rond, Chesnoy (Le) – **Lot** : Cassagnes – **Lot-et-Garonne** : Casseneuil, Cassignas – **Lozère** : Cassagnas, Cassagnas-Barre – **Maine-et-Loire** : Chenaie (La), Chesnaie (La) – **Manche** : Quesnay (Le) – **Marne** : Chêne-la-Reine, Chéniers – **Mayenne** : Chêne-Doux, Chênerie (La) – **Meurthe-et-Moselle** : Chenières – **Morbihan** : Cassan – **Moselle** : Chenois, Chesny – **Nièvre** : Chassagne 2, Chasseigne, Chêne – **Nord** : Chêne-au-Loup, Quesno, Quesnoy (Le) – **Oise** : Chesne (Le), Esquennoy, Quesnel (Le) – **Orne** : Beauchêne, Chenaie (La), Chênedouit, Chênesec – **Pas-de-Calais** : Quesnoy, Quesnoy (Le), Tortequesne – **Puy-de-Dôme** : Chassagne, Chassaignolles, Chassaing (Le), Chassenet, Chassignole, Chassignoles (Les) – **Pyrénées-Atlantiques** : Cassaber, Cassaet – **Pyrénées-Orientales** : Cassagnes – **Rhône** : Lachassagne – **Saône-et-Loire** : Chânes, Chênerie (La) – **Sarthe** : Chesnière (La) – **Savoie** : Chagne (La), Chanay, Chanay (Le), Chanaz, Chane, Chasnaz – **Seine-et-Marne** : Chanoy (Le), Charnois (Le), Charnoy (Le), Chasne (Le), Chenois, Liéchêne – **Somme** : Beauquesne, Equennes, Quesne (Le) 2, Quesnel (Le), Quesnot (Le), Quesnoy (Le), Quesnoy 2 – **Tarn-et-Garonne** : Belcasse – **Territoire de Belfort** : Eschêne – **Vaucluse** : Cassanets (Les), Chêne (Le) – **Vendée** : Chasnais – **Vienne** : Chasseignes, Chasseneuil-du-Poitou, Chêne – **Vosges** : Chênes (Les), Chénois (Le) – **Yonne** : Chassignelles, Chassignole, Chêne-Arnoult – **Yvelines** : Chesnay (Le), Longchêne ;

soit 221 toponymes dans 74 départements.

Le nom de cet arbre, on vient de le voir, figure abondamment et sous diverses formes dans les toponymes, et c'est ce même nom d'origine gauloise qui s'est maintenu dans la langue française sous la forme *chêne*.

La vergne avait précédé l'aulne

Il en va tout autrement pour un autre arbre, l'aulne, dont le nom gaulois, *verno*, a cédé sa place au latin ALNUS, lui-même emprunté au germanique, devenu *aulne* dans les usages du français général. Mais le nombre considérable de toponymes du type *Vergne, Verne* (230 toponymes), encore un peu plus élevé que celui où se manifeste le nom gaulois du chêne, montre que le mot d'origine gauloise avait alors une expansion remarquable dans le pays tout entier.

Mais pourquoi le terme gaulois *vergne* a-t-il ensuite été supplanté en français par le terme *aulne*, alors que le nom du *chêne* s'est maintenu en évoluant à partir de sa forme gauloise ?

LISTE DES 230 TOPONYMES
ÉVOQUANT L'AULNE < GAULOIS *VERNO*

Les éléments de cette liste ont été réunis après consultation du *Dictionnaire national des communes de France,* Paris, Albin Michel et Berger-Levrault, 1984, et vérification dans Nègre, Ernest, *Toponymie générale de la France*, Genève, Droz, 1991, tome 1, p. 266-271.

Les chiffres placés après certains noms indiquent le nombre de toponymes attestés sous ce nom dans le même département (Ex. **Creuse** : Vergnoux 2).

Ain : Vernay (Le), Vernoux, Vers – **Aisne** : Verneuil-sous-Coucy, Verneuil-sur-Serre – **Allier** : Vergnaud (Le), Verne, Verneix, Vernet (Le) 3, Verneuil, Verneuil-en-Bourbonnais, Vernois, Vernois (Le), Vernusse – **Alpes de Haute-Provence** : Vernet (Le) – **Alpes-Maritimes** : Vernea (La) – **Ardèche** : Vernade (La), Vernas, Vernet (Le), Vernon, Vernose-lès-Annonay, Vernose, Vernoux-en-Vivarais, Vert – **Ariège** : Bernède (La), Vernajoul, Vernaux, Vernet (Le), Vernet-d'Ariège, Verniolle – **Aube** : Vernon-Villiers, Vert – **Aude** : Bernède (La) – **Aveyron** : Lavernhe, Vergne (La), Vergnoles-le-Pouget, Vernholes – **Bouches-du-Rhône** : Vernègues – **Calvados** : Ver-sur-Mer – **Cantal** : Lavergne, Vergne (La), Vernet, Vernois, Vernuéjoul – **Charente** : Vars, Verneuil – **Charente-Maritime** : Vergne (La), Vergné, Vert-Bois (Le) – **Cher** : Vergne (La), Vergnol, Vernais, Verneuil – **Corrèze** : Lavergne, Vars-sur-Roseix, Vergnas, Vergne (La), Vergnes (Les) – **Côte-d'Or** : Levernois, Vernois (Le), Vernois-les-Vesvres, Vernon, Vernot, Vernusse – **Creuse** : Lavergne, Vergne (La), Vergnes, Vergnes (Les) 3, Vergnolas,

Vergnolle (La), Vergnoux 2, Vernades, Verneiges, Vernet, Vert – **Deux-Sèvres :** Vernoux-en-Gâtine, Vernoux-sur-Boutonne, Vert (Le) – **Dordogne :** Lavergne, Vergne (La), Vergnelibère, Vergnes (Les), Vergt, Vergt-de-Biron, Verneuil, Vernolles – **Doubs :** Lavernay, Vaire-Arcier, Vaire-le-Petit, Verne, Vernois-le-Fol, Vernois-lès-Belvoir, Vernoy (Le) – **Drôme :** Vers-sur-Méouge – **Essonne :** Vert-le-Grand, Vert-le-Petit – **Eure :** Verneuil-sur-Avre, Verneusses, Vernon, Vernonet – **Eure-et-Loir :** Ver-lès-Chartres, Vernou, Vernouillet, Vert-en-Drouais – **Gard :** Vernarède (La), Vernède (La), Vers-Pont-du-Gard – **Gers :** Bernède – **Haute-Garonne :** Lavernose-Lacasse, Vernet – **Haute-Loire :** Vernassal, Vernassal-Bourg, Verne, Vernède (La), Vernet (Le), Verneuges, Vert (Le) – **Haute-Marne :** Lavernoy – **Haute-Saône :** Belverne, Vars, Vernois-sur-Mance – **Haute-Savoie :** Vernay, Vernay (Le), Vernaz (La), Vernotte (La), Vers, Vert-le-Mant – **Haute-Vienne :** Verneuil-la-Côte, Verneuil-Moustiers, Verneuil-sur-Vienne – **Hautes-Alpes :** Vars-les-Plans, Vars-Saint-Marcellin – **Hautes-Pyrénées :** Capvern – **Hauts-de-Seine :** Vert-Buisson (Le) – **Hérault :** Vernet – **Ille-et-Vilaine :** Vern-sur-Seiche – **Indre :** Verneau, Vernelle (La), Vernet, Verneuil-en-Igneraie – **Indre-et-Loire :** Verneuil-le-Château, Verneuil-Saint-Germain, Verneuil-sur-Indre, Vernon, Vernou-sur-Brenne –

Isère : Vernas, Vernay (Le), Vernioz, Vert (Le) – **Jura :** Ver-en-Montagne, Vernois (Le), Vers-sous-Sellières – **Landes :** Vert – **Loir-et-Cher :** Vernou-en-Sologne – **Loire :** Vergnon, Vernaud, Vernay, Vernon – **Lot :** Lavergne, Vergnoulet, Vernejoul, Vers – **Lot-et-Garonne :** Lavergne – **Lozère :** Vergnecroze – **Maine-et-Loire :** Vern-d'Anjou, Vernoil, Vert (Le) – **Manche :** Ver – **Marne :** Verneuil, Vert-Toulon – **Meuse :** Verneuil-Grand, Verneuil-Petit – **Moselle :** Verneville – **Nièvre :** Vernay (Le), Vernet, Verneuil – **Oise :** Ver-sur-Launette ; Verneuil-en-Halatte – **Puy-de-Dôme :** Lavergne, Vergne (Le), Vernet, Vernet-la-Varenne, Vernet-Sainte-Marguerite, Verneuge, Verneuges 2, Verneugheol – **Pyrénées-Orientales :** Vernet (Le), Vernet-les-Bains – **Rhône :** Vernaison, Vernay, Vernay (Le), Vernaye – **Saône-et-Loire :** Beauvernois, Vernay, Vers – **Sarthe :** Lavernat, Vair, Verneil-le-Chétif, Vernie – **Savoie :** Vernay, Verneil (Le), Verneys (Les), Vers-l'Église – **Seine-et-Marne :** Vaires-sur-Marne, Vaires-Torcy, Verneuil-l'Étang, Vernou-la-Celle-sur-Seine, Vert-Saint-Denis – **Somme :** Vaire-sous-Corbie, Vers-sur-Selles – **Tarn :** Vernarie (La), Vers – **Val-de-Marne :** Vert (Le) – **Var :** Verne (La) – **Vienne :** Vergne (La), Vernon – **Yonne :** Vaire, Vernoy – **Yvelines :** Verneuil-sur-Seine, Vernouillet, Vernouillet-Verneuil, Vert ;

soit 230 toponymes dans 70 départements.

Vergne ou *verne* dans les usages régionaux

Pour répondre à cette question, il est nécessaire de ne pas confondre le français commun et les français régionaux, et indispensable de donner toute leur importance à ces derniers car un sondage dans une vingtaine de dictionnaires décrivant les différentes variétés régionales du français a montré que l'aulne reste encore de nos jours désigné sous son nom d'origine gauloise, *vergne* ou *verne*, dans de nombreux départements [32].

DANS LES USAGES RÉGIONAUX,
ON PRÉFÈRE SOUVENT *VERGNE* ou *VERNE*

Alors que l'appellation de cet arbre en français général est **aulne**, continuation du latin ALNUS, la carte ci-dessous montre que le terme d'origine gauloise est loin d'avoir disparu dans les divers usages régionaux.

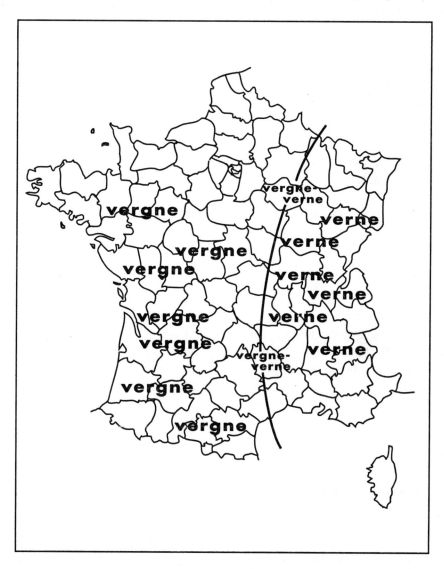

vergne
>   Maine
>   Berry-Bourbonnais (Cher, Indre et ouest de l'Allier)
>   Poitou-Charentes et Vendée
>   Pays aquitains
>   Midi toulousain et pyrénéen
>   Languedoc

verne
>   Franche-Comté
>   Bourgogne (très vivant partout sauf dans le nord de la Côte-d'Or)
>   Lyonnais (connu seulement au-dessus de 20 ans)
>   Beaujolais
>   Velay (connu seulement au-dessus de 20 ans)
>   Le Pilat (usuel à partir de 60 ans)
>   Dauphiné
>   Savoie (attesté partout, usuel)

vergne et **verne**
>   Champagne (sud de la Haute-Marne)
>   Languedoc (Cévennes)

La Champagne et la Bourgogne se partagent en deux : on dit *vergne* ou *verne* dans le sud de la Haute-Marne, de l'Yonne et de la Côte-d'Or, mais *aunelle*, diminutif de *aulne*, dans le nord de ces trois départements, ainsi que dans l'Aube et dans la Marne [33].

Signalons une particularité : dans les Ardennes, le mot *verne* – qui se présente aussi sous diverses autres variantes, *vergne, viarne, viène* –, sert à désigner certaines parties de la charpente d'une maison [34]. Généralement féminin, le mot est masculin dans l'Allier, le Cher, l'Indre [35], le Beaujolais [36] et le département de la Loire [37].

Les toponymes du type *Aulnay*

Quant au terme français *aulne*, il est inconnu dans le Midi toulousain et pyrénéen, et d'une façon plus générale dans tout le Sud-Ouest, où cet arbre est toujours désigné sous le nom de *vergne*. Dans le Dauphiné, seule une partie de la population connaît le mot *aulne*, mais personne ne l'emploie [38].

De leur côté, les toponymes formés sur *aulne* ou *aune* sont bien représentés dans le pays, mais ils constituent un groupe infiniment plus réduit (57) que les toponymes du type *vergne* (230). Ils ont la particularité de se trouver tous, sans exception, dans la moitié nord du pays :

Aulnaie Eure-et-Loir – **Aulnaies (L')** Maine-et-Loire – **Aulnat** Puy-de-Dôme – **Aulnay** Aube, Charente-Maritime, Hauts-de-Seine, Indre-et-Loire, Vienne – **Aulnay-aux-Planches** Marne – **Aulnay-l'Aître** Marne – **Aulnay-la-Rivière** Loiret – **Aulnay-sous-Bois** Seine-Saint-Denis – **Aulnay-sur-Iton** Eure – **Aulnay-sur-Marne** Marne – **Aulnay-sur-Mauldre** Yvelines – **Aulnays (Les)** Maine-et-Loire, Mayenne, Saône-et-Loire – **Aulne (L')** Finistère 2, Mayenne – **Aulneaux (Les)** Sarthe – **Aulnizeux** Marne – **Aulnois** Vosges – **Aulnois-Bulgnéville** Vosges – **Aulnois-en-Perthois** Meuse – **Aulnois-sous-Laon** Aisne – **Aulnois-sous-Vertuzey** Meuse – **Aulnois-sur-Seille** Moselle – **Aulnoy** Aisne 2, Seine-et-Marne – **Aulnoy-lez-Valenciennes** Nord – **Aulnoy-sur-Aube** Haute-Marne – **Aulnoye-Aymeries** Nord – **Aunay-en-Bazois** Nièvre – **Aunay-les-Bois** Orne – **Aunay-Saint-Georges** Calvados – **Aunay-sous-Auneau** Eure-et-Loir – **Aunay-sous-Crécy** Eure-et-Loir – **Aunay-sur-Odon** Calvados – **Aunay-Tréon** Eure-et-Loir – **Auneau** Eure-et-Loir – **Auneuil** Oise – **Aunou-le-Faucon** Orne – **Aunou-sur-Orne** Orne – **Lannoy** Nord – **Lannoy-Cuillère** Oise – **Launay** Eure, Mayenne – **Launois-sur-Vence** Ardennes – **Launoy** Aisne – **Les Aulnois** Yvelines – **Les Petits Aulnois** Seine-et-Marne – **Longaulnay** Ille-et-Vilaine – **Malannoy** Pas-de-Calais – **Malaunay** Seine-Maritime.

Cette partie de la France, rappelons-le, est celle qui a été la plus germanisée par les conquêtes franques. On comprend dès lors que la forme germanique y ait supplanté des formes plus anciennes.

5

UNE LANGUE DEUX FOIS LATINE

Le latin, une langue morte?

Destin exceptionnel que celui de la langue qui s'est diffusée et qui a proliféré avec l'expansion de l'Empire romain : cette langue latine a réussi le prodige d'être à la fois une langue morte et de se survivre à elle-même sous plusieurs formes. Ayant évolué différemment dans chacun des pays dans lesquels elle s'est développée, elle a donné vie et dynamisme à de multiples langues romanes qui la perpétuent [39].

LES LANGUES ISSUES DU LATIN

Le **latin**, qui fait partie de la branche italique de la grande famille indo-européenne, s'est lui-même fragmenté en de multiples variétés à la suite des conquêtes de l'Empire romain. Ces nouvelles langues issues du latin ont pris en italien le nom de **lingue neolatine**, en français celui de **langues romanes**, parmi lesquelles l'**italien**, l'**espagnol**, le **portugais**, le **français** et le **roumain** sont des langues officielles.

Mais de multiples autres variétés se sont formées, qui ont connu des destins moins prestigieux comme :

en Italie : le **piémontais**, le **frioulan**, le **vénitien**, le **sicilien**, le **sarde...** ;

en France, en Belgique et en Suisse : les variétés d'oc (**provençal**, **languedocien**, **gascon...**), les variétés du **francoprovençal**, les variétés d'oïl (**normand**, **picard**, **champenois wallon...**), auxquelles il faut ajouter le **romanche** le **catalan** et le **corse** ;

en Espagne : les variétés du **catalan**, du **valencien**, de l'**aragonais**, du **léonais**, du **galicien** ou de l'**andalou** [40].

Parallèlement à cette fragmentation qui la renouvelait, elle s'est ensuite en quelque sorte dédoublée puisque, longtemps après leur naissance, chacune des langues qui l'ont prolongée a encore constamment puisé dans le vieux fonds lexical du latin classique.

Le français à cet égard paraît exemplaire, et les deux filons du latin – celui qui a évolué et celui qui a été repris sous sa forme primitive – peuvent se reconnaître dans la plupart des mots du français, pour peu qu'on observe attentivement leur forme.

Latin classique et latin vulgaire

Les livres d'histoire de la langue nous précisent que le français est issu du latin que parlaient les légions romaines de Jules César à leur arrivée en Gaule, au milieu du Ier siècle avant J.-C., et que cette langue était du « latin vulgaire ». Mais, s'il en est ainsi, que faire du latin classique, de celui des versions latines de Cicéron, d'Horace ou de Virgile, de ces versions latines que les lycéens ne réussissent à traduire qu'à grands coups de dictionnaire ? N'a-t-il vraiment laissé aucune trace dans notre langue ?

Pour pouvoir répondre à cette question, il faut se rappeler que l'histoire qui va du latin au français n'est pas rectiligne. À l'origine, il y avait ce latin de l'occupation romaine, qui avait été appris par des étrangers, et on ne doit pas s'étonner que les mots latins, prononcés par des populations devenues bilingues, aient tout naturellement connu des altérations. Un peu plus tard, des influences germaniques ont encore modifié cette langue déjà un peu changée.

Les mots se sont amincis au cours des siècles suivants, car les syllabes inaccentuées se sont prononcées de plus en plus faiblement, au point de finir par disparaître, comme dans le mot *hôtel*, qui ne comprend que deux syllabes en français – mais il en avait quatre dans le latin HOSPITALEM. De façon analogue, SACRAMENTUM est devenu *serment*, de même que *forge*, malgré les apparences, représente aujourd'hui la forme amincie de FABRICA.

Parfois, seule une partie du mot a été affectée : par exemple, certaines consonnes en position faible, c'est-à-dire en fin de syllabe, ne se sont pas maintenues, comme le s de BESTIA dans le mot français *bête* ou celui de TESTA dans le mot *tête*, comme le c de LACTEM, devenu *lait*, ou comme le s initial de SCHOLA, qu'on peut seulement imaginer sous le mot français *école*.

Entre deux voyelles aussi, des consonnes qui étaient présentes en latin, et que l'on retrouve par exemple en italien, ne s'entendent plus en français : dans *croire* (du latin CREDERE), dans *vœu* (de VOTUM), dans *mûr* (de MATURUM), dans *froid* (de FRIGIDUM), dans *cailler* (de COAGULARE), etc.

Récréation

VRAI OU FAUX ?

1. **quidam** vient du latin QUIDAM « quelqu'un »
2. **cancan** est une prononciation à la française du latin QUAMQUAM
3. **dicton** est le latin DICTUM « ce qui est dit »
4. **quolibet** a pour origine l'ablatif de QUIDLIBET « n'importe quoi »
5. **gratis** est une forme latine évoquant le fait de gratter
6. **ouvrable** (dans *jour ouvrable*) et **ouvrir** viennent du même verbe latin.

Réponses : 1. *vrai* – 2. *vrai* – 3. *vrai* – 4. *vrai* : le mot vient d'un exercice scolastique appelé *disputatio de quolibet* « discussion sur n'importe quel sujet », par opposition aux « discussions sur un sujet donné », ultérieurement employé pour désigner des propos railleurs – 5. faux : *gratis* vient de l'adverbe latin « gratuitement » – 6. faux : *ouvrable* vient du latin *operare* « travailler » (d'où *ouvrier*, un *jour ouvrable* étant un jour où l'on travaille), tandis que *ouvrir* vient du latin *operire*, qui a pris le sens de « ouvrir » en Gaule (mais qui signifiait « couvrir » en latin).

Le latin ressuscité

Toutes ces informations sont éclairantes mais, pour peu qu'on s'intéresse vraiment à cette question, un problème surgit : si, comme le disent les philologues, les lois phonétiques sont aveugles, on s'attendrait à ce que toutes les consonnes et toutes les voyelles placées dans les mêmes conditions aient évolué en français de la même façon. Or, à côté de *bête* et de *tête*, qui ont perdu leur s, on trouve *reste*, où le s du latin s'est parfaitement maintenu. De même, en face de *lait* (du latin LACTEM) on a *lacté*, où le [k] du latin s'entend encore nettement de nos jours. Plus troublant encore, on compte des centaines de mots provenant, deux par deux, du même étymon, c'est-à-dire du même mot latin. C'est ce qu'on appelle des *doublets*, et l'on peut voir, dans les exemples suivants, qu'ils ne sont généralement pas des synonymes :

claudiquer et *clocher*,	de CLAUDICARE
cumuler et *combler*,	de CUMULARE
compter et *conter*,	de COMPUTARE
direct et *droit*,	de DIRECTUS
gémir et *geindre*,	de GEMERE
légal et *loyal*,	de LEGALIS
rédemption et *rançon*,	de REDEMPTIONEM

Faut-il alors, en ce qui concerne l'évolution phonétique, mettre en doute ce que disent les livres de linguistique historique ? Bien sûr que non, car toutes ces incohérences s'expliquent si l'on tient compte des interventions extérieures qui ont contrecarré l'évolution naturelle du français au cours des siècles : auprès des centaines de formes déjà évoluées, à plusieurs reprises ont été introduites des formes latines non altérées. On comprend alors pourquoi on a *mère*, forme française évoluée du latin MATER (où, conformément à la loi phonétique, le t̲ du latin placé entre deux voyelles a été éliminé) à côté de *maternel*, forme reprise ultérieurement au latin classique (où le t̲ du latin a été conservé). On a aussi *aveugle*, qui est une forme semi-savante, ou encore *jouer*, qui est une forme populaire, tandis que *cécité* et *ludique* sont des formes savantes, réintroduites à partir du latin classique (CAECUS « aveugle », LUDUS « jeu »).

Récréation

LE MATELOT MAFFLU

Tous les adjectifs et tous les noms de ce petit texte sont empruntés au néerlandais, à l'exception d'un seul nom, qui est d'origine latine. Lequel ?

« Ce **matelot mafflu** était un peu **espiègle**. On le voyait souvent avec un **drôle**, **dégingandé** comme lui, sur un **yacht amarré** le long des **docks**. Ils faisaient parfois **ripaille** sur le **boulevard**, dans une **échoppe** où flottait une **odeur** de **bière**, parmi les **colins**, les **bars**, les **cabillauds**, les **éperlans**, les **maquereaux** et les **ramequins** de **crabe**. Curieusement, on y vendait aussi des **rubans** et de la **layette**, mais seulement pendant les **kermesses**. C'est du moins ce que j'ai appris dans un **bouquin** sur les **flibustiers interlopes**. »

Réponse : odeur est d'origine latine.

Un peu d'histoire

La première intervention de taille avait été celle de Charlemagne, atterré par les formes très modifiées du latin qu'il entendait dans les discours des clercs dans cette partie occidentale de son empire : le français était en train de naître, mais personne ne s'en était encore rendu compte. En faisant venir d'Angleterre un moine savant, Alcuin, pour enseigner le latin dans l'abbaye de Saint-Martin-de-Tours, Charlemagne opérait ce qu'on a appelé la « renaissance carolingienne », ce qui a eu pour effet de brouiller l'évolution de la langue française, car de nombreuses formes latines « pures » ont alors été ré-introduites auprès de celles qui avaient déjà beaucoup évolué et qui ressemblaient déjà à du français.

C'est la raison pour laquelle on peut dire que le français est une langue deux fois latine, tout d'abord par filiation directe : MATER est devenu *mère*, et FIDEM est devenu *foi*, et ensuite par emprunt : *maternel* et *fidélité* sont des emprunts de formes du latin d'origine.

Récréation

SAVANT OU POPULAIRE ?

Si on se rappelle qu'une consonne située entre deux voyelles ne s'est pas maintenue en français (dans **soie**, le **t** de **seta** n'existe plus), on peut reconnaître dans la liste ci-dessous les mots qui ont suivi une évolution normale et ceux qui ont été empruntés, à diverses époques, au latin d'origine :

frère – fraternel	frigide – froid	lier – ligature
doigt – digital	oreille – auriculaire	cadence – chance
foi – fidèle	se pavaner – paon	mûr – maturité
voter – vouer	œil – oculaire	légume – lëum*

*lëum est une forme attestée en ancien français, qui ne s'est pas maintenue.

Réponses : Sont des emprunts au latin : *fraternel, frigide, ligature, digital, auriculaire, cadence, fidèle, se pavaner, maturité, voter, oculaire* et *légume.*

Formes populaires et formes savantes

C'est tout naturellement que les gens qui parlent le français groupent les mots suivants deux par deux : *nier* et *négation, louer* et *location, lieu* et *local, ouïe* et *auditeur* ou même *cheval* et *équitation, côté* et *latéral* ou *aveugle* et *cécité,* sans même remarquer que les formes dérivées ne se font pas sur la base française mais à partir de la base latine.

Récréation

QUELLE EST LA FORME SAVANTE ?

Entre les deux formes des mots suivants, qui viennent toutes deux d'un même mot latin, quelle est la forme savante ?

verre et **vitre**	**tibia** et **tige**
croyable et **crédible**	**majeur** et **maire**
local et **lieu**	**rustique** et **rustre**
geindre et **gémir**	

Réponse : les formes savantes sont *vitre, tibia, crédible, majeur, local, rustique* et *gémir.*

Toutes ces incursions hors du français pour l'enrichir en puisant chez son ancêtre latin ont commencé dès le Moyen Âge, et elles n'ont jamais cessé d'être un recours de la part des savants et des lettrés tout au long des siècles. C'est dans ce sens qu'on peut dire que le français n'est pas seulement une langue engendrée par le latin, mais aussi une langue à laquelle le français a beaucoup emprunté ultérieurement. Et cela complique considérablement la tâche de celui qui cherche à faire l'histoire des mots du français.

Latin ou grec ?

D'autant plus que, même pour le latin, l'identification des formes autochtones n'est pas évidente car lui-même avait déjà beaucoup emprunté au grec. Dès le IIIe siècle avant J.-C., l'Empire romain s'était étendu sur les territoires grecs, et les Romains, émerveillés par le haut degré de civilisation auquel le peuple qu'ils venaient de soumettre était parvenu, lui avaient alors emprunté une quantité considérable de vocabulaire : scientifique, philosophique, rhétorique, mais aussi des mots de la vie pratique.

Des mots latins empruntés au grec

Voilà pourquoi on parle aujourd'hui de l'origine gréco-latine d'une grande partie du lexique français.

Des mots de tous les jours
boutique, du grec *apothêkê* « dépôt, entrepôt »
chaise, du grec *cathedra* « siège »
canapé, du grec *kônôpeion* « moustiquaire »
boîte, du grec *pyxis* « buis »
dragée, du grec *tragêmata* « friandises »
plage, du grec *plagios* « (terrain) en pente »
trésor, du grec *thesauros* « trésor »

Des mots de la culture littéraire
comédie : d'un terme désignant à l'origine un chant pour une fête en l'honneur de Dionysos
tragédie : l'étymologie du mot grec suggère qu'il s'agissait à l'origine d'un « chant en l'honneur du bouc sacrifié à Dionysos »
aphérèse : abréviation d'un mot en supprimant le début du mot : *bus* (pour *autobus)*
apocope : abréviation d'un mot en supprimant la fin du mot : *pro* (pour *professionnel)*
histoire, drame, poète, philosophie, grammaire, école, lycée, barbare, euphémisme, métaphore, épilogue...

Des mots de la faune et de la flore
éléphant, panthère, chameau...
jacinthe, orchidée, rhododendron, azalée, anémone...

Des mots de la religion
apôtre, évangile, évêque, paroisse, baptême, église, prêtre, parabole...

Le latin tel qu'en lui-même

Qu'il ait à l'origine été emprunté ou non au grec, le vocabulaire repris au latin est effectivement omniprésent en français, et

on peut même s'étonner que tant de formules latines se soient per-
pétuées telles quelles dans la langue quotidienne. Il est vrai que
certaines d'entre elles ne se maintiennent sous leur forme latine
primitive que dans le langage du droit [41] et qu'on les retrouve uniquement dans leur traduction littérale en français. Tel est le cas,
par exemple :

Dans le langage du droit	Dans le langage quotidien
pure et simpliciter	purement et simplement
ad litteram	à la lettre
cognita causa	en connaissance de cause
corpus delicti	le corps du délit
in articulo mortis	à l'article de la mort
lato sensu	au sens large

D'autres expressions sont presque toujours employées sous
leur forme latine : *a priori, a posteriori, alibi, bis, de visu, ex
aequo, ex cathedra, extra-muros, honoris causa, in vitro, in vivo,
intra-muros, ipso facto, modus vivendi, persona grata, quitus,
quorum, référendum, sine die, sui generis, urbi et orbi...*

Récréation

POUVEZ-VOUS LE DIRE EN LATIN ?

à plus forte raison   au dernier moment
à égalité   dans sa totalité
C.V.   gratuitement

*Réponses : a fortiori, ex aequo, curriculum vitae, in extremis, in extenso,
gratis.*

Le latin des botanistes

En dehors du droit, l'un des domaines où le latin a encore
aujourd'hui une place prépondérante reste la botanique, qui attribue à chaque fleur, chaque fruit, chaque arbre, en plus de ses
divers noms populaires, un nom savant en latin, garant de son
identité pour les spécialistes du monde entier.

Voici les noms savants de quelques végétaux familiers, dont
le nom latin, lui-même parfois emprunté au grec, est souvent plus

explicite et bien plus imagé que le nom français (à condition d'être capable de le traduire [42]) :

ail	ALLIUM SATIVUM	« ail cultivé »
avocat	PERSEA GRATISSIMA	« sébestier (borraginacée) très agréable »
céleri	APIUM GRAVEOLENS	« ache à odeur forte »
chou	BRASSICA OLERACEA	« chou herbacé »
ciboule	ALLIUM FISTULOSUM	« ail en forme de fistule »
ciboulette	ALLIUM SCHŒNOPRASUM	« ail ressemblant au jonc vert »
échalote	ALLIUM ESCALONICUM	« ail d'Ascalon (ville de Palestine) »
haricot	PHASEOLUS VULGARIS	« haricot banal »
laitue	LACTUCA SATIVA	« laitue cultivée »
mangue	MANGIFERA INDICA	« mangue indienne »
noisette	CORYLUS AVELLANA	« coudrier d'Abella (ville de Campanie) »
olive	OLEA EUROPAEA	« olive européenne »
oseille	RUMEX ACETOSA	« petite oseille acidulée »
persil	PETROSELINUM	« plante qui pousse entre les pierres »
pomme de terre	SOLANUM TUBEROSUM	« solanée à bosses »
tomate	SOLANUM LYCOPERSIUM	« solanée du loup »
ou	SOLANUM ESCULENTUM	« solanée bonne à manger »

Quand la chimie parle latin

D'autres sciences sont restées attachées à la langue latine, qui les a vues naître et grandir, et il est significatif que sur la centaine d'éléments chimiques, dont les noms ont été inventés à partir du XVIIIe siècle, il y en ait plus de la moitié (64) qui ont une consonance latine : le suffixe *-ium* est en quelque sorte devenu pour les éléments chimiques le suffixe scientifique par excellence.

On trouve le suffixe d'origine latine *-ium* accolé aussi bien à :
un vrai nom latin *(sodium)*,
un nom de lieu *(germanium* sur *Germania)*,

Intermède

LE LATIN : UNE ARME DE SÉDUCTION ?

La scène se déroule au marché, entre une dame étrangère et une jeune marchande de légumes.

La dame étrangère

... et pour mon potage de *solanum tuberosum,* j'ai besoin d'un peu de *rumex acetosa* et de *petroselinum.*

La jeune marchande de légumes

Pardon, madame, je ne parle pas javanais.

La dame étrangère

Moi non plus, mais je croyais qu'en latin vous me comprendriez mieux. Depuis le temps qu'on le parle en France ! En fait, il me fallait simplement des pommes de terre, de l'oseille et du persil.

La marchande

Ah ! Comme ça, ça va mieux ! *(un silence)* Vous êtes drôlement savante, madame !... Et si j'osais...

La dame étrangère

Osez donc !

La marchande

Eh bien, voilà : ce soir, un étudiant, que j'ai bien l'intention de draguer, vient dîner chez moi. J'aimerais lui montrer que, toute petite marchande de légumes que je suis, j'ai quand même de l'instruction.

La dame étrangère

Alors, dites-lui qu'il aura, pour commencer, une salade de *solanum lycopersium* (de simples tomates). Sur la viande, vous mettrez un peu d'ail, en annonçant négligemment : *allium sativum,* et vous ajouterez – sans rougir – « purée de *cucurbita maxima* », c'est-à-dire de potiron. Comme salade, une belle romaine, mais vous direz que c'est de la *lactuca longifolia* (mot à mot de la laitue aux feuilles allongées). Finalement, au dessert, il sera tellement sous le charme que vous n'aurez pas besoin de lui traduire *passiflora edulis*, il aura déjà compris que c'est le fruit de la passion !

une institution (*berkelium* sur le nom de l'université de *Berkeley*),

un nom de divinité (*plutonium* sur *Pluton*),

un nom de savant (*curium* sur *Curie*).

Les noms en -*ium* de ces éléments chimiques nous permettent d'évoquer une période importante de l'histoire des sciences.

PETITE HISTOIRE DES 64 ÉLÉMENTS CHIMIQUES EN *-IUM*

On connaît généralement la date de la découverte de chacun des éléments chimiques et le plus souvent le savant qui lui a donné son nom.

actinium (Ac) : formé à partir du grec *aktinos* « rayonnement » en raison de ses propriétés radioactives, cet élément fut découvert par le chimiste français André Debierne dès 1899.

aluminium (Al). Ce métal a d'abord été obtenu en 1825, sous forme impure, par le savant suédois Oersted, puis purifié deux ans plus tard par le savant allemand Wöhler. Le nom de cet élément, du latin *alumen* « alun », a été introduit en français par l'intermédiaire de l'anglais.

americium (Am). Pour désigner cet élément, le professeur Glenn Seaborg, directeur d'un laboratoire de recherches à l'université de Berkeley, en Californie, avait suggéré les noms d'**americium** (Am), de **berkelium** (Bk) et de **californium** (Cf) pour des éléments découverts en 1950, par analogie avec **europium**...

baryum (Ba). Cet élément a été découvert en 1908 par Humphrey Davy qui forma son nom à partir du mot français *baryte* (du grec *barus* « lourd »).

berkelium (Bk) : latinisation du toponyme *Berkeley*.

béryllium (Be) : du latin *beryllus* « aigue-marine » < grec *bêrullos* « pierre précieuse », cet élément s'est aussi appelé *glucinium*, du grec *glukus*.

cadmium (Cd) : formé sur *cadmie* « minerai de zinc », du latin *cadmia*, du nom de la ville de Cadmée, près de Thèbes, en Grèce.

calcium (Ca) : du latin *calx, calcis* « chaux ». La chaux était connue des Anciens, mais le calcium ne fut isolé qu'en 1808 par trois savants travaillant indépendamment : l'Anglais Davy, le Suédois Berzelius et le Français Pontin.

californium (Cf) : formé sur *California*.

cérium (Ce) : isolé par l'Allemand Klaproth en 1803 qui latinisa pour cet élément le nom de l'astéroïde Cérès, découvert deux ans auparavant.

césium (Cs) : du latin *caesium* « bleu ». L'étude au spectroscope révèle des raies de couleur caractéristiques de chaque élément et dont certaines sont parfois très intenses. Celles du césium sont d'un bleu profond. (Cf. également le **rubidium**, le **rhodium** et le **thallium**).

curium (Cm) : latinisation du nom des chimistes français Pierre et Marie Curie.

dysprosium (Dy) : du grec *dusprositos* « difficile à atteindre », cet élément a été découvert après beaucoup de recherches par le Français Lecoq de Boisbaudran en 1886.

einsteinium (Es) : latinisation du nom du physicien suisse d'origine allemande Einstein, naturalisé américain en 1940.

erbium (Er) : aphérèse (suppression du début du nom) et latinisation du toponyme *(Ytt)erby,* petite île située au nord de l'archipel de

Stockholm. Pour rappeler l'origine de plusieurs éléments chimiques provenant de cette île, les savants suédois ont procédé à une sorte de découpage du mot **ytterbium** (1878) afin de pouvoir baptiser les autres enfants de la mine : **yttrium, terbium et erbium** (1878, 1843, 1843).

europium (Eu). Le nom de cet élément radioactif découvert par le Français Demarçay en 1896 repose sur la forme latine de *Europe*.

fermium (Fm) : latinisation du nom du savant italien *Fermi*.

francium (Fr) : formé sur le nom de la *France* pour honorer la physicienne française Marguerite Perey, qui découvrit cet élément en 1939.

gadolinium (Gd) : latinisation de *Gadolin*, nom d'un grand chimiste finlandais. Cet élément fut découvert par le Français Marignac en 1880.

gallium (Ga) : dérivé du latin *gallus* « coq », traduction partielle et plaisante du nom du savant français *Lecoq* de Boisbaudran (1875).

germanium (Ge). Après avoir été prévu par Mendeleïev en 1871, ce métal a été découvert par l'Allemand Winkler en 1886.

hafnium (Hf) : latinisation, après aphérèse, du toponyme *(Keben)havn* « Copenhague ».

hahnium (Ha) : latinisation du nom du physicien allemand Otto *Hahn*.

hélium (He) : du grec *helios* « soleil ». Cet élément, qui ne fut isolé par le savant anglais Ramsay qu'en 1895, avait été baptisé dès 1875 par l'astrophysicien anglais Lockyer, sur le modèle de *sélénium*.

holmium (Ho) : latinisation, après aphérèse, du toponyme *(Stock)holm* « Stockholm ».

indium (In) : latinisation après apocope (suppression de la fin du nom) de l'espagnol *indi(go)* « bleu », qui rappelle la couleur des raies spectrales de cet élément.

iridium (Ir) : du latin *iris* « arc-en-ciel », cet élément a été découvert par le chimiste anglais Tennant (1803) et baptisé ainsi par ce dernier en raison de la variété des couleurs de ses composés.

lawrencium (Lr) : latinisation du nom du physicien américain Ernest O. *Lawrence*.

lithium (Li) : latinisation du grec *lithos* « pierre » par le Suédois Berzelius pour rappeler l'origine minérale de cet élément découvert par son compatriote Arfvedson en 1817.

lutécium (Lu) : latinisation du toponyme *Lutèce*, ancien nom de Paris, pour désigner cet élément découvert par le chimiste français Georges Urbain en 1907.

magnésium (Mg) : latinisation du grec *magnes (lithos)* « (pierre) de Magnésie (Asie Mineure) ». Les composés de cet élément étaient bien connus des Anciens, mais le métal ne fut isolé par l'Anglais Davy qu'en 1808.

mendélévium (Mv) : latinisation du nom du savant russe Mendeleïev, qui avait inventé une classification périodique permettant de prévoir les propriétés des éléments restant à découvrir. Tel fut le cas, entre autres, pour le **scandium** et le **germanium**.

neptunium (Np) : formé sur le latin *Neptunus* « Neptune », dieu de la mer dans la mythologie romaine.

nobelium (No) : latinisation du nom d'Alfred *Nobel*, inventeur et mécène suédois.

niobium (Nb) : formé sur le nom de *Niobê*, fille de Tantale, qui fut changée par Zeus en rocher.

osmium (Os) : du grec *osmê* « odeur », découvert et baptisé par l'Anglais Tennant en 1803. Chauffé à l'air, cet élément a la propriété de produire des vapeurs d'oxyde nauséabondes et toxiques.

palladium (Pd). Cet élément a été isolé en 1803 par le savant anglais Wollaston, qui lui donna le nom de l'astéroïde *Pallas* découvert l'année précédente.

plutonium (Pu) : latinisation du nom de la planète *Pluton*.

polonium (Po) : latinisation de *Pologne*, en hommage à Marie Curie, qui était d'origine polonaise et qui découvrit cet élément en 1898.

potassium (K) : latinisation de l'anglais *potash*, venu du néerlandais par l'allemand *Potasche* « cendre du pot ». C'est le chimiste anglais Davy qui isola cet élément en 1807.

prométhium (Pm). Le nom de cet élément évoque celui de Prométhée et a eu beaucoup de mal à s'imposer à la commuauté scientifique.

protactinium (Pa) : du grec *protos* « premier » et *aktinos* « rayonnement ».

radium (Ra) : formé à partir du français *radio(actif)*.

rhénium (Re) : du latin *Rhenus* « Rhin », par l'allemand.

rhodium (Rh) : du grec *rhodos* « rose ».

rubidium (Rb) : du latin *rubidius* « rouge foncé ». Cet élément fut découvert en 1861 par les savants allemands Bunsen et Kirchhoff.

ruthénium (Ru) : formé à partir du latin médiéval *Ruthenia* « Russie ».

rutherfordium (Rf) : latinisation du nom du physicien anglais Ernest *Rutherford*.

samarium (Sa) : latinisation du nom du chimiste russe Samarski. Cet élément fut découvert par le Français Lecoq de Boisbaudran en 1879.

scandium (Sc). Formé à partir du latin *Scandia* « Scandinavie », cet élément a été découvert par le Scandinave Nilson en 1879, après avoir été prévu par Mendeleïev dès 1871 grâce à sa classification périodique.

sélénium (Se) : du grec *sêlene* « lune ». Cet élément a été découvert et baptisé par le Suédois Berzelius en 1817.

silicium (Si) : du latin *silex, silicis* « caillou », par l'anglais. La silice, comme l'alun, la chaux ou la potasse, fait partie des minéraux connus depuis l'Antiquité. La préparation en laboratoire des corps simples correspondants s'est faite au début du XIXe siècle, mais paradoxalement il a fallu attendre près d'un siècle pour pouvoir produire le silicium (ou l'aluminium) avec le degré de pureté nécessaire à l'industrie.

sodium (Na) : de l'arabe *suwwad* « soude », par le latin *soda* et l'anglais *soda*.

strontium (Sr) : latinisation du toponyme *Strontian*, village d'Écosse.

technétium (Tc) : du grec *tekhnetos* « artificiel ».

terbium (Tb) : aphérèse et latinisation du toponyme *(Yt)terby,* île de l'archipel de Stockholm.

thallium (Tl) : du grec *thallos* « rameau vert » en raison de la raie verte de son spectre.

thorium (Th) : latinisation du suédois *thorjord* « terre du dieu scandinave Thor ». Cet élément a été découvert par le Suédois Berzelius en 1828.

thulium (Tm) : du latin *Thule* < du grec *Thoulê* « Scandinavie ».

uranium (U), formé sur le latin *Uranus*, du grec *Ouranos*, nom d'une divinité et d'une planète.

vanadium (V) : latinisation de *Vanadis*, divinité scandinave.

ytterbium (Yb) : latinisation du toponyme *Ytterby* (Suède).

yttrium (Y) : apocope et latinisation du toponyme *Ytterby* (Suède).

zirconium (Zr) : latinisation de *zircon*, « pierre précieuse ». Cet élément, découvert dans des zircons par Klaproth en 1789, ne fut isolé par Berzelius qu'en 1824.

6

PERMANENCE DU GREC CLASSIQUE

Le grec classique, source de renouvellement

Langue deux fois latine, le français a suivi l'exemple de son ancêtre en empruntant aussi au grec classique. Ces emprunts directs au grec (quelquefois par le bas-latin) commencent à être plus fréquents au xvie siècle, avec par exemple *enthousiasme, athée* ou *symptôme* [43].

Ils concernent la langue des sciences (*archipel, énergie, cacochyme, sphère, hygiène, œdème, trapèze,* etc.) plutôt que celle de la littérature (*théâtre, comédie* et *tragédie* avaient déjà pénétré en français par l'intermédiaire du latin) et ils se poursuivent jusqu'à nos jours.

L'exemple de la médecine

À Rome, les premiers traités de médecine avaient été des traductions du grec, et la terminologie médicale conserve en français une large base grecque [44].

Tout en étant familiers aux oreilles des patients, ces termes médicaux restent pleins de mystère, un mystère qui peut être levé si l'on fait l'effort de retenir les noms de quelques organes du corps humain et ceux de quelques-unes des affections qui les atteignent.

Quelques organes

céphal- « tête »	*angio-* « vaisseau »
encéphal- « cerveau »	*rachi-* « moelle épinière »

ophtalmo- « œil »	*neur-, névr-* « nerf »
oto- « oreille »	*hém(at)o-* « sang »
rhino- « nez »	*histo-* « tissu »
gloss-, glott- « langue »	*derm-* « peau »
stomato- « bouche »	*cyst-* « vessie »
cardio- « cœur »	*pod-* « pied »
gastro- « estomac »	*néphro-* « rein »
entéro- « intestin »	*chiro-* « main » (d'où *chirurgie*)

Quelques affections et leurs remèdes

-algie « douleur »	*traumat-* « blessure »
-asthénie « faiblesse »	*-phrénie* « maladie mentale »
-plégie « paralysie »	*-manie* « obsession, folie »
pyrét- « fièvre »	*-thérapie* « traitement, soin »
septi- « infection »	*-tomie* « action de couper »

       -rrhée, -rragie « écoulement », d'où :

diarrhée « écoulement à travers »

hémorragie « écoulement de sang »

catarrhe « écoulement de haut en bas »

QUOI DE COMMUN ENTRE UN *PARASITE* ET UN *CERCUEIL* ?

    Réponse : l'idée de manger, parce que, selon l'étymologie, le *parasite* prend sa nourriture « à côté » (du grec *para* « à côté » et *sitos* « nourriture »). De façon plus inattendue, *cercueil*, doublet de *sarcophage*, du grec *sarcophagos*, signifie textuellement « qui mange de la chair ». Un *sarcophage* est donc un « carnivore », de *sarkos* « chair » et de *phagein* « manger ». De là à désigner un cercueil, il n'y a qu'un pas car, à l'origine, le terme avait été appliqué à une pierre calcaire ayant effectivement la propriété de dissoudre la chair des cadavres [45].

Le latin et le grec en concurrence

    Depuis des siècles, donc, lorsqu'on veut créer de nouveaux mots en français, les deux langues auxquelles on recourt le plus volontiers sont deux langues anciennes que personne ne parle plus : le latin classique et le grec ancien.

    Pour exprimer la petitesse, on a par exemple *mini-* (latin) comme dans *minijupe* ou *minibus* et *micro-* (grec) dans *micro-*

onde ou *microclimat* mais, curieusement, les deux préfixes ne sont pas interchangeables.

Pour la grandeur, on a le choix entre *maxi-* (latin) et *méga-* (grec) mais, ces derniers temps, ce sont les formes en *méga-* qui l'emportent : on a eu la *minijupe* et le *maximanteau,* on a maintenant le *micro-ordinateur* (pour l'ordinateur personnel) et les *mégapoles* pour désigner nos « villes démesurées ».

Voici quelques autres préfixes concurrents :

signification	< latin	< grec
« demi »	semi-, demi-	hémi-
« nombreux »	multi-	poly-
« égal »	équi-	iso-
« unique »	uni-	mono-
« deux »	bi-	di-
« quatre »	quadri-	tétra-
« tout »	omni-	pan-

Les « monstres »

La concurrence entre les formes d'origine grecque et celles d'origine latine a parfois abouti à ce que les puristes appellent des « monstres », qui sont des mots à demi grecs et à demi latins, comme *automobile*, où *mobile* « qui se meut » est latin et *auto* « soi-même » est grec, ou comme *coxalgie* « douleur à la hanche », avec le latin *coxa-* « cuisse » et le grec *-algie* « douleur ».

Il arrive même que prennent forme deux mots, l'un sur des racines grecques et l'autre sur des racines latines, et ayant tous les deux le même sens. Ainsi,

héliotrope (tout grec)	et	*tournesol* (tout latin)
hémicycle	et	*demi-cercle*
monochrome	et	*unicolore*
panchromatique	et	*omnicolore*
polymorphe	et	*multiforme*
tétragone	et	*quadrangulaire*

Récréation

DU GREC OU DU LATIN ?

Repérer, dans la liste ci-dessous, les formations dont la base est entièrement grecque, celles dont la base est entièrement latine et celles de formation hybride (latin + grec ou grec + latin).

agoraphobie – agricole – bicéphale – centimètre – médiathèque – épiderme – gastronomie – hydravion – hypertension – ignifuge – microfiche – minéralogie – monocle – noctambule – nyctalope – planisphère – polycopie – pyromane – radiographie – subdiviser – supermarché – télévision – thermomètre – ultrason.

Réponses :

grec	**latin**	**grec + latin**	**latin + grec**
agoraphobie	agricole	hydravion	bicéphale
épiderme	ignifuge	hypertension	centimètre
gastronomie	noctambule	microfiche	médiathèque
nyctalope	subdiviser	monocle	minéralogie
pyromane	supermarché	polycopie	planisphère
thermomètre	ultrason	télévision	radiographie

On peut prolonger la récréation DU GREC OU DU LATIN ? en cherchant les correspondances de sens entre les diverses formes : par exemple, la nuit est présente dans le « tout grec » *nyctalope* « qui voit bien la nuit (comme le hibou ou la chouette) » et le « tout latin » *noctambule* « qui se promène la nuit ». Par ailleurs, on retrouve la notion de feu dans le « tout grec » *pyromane* « amoureux fou du feu » et dans le « tout latin » *ignifuge*, mot à mot « qui fuit le feu ».

Enfin, pour qualifier des cas extrêmes, on a *supermarché* et *ultrason* d'un côté, *hypertension* de l'autre. À signaler la distinction qui s'est instaurée récemment entre *super* (latin) et *hyper* (grec), donnant la supériorité à ce dernier : un *supermarché* a une superficie de 400 à 2 500 m², tandis qu'on ne peut parler d'*hypermarché* qu'au-dessus de 2 500 m².

La pierre au cours des siècles

Avec le *persil*, le *salpêtre* et le *pétrole*, on n'échappe pas au grec *petra* « pierre ». En effet, le *persil*, *petroselinon* en grec, c'est l'herbe aromatique qui, à l'état sauvage, pousse entre les pierres. Dans la Grèce ancienne, on en faisait des couronnes pour les vainqueurs des jeux et on en extrayait aussi un produit pour ranimer les mourants.

DU PERSIL, POUR RANIMER LES MOURANTS

Quand, dans la Grèce antique, on disait de quelqu'un : « Il a besoin de persil », cela signifiait en fait « Il va mourir », parce qu'on pensait qu'avec une décoction de persil on pouvait tenter de le sauver.

Le sel de pierre

Le *salpêtre*, ou « sel de pierre », est le nom donné par les premiers alchimistes à ce sel que nous appelons aujourd'hui, plus savamment, du *nitrate de potassium*, et qui est l'un des constituants de la poudre à canon. On a beaucoup parlé du salpêtre au moment de la Révolution car, à cause du blocus anglais, on ne pouvait plus faire venir ce produit de l'Égypte ou de l'Inde, et il a bien fallu en trouver sur place. Or, du salpêtre, il y en avait sur les murs de toutes les caves : il suffisait que chacun aille lessiver sa cave, recueille les eaux de lessivage et les transporte à un endroit où on allait pouvoir les traiter. Les chimistes Berthollet et Chaptal avaient même organisé des « Cours révolutionnaires » à l'École polytechnique, nouvellement créée, et des auditeurs de toute la France venaient y apprendre ces nouvelles techniques. Le salpêtre était alors tellement à la mode qu'on avait fait des chansons sur la récolte du salpêtre. On avait même poussé le patriotisme jusqu'à le faire figurer dans le calendrier de l'an III où, parmi les prénoms chers aux révolutionnaires, à côté de *Brutus, Liberté, Bonnet rouge, Sans-culotte* ou *La Montagne,* on trouve aussi *Salpêtre* [46].

L'huile de pierre

Le mot *pétrole* a été emprunté au grec par l'intermédiaire du latin médiéval *petr-oleum* (huile de pierre), et il est entré en français au XIIIᵉ siècle.

Aux États-Unis, cette huile de pierre était déjà connue des Indiens, qui l'utilisaient seulement à des fins médicales jusqu'à ce que, vers 1830, un propriétaire du Kentucky, faisant creuser un puits pour avoir de l'eau, s'aperçoive que c'était du pétrole qui jaillissait. Le liquide se répand sur une rivière toute proche, les gens y mettent le feu et c'est alors une explosion de stupeur et de joie à la vue du miracle de l'eau qui s'enflamme. La fièvre de « l'or noir » était née, le pétrole des Indiens allait éclairer et chauffer le monde [47].

En français, on a longtemps appelé ce produit l'*huile de pétrole*, ce qui est un pléonasme puisque, dans *pétrole*, il y avait déjà le mot *huile*. On l'a appelé aussi *huile minérale*, ce qui était déjà beaucoup plus près du sens étymologique.

LA PIERRE GRÉCO-LATINE

La pierre avait deux noms en latin : PETRA, emprunté au grec, et LAPIS. C'est **pierre** qui a fini par évincer le mot latin LAPIS en français. Ce dernier a cependant laissé quelques traces, mais dans un registre plus élevé :

lapider « lancer des pierres sur quelqu'un »,

lapidaire (en parlant du style) « concis, bref » (comme une inscription gravée sur une pierre),

dilapider « gaspiller, lancer son argent » (comme on jetterait des pierres).

Les mots qui ont un « état civil »

Parmi les dizaines de milliers, voire les centaines de milliers de mots qui constituent une langue, et alors que chaque jour sont créés des mots répondant à de nouveaux besoins, il est rare de savoir à quel moment précis un mot est né. Cela est pourtant possible dans le domaine des sciences, où l'on a parfois la chance de connaître non seulement la date de naissance d'un terme, mais encore le nom du savant qui a créé ce terme, souvent à partir de racines grecques. Dans les exemples ci-dessous [48], une place de choix a été réservée à la chimie, comme particulièrement représentative de ce phénomène :

gaz, mot créé par un médecin flamand, van Helmont (1577-1644), qui a expliqué lui-même les raisons de son choix (en latin car le latin était la langue internationale de la science à cette époque) : *Halitum illud* **gas** *(sic) vocavi, non longe a* **chao** *veterum* : « J'ai donné à cette émanation le nom de *gaz*, [d'un mot] qui ressemble beaucoup au [mot] *chaos* des Anciens. »

oxygène, 1786, mot fabriqué par Lavoisier, dans le sens de « propre à engendrer des acides ». Lavoisier et les chimistes de l'époque avaient hésité entre *oxygine* (du latin GIGNERE « engendrer ») et *oxygène* (de la racine grecque *gen-* « engendrer »), qui l'emporta.

azote, 1787, forme dont la motivation a été expliquée par le chimiste français Guyton de Morveau : « Nous l'avons nommé *azote*, de l'*a* privatif du grec et de *zoê* " la vie ", pour exprimer que ce gaz n'entretenait pas la vie. »

hydrogène, 1787, par Guyton de Morveau, avec le sens « qui engendre l'eau ».

iode, découvert en 1811 par le chimiste français Courtois et baptisé en 1812 par Gay-Lussac : « J'ai proposé de donner ce nom d'*iode* à cause de la belle couleur violette de sa vapeur », du grec *iôdos* « de la couleur de la violette ».

chlore, 1815, du grec *khlôros* « vert ». Ce corps avait été découvert par le chimiste suédois Scheele en 1774, puis nommé *chlorine* par le chimiste anglais Davy en 1810. La forme française *chlore* est due à Gay-Lussac.

chlorophylle, 1817, mot fabriqué par Pelletier et Caventou, par ailleurs inventeurs de la quinine.

chloroforme, 1834, par le chimiste français Jean-Baptiste Dumas.

électron, mot créé en 1891 par le physicien anglais Stoney, à partir du grec *elektron* « ambre », dont la propriété d'attirer les corps légers avait déjà été remarquée dans l'Antiquité [49].

mastodonte, 1812, nom donné par Cuvier à des pachydermes fossiles, d'après le grec *mastos* « mamelle » et *odons, odontos* « dent » parce que ces animaux ont des molaires à surface mamelonnée [50].

polémologie, 1946, nom donné par Gaston Bouthoul, sur *polemos* « guerre [51] », qui a donné aussi *polémique*.

sémantique, 1883, mot fabriqué par Michel Bréal sur le grec *sêmantikos* « qui signifie », pour désigner la « science des significations et les lois qui président à la transformation des sens [52] ».

Un mot inventé par un médecin : microbe

À la fin du XIXe siècle, le chirurgien Charles Sédillot, devant l'abondance des termes pour désigner des êtres vivants de très

petite taille (bactéries, vibrions, infusoires, ferments et autres ani-
malcules), avait cherché à les réunir sous un terme générique. Son
choix s'était tout de suite porté sur des racines grecques : *bios*
« être vivant » et *micros* « petit », mais il avait longtemps balancé
entre *microbe* et *microbie*. Après avoir consulté le grand lexicographe Émile Littré, c'est finalement *microbe* qu'il avait choisi [53].

L'héritage graphique et ses avatars

Il y a en français un moyen infaillible, croit-on généralement,
pour reconnaître un mot d'origine grecque : ce sont, d'une part, les
successions de consonnes *ph, th, ch,* comme dans *philosophie,*
théologie, chronologie, d'autre part, la présence de la voyelle *y*,
comme dans *système*. Mais il ne faut pas trop s'y fier car il y a des
exceptions : *nénuphar*, malgré son *ph*, n'est pas d'origine grecque,
mais persane, alors que *olifant* – rappelez-vous le cor d'ivoire de
Roland à Roncevaux –, avec un *f*, est issu du même mot grec *elé-*
phas « ivoire » que *éléphant* (avec *ph*). Et *cristal* s'écrit avec un *i*,
malgré son origine grecque et sa forme latine *crystallus*.

Les aléas des prononciations

Bien sûr, on peut continuer à utiliser tous ces mots venus du
grec à bon escient sans connaître leur étymologie. Ce qui peut
devenir un peu gênant pour la communication, c'est la méconnais-
sance des prononciations divergentes qui sont entrées dans l'usage
du français à partir d'une même forme grecque. Contre toute
logique, on a pris l'habitude de prononcer *archaïque, archéologie,*
archétype avec un [k] tout comme *chaos* et *kaléidoscope*, mais
archive, architecte ou *patriarche* avec un *ch* comme dans *arche*.
Pourtant, dans *archive, architecte, patriarche* et *pachyderme*, il y
avait en grec la même consonne χ (*chi*) que dans *archaïque,*
archéologie ou *archétype*. On a aussi *chirurgie*, prononcé *ch*, en
face de *chiromancie* et *chiroptère*, prononcé [k], et pourtant tous
trois proviennent du même mot grec *khiros* « main ».

On retrouve des traces de la même hésitation, cette fois reflé-
tée aussi dans la graphie (ce qui a mis d'ailleurs un point final aux
hésitations) dans *cinéma, cinétique* en face de *kinésie, kinési-*
thérapie, alors que c'est la même racine grecque *kinein* « mouvoir » qui est à la base de ces quatre mots.

Récréation

COMBINAISONS COLORÉES

Les néologismes suivants, formés à partir du grec, concernent des noms de couleur, et il ne vous sera sans doute pas difficile de deviner ce qu'ils signifient, si vous pensez aux *leucocytes*, au *cyanure*, à la *chlorophylle*, à la *mélanine* et... aux *briseurs de grève* :

leucophobe, cyanophile, chlorophage, mélanotrope, xantholâtre.

un « jaune » ?)

Réponses : ennemi du blanc, ami du bleu, mangeur du vert, tourné vers le noir, adorateur du jaune. (Ne dit-on pas qu'un briseur de grève est

7

DU NOM PROPRE AU NOM COMMUN

Quoi de commun entre un dahlia et un calepin ?

Apparemment rien, et pourtant on a de bonnes raisons linguistiques de les réunir : ils étaient tous deux, à l'origine, des noms de personne. C'est ce que les linguistes appellent des *éponymes* : Andréas Dahl est l'éponyme de *dahlia* et Ambrogio dei Conti di Caleppio, dit Calepino, celui de *calepin*. Qui plus est, ces deux mots viennent tous deux de l'étranger.

Des éponymes français

Il y a aussi dans la langue française de nombreux noms propres nés en France et devenus des noms communs. À commencer par *poubelle*, dont on connaît même la date de naissance. En effet, c'est depuis qu'un préfet de la Seine, du nom d'Eugène Poubelle, qui avait, en 1884, pris une ordonnance obligeant les Parisiens à regrouper leurs ordures dans des récipients spécialement conçus à cet effet, que ces boîtes à ordures s'appellent des *poubelles*. Il était grand temps, car depuis des siècles on avait déjà fait des descriptions alarmantes des immondices qui encombraient les rues de Paris.

D'autres personnages français, plus ou moins importants, sont passés à la postérité grâce à leur entrée dans le dictionnaire :

• Jean Nicot, pour la *nicotine* contenue dans le tabac (l'herbe à Nicot) (xvie s.). Ce même Jean Nicot est encore plus connu parmi les historiens de la langue française comme l'auteur du premier *Thresor de la langue française tant ancienne que moderne*, paru en 1606 ;

• l'architecte Mansart, parce que, sans les avoir vraiment inventées, il généralisa les combles aux parois en pente, dits en *mansarde* (xvıı^e s.) ;

• les frères Montgolfier, directeurs d'une manufacture de papier à Annonay et inventeurs du premier ballon à air chaud, d'où le nom de leur aérostat : la *montgolfière* (xvıı^e s.) ;

• Parmentier, pour son *hachis* à la purée de pommes de terre. Cet apothicaire, qui était aussi un savant agronome, avait effectué des recherches sur les végétaux de remplacement pour l'alimentation humaine, et réussi à introduire la culture de la pomme de terre en France (*cf.* ch. 12, § La patate et la pomme de terre, p. 158) ;

• le maréchal de Plessis-Praslin, pour les amandes *à la praline* de son cuisinier (xvııı^e s.) ;

• le contrôleur général des finances Étienne de Silhouette, parce que, devenu impopulaire en raison de ses projets d'impôts sur les terres des nobles, on le caricaturait en *silhouette*, en reproduisant son profil en noir sur un fond blanc (xvııı^e s.) ;

• Alexis Godillot, parce qu'il avait été fournisseur de chaussures pour l'armée en 1870. Les *godillots* étaient des chaussures militaires, à tige courte, assez lourdes, ce qui explique pourquoi le terme est ensuite devenu péjoratif.

Des noms de fleurs venus de l'étranger

Parmi les noms venus de l'étranger, on trouve de nombreux noms de fleurs, dont la plupart ont été forgés sur des noms de savants : le *bromélia*, par exemple, perpétue le souvenir d'un botaniste suédois, Olaf Bromel, compatriote de Linné, et le *butéa*, nom savant de l'arbre à laque, celui d'un Écossais, le comte de Bute. Avec le *camélia*, on retrouve Linné, qui avait baptisé ainsi cette plante originaire du Japon en hommage au botaniste tchèque Georg Joseph Kamel, dit *Camellus*.

Et c'est alors la littérature qui émerge à l'évocation de ce nom : on se prend à rêver à la romantique *Dame aux camélias* d'Alexandre Dumas fils, tout comme on aurait grande envie de relire Proust à cause des cattleyas, plutôt que de se demander qui était ce William Cattley, botaniste du xıx^e siècle, qui est à l'origine du nom de cette orchidée chère à Odette (cf. l'*encadré* ci-dessous).

DU CATTLEYA À « FAIRE CATLEYA » *(sic)*

« ... et bien plus tard, quand l'arrangement (ou le simulacre d'arrange-ment) des catleyas *(sic)* fut depuis longtemps tombé en désuétude, la méta-phore « faire catleya », devenue un simple vocable qu'ils employaient sans y penser quand ils voulaient signifier l'acte de la possession physique – où d'ailleurs l'on ne possède rien –, survécut dans leur langage, où elle le commémorait, à cet usage oublié. »

(Extrait de Marcel Proust, *À la recherche du temps perdu* [54].)

Avec le *dahlia*, c'est encore Linné que l'on doit évoquer, car le nom de cette fleur a été formé sur celui de son disciple et compatriote suédois Andreas Dahl, que le botaniste espagnol Antonio José Cavanilles avait choisi pour baptiser cette fleur venue du Mexique.

D'autres noms de fleurs encore – *fuchsia, gardénia* – perpé-tuent le souvenir de savants qu'on a voulu honorer : Leonard Fuchs, botaniste allemand, Alexander Garden, botaniste écossais.

La nomenclature scientifique

Plus généralement, on peut dire que la quasi-totalité des uni-tés de mesure physique ont à leur origine des noms de grands savants : le *newton*, le *watt*, le *volt*, etc. Il en est de même pour un grand nombre d'éléments chimiques récemment découverts et auxquels on a généralement donné soit le nom du chercheur qui les a isolés pour la première fois, soit le nom d'un grand savant auquel on a voulu rendre hommage.

Les grands savants

La chronologie impose de citer d'abord Galilée, grand mathé-maticien, physicien et astronome italien, né à Florence il y a plus de quatre siècles, bien que le *gal* (abréviation de Galilée), unité d'accélération, ne soit pas d'un usage courant dans le grand public.

En revanche, Volta, savant italien, et Watt, savant anglais, sont évoqués quotidiennement lorsqu'on achète une ampoule de 100 *watts* fonctionnant sur du 220 *volts*. Mais sait-on toujours à quel savant se réfère le nom d'une unité de mesure ?

Récréation

ÉPONYME FRANÇAIS OU ÉTRANGER ?

En hommage aux travaux des grands savants, on a souvent choisi d'utiliser leurs noms comme unités de mesure. Ces savants sont allemands, américains, anglais, écossais, français, italiens, suédois. Retrouvez le pays d'origine de chacun d'entre eux.

UNITÉS MÉCANIQUES	UNITÉS ÉLECTRIQUES
newton, unité de force	**ampère**, unité d'intensité
joule, unité de travail, chaleur	**volt**, unité de différence de potentiel
watt, unité de puissance	**siemens**, unité de conductance
pascal, unité de pression	**coulomb**, unité de quantité d'électricité
poise, unité de viscosité dynamique	**farad**, unité de capacité
stokes, unité de viscosité cinématique	**henry**, unité d'inductance
hertz, unité de fréquence	**ohm**, unité de résistance
	weber, unité d'induction magnétique
UNITÉS RADIOACTIVES	
röntgen, unité d'exposition	UNITÉS THERMOMÉTRIQUES
gray, unité de dose absorbée	**kelvin**, unité de température
sievert, unité équivalente de dose	**celsius**, unité de température

Réponses : anglais : Faraday, Gray, Joule, Kelvin, Newton – *français :* Ampère, Coulomb, Pascal et Poiseuille – *allemands :* Hertz, Ohm, Röntgen, Siemens, Sievert et Weber – *italien :* Volta – *suédois :* Celsius – *américain :* Henry – *écossais :* Watt – *irlandais :* Stokes.

Des éponymes loin cherchés

Dans le domaine de la chimie, il est des noms d'éléments ou de composés qui sont des hommages rendus à des savants, et quelquefois par des chemins très détournés, comme pour la *fuchsine* (cf. p. 169), le *polonium*, ou le *gallium*.

Le *polonium*, élément atomique radioactif, doit son nom à Marie Curie, à qui les savants ont voulu rendre un hommage personnel en rappelant qu'elle était polonaise, tandis qu'ils attribuaient le nom de *curium* à un autre élément pour honorer le travail fait en commun par les époux Curie.

Le *gallium* est un métal du même groupe que l'aluminium et dont certains dérivés sont utilisés en électronique. Pour rendre hommage à son inventeur français Lecoq de Boisbaudran, les savants anglais proposèrent de traduire son nom en latin : Lecoq devint *gallus*, d'où *gallium*.

Comme on le voit, tous ces noms ont été créés par des savants dans un but bien précis. Mais d'autres noms de personnages étrangers sont entrés dans la langue française sans préméditation.

Un calepin venu d'Italie

C'est bien le cas du nom du moine augustin italien Ambrogio dei Conti di Caleppio, dit Calepino, qui avait publié, en 1502, un gros livre très savant. L'ouvrage, paru en latin, s'intitulait *Cornupiae* « Corne d'abondance » et constituait en réalité l'un des

---

Récréation
DU NOM PROPRE AU NOM COMMUN

1. La moitié des mots suivants vient d'Angleterre, l'autre moitié d'Italie. Rendez chacun d'entre eux à son pays natal.

cardigan	*pantalon*
catogan	*raglan*
faquin	*sacripant*

2. Tous ces mots ont pour origine un nom propre, à l'exception d'un seul. Lequel ?

voyage à pèlerine était réputé [55].

et celui de lord Somerset, baron de Raglan (XIXe s.) dont le manteau de bas sur la nuque ; celui de J. T. Brudenell, comte de Cardigan (XIXe s.) qui aurait popularisé le port de cette veste de laine boutonnée haut et sans col ; avec lequel les soldats d'infanterie nouaient leurs cheveux en un chignon du général William Cadogan (XVIIIe s.) qui aurait lancé la mode du ruban Quant aux mots venus d'outre-Manche, ce sont des noms de famille : celui

(XVe s.)

sacripant celui d'un personnage de l'*Orlando innamorato* de Boiardo teur », mais *pantalon* est le nom d'un personnage de la comédie italienne et 2. Seul *faquin* n'est pas un nom propre. Il vient de l'italien *facchino* « por-

sacripant.

1. D'Angleterre : *cardigan, catogan, raglan* – d'Italie : *faquin, pantalon,*

Réponses :

premiers dictionnaires dignes de ce nom. Ce livre a ensuite pris des proportions inattendues par l'adjonction de traductions en plusieurs langues, et il est devenu par la suite le livre-culte de toute l'Europe. Mais c'est seulement en français que le nom propre *Calepino* est passé dans la langue courante, où le *-in* de *calepin* a été pris pour un diminutif de l'objet même, alors qu'en italien c'était le diminutif d'un nom propre.

Au XVIIᵉ siècle, le mot *calepin* désignait encore en français un volumineux dictionnaire en plusieurs langues, et il constituait une référence naturelle à une somme d'informations réunies en un énorme volume. Témoin une lettre de Racine où l'on trouve : « N'êtes-vous pas fort plaisant avec vos cinq langues ? Vous voudriez que mes lettres fussent des Calepins ? » Un peu plus tard, sans raison apparente, le *calepin* perdra ses proportions volumineuses tandis que ses pages, désormais blanches, ne renfermeront plus que des notes manuscrites.

Des noms de lieux étrangers dans la langue française

On pourrait enfin trouver des centaines de noms de lieux étrangers devenus des mots de la langue française, dont certains sont évidents, comme :

berline, de Berlin, où a été construit vers 1670 un carrosse à capote mobile ;

bougie, de Bougie, ville d'Algérie (aujourd'hui Béjaia) d'où venaient des chandelles en cire fine dès le XIVᵉ siècle ;

bristol, de Bristol, ville d'Angleterre où se fabrique un carton de très bonne qualité depuis le XIXᵉ siècle ;

méandre, du nom d'un fleuve d'Anatolie, dont le cours est très sinueux ;

phare, du nom de l'île Pharos à l'entrée du port d'Alexandrie.

D'autres noms de lieux sont plus difficiles à découvrir :

cordonnier : sous ce nom de métier il faut retrouver Cordoue, ville d'Andalousie d'où était importé, à partir du XIIᵉ siècle, un cuir de chèvre à la fois souple et solide ;

cuivre : c'est également au XIIᵉ siècle qu'apparaît le mot *cuivre*, issu de la forme latine *(aes) cyprium*, c'est-à-dire « (bronze) de Chypre », île réputée depuis la plus haute Antiquité pour ses mines de cuivre ;

Récréation

DE CORDOUE AU CORDONNIER

Tout comme **Cordoue** est à l'origine du mot **cordonnier**, les noms de lieux suivants ont tous donné naissance à des noms communs dans la langue française. Trouvez-les, mais, attention, la forme peut être trompeuse !

Pistoia (Italie)	**Faenza** (Italie)	**Port-Mahon** (Baléares)
Troie (Asie Mineure)	**Poperingen** (Pays-Bas)	**Padoue** (Italie)
Gênes (Italie)	**Tour de Galata** (Turquie)	**Berlin** (Allemagne)

Réponses : bistouri, truie, jeans, faïence, popeline, galetas, mayonnaise, pavane, berline.

---

palais : ce nom est la forme évoluée du latin PALATINUM « le Palatin », nom d'une des sept collines de Rome, où Auguste, puis les aristocrates romains avaient fait construire de somptueuses demeures ;

jean ou *jeans* : ce tissu, porté depuis un demi-siècle par des milliers de personnes aux quatre coins du monde, était à l'origine celui des pantalons des marins du port de *Gênes*, prononcé à l'anglaise, mais sous sa forme française (la forme italienne étant *Genova* et la forme anglaise *Genoa*).

8

L'HÉRITAGE GERMANIQUE

Lorsqu'on regarde une carte des langues de France, on peut remarquer que l'adoption du latin dès les premiers siècles de notre ère n'a pas empêché la persistance de langues qui n'en sont pas les descendantes : le basque, le breton, le flamand, le francique lorrain et l'alsacien.

LES LANGUES GERMANIQUES DE LA FRANCE

Trois variétés germaniques se maintiennent en France :

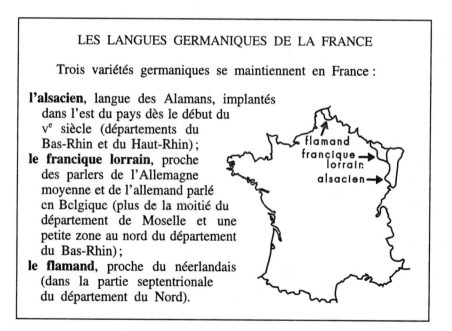

l'alsacien, langue des Alamans, implantés dans l'est du pays dès le début du ve siècle (départements du Bas-Rhin et du Haut-Rhin) ;

le francique lorrain, proche des parlers de l'Allemagne moyenne et de l'allemand parlé en Belgique (plus de la moitié du département de Moselle et une petite zone au nord du département du Bas-Rhin) ;

le flamand, proche du néerlandais (dans la partie septentrionale du département du Nord).

Ces trois dernières appartiennent au groupe des langues germaniques, dont l'influence a peut-être été aussi grande que celles du grec ancien et du latin classique, mais d'une tout autre façon.

En effet, si le latin et le grec ont constitué dès le haut Moyen Âge des sources de renouvellement pour le vocabulaire savant, c'est au contraire dans le domaine de la vie quotidienne que l'on doit chercher des traces du germanique ancien. Il est par ailleurs significatif de constater que le nom même de la langue française est un nom germanique, tout comme le nom de la France, pays des Francs [56].

Une longue cohabitation

Il est vrai que les contacts entre les légions romaines et les populations germaniques avaient déjà commencé dès les premiers siècles de notre ère, grâce aux mercenaires germains engagés par les Romains pour protéger leurs frontières. C'est surtout dans le sens du latin vers le germanique que les emprunts avaient alors été importants : sous leur forme actuelle en allemand, *Strasse* « route » de STRATA, *Ziegel* « tuile » de TEGULA ou encore *Schüssel* « plat » de SCUTELLA, sont des mots très anciennement empruntés au latin [57].

Mais le latin tardif lui-même conserve aussi des traces des emprunts qu'il a faits au germanique, par exemple SAPO « savon », GANTA « oie » ou GLAESUM « ambre ».

Récréation

ON LES APPELAIT DES BARBARES

De tout temps, les gens ont considéré de façon un peu méprisante ceux qui ne parlaient pas la même langue qu'eux.

Comment les gens dont la langue était :
   1. le basque   2. le breton   3. le grec   4. le latin
appelaient-ils une personne qui parlait une autre langue que la leur ?

Vous avez le choix entre : **barbare, erdaldun, gallo et laïc.**

Réponses : 1. erdaldun – 2. gallo – 3. barbare – 4. laïc.

En fait, la situation des deux langues était très différente : le latin, à cette époque, était la seule langue écrite en Europe, tandis que le germanique n'était encore qu'une langue parlée, et il faudra attendre plusieurs siècles pour voir les langues des populations germaniques accéder à l'écrit[58].

Quelles populations germaniques ?

Parmi les multiples tribus germaniques qui se sont déplacées dans toute l'Europe bien avant la naissance de l'Empire romain, seuls certains groupes, les Wisigoths, les Burgondes, les Alamans et les Francs ont été en rapport avec les populations de la langue romane qui allait devenir le français.

Les Wisigoths : partis de Scandinavie, très probablement de l'île de Gotland, ils s'étaient séparés de leurs compatriotes les Ostrogoths vers la fin du IVe siècle apr. J.-C. Leur séjour et la constitution d'un royaume wisigothique dans le midi de la France en 416, royaume traditionnellement appelé « de Toulouse », mais dont la capitale a longtemps oscillé entre Toulouse et Bordeaux[59], n'eurent pratiquement pas d'influence sur la langue française.

Les Burgondes : également originaires d'une île de la Baltique, Burgundarholm, aujourd'hui Bornholm, ils avaient obtenu, par un accord avec les Romains au début du Ve siècle, « la partie de la Gaule la plus proche du Rhin », et c'est en 443 qu'ils s'étaient installés dans la région de Genève[60]. Leur langue n'a pas laissé de descendance, et seuls quelques toponymes et le nom même de la Bourgogne rappellent leur présence dans cette région[61].

Les Alamans : issus du regroupement de plusieurs tribus germaniques, ils s'étaient finalement stabilisés entre le territoire occupé par les Francs, au nord, et les Bavarois, au sud. C'est probablement du tout début du Ve siècle que date leur première implantation en Alsace et dans le Palatinat, la colonisation totale dc la Suisse actuelle ne datant que de la fin du Ve siècle. L'alsacien est un continuateur de la langue des Alamans.

Les Francs : issus eux aussi du regroupement de tribus dispersées, ils étaient porteurs d'une langue qui allait donner naissance au néerlandais et aux dialectes allemands du Nord-Ouest, le francique. C'était la langue de Clovis, qui avait finalement réussi à unifier cet ensemble germanique plus ou moins homogène, et c'est cette langue qui laissera le plus de traces dans le français.

LES LANGUES GERMANIQUES

Les langues germaniques constituent une branche de la grande famille indo-européenne [62].

On a coutume de les classer selon le point de départ de leurs migrations :

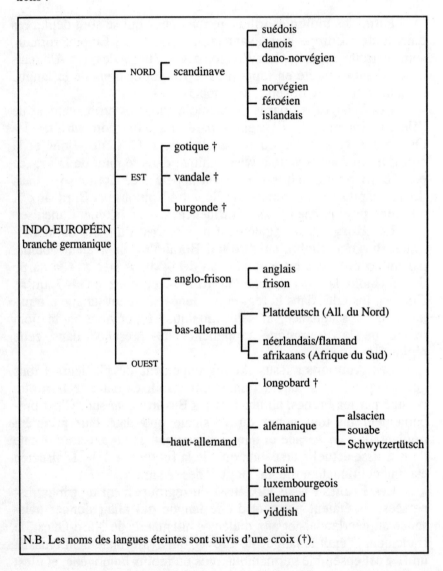

INDO-EUROPÉEN
branche germanique

NORD — scandinave
- suédois
- danois
- dano-norvégien
- norvégien
- féroéien
- islandais

EST
- gotique †
- vandale †
- burgonde †

OUEST

anglo-frison
- anglais
- frison

bas-allemand
- Plattdeutsch (All. du Nord)
- néerlandais/flamand
- afrikaans (Afrique du Sud)

haut-allemand
- longobard †
- alémanique
  - alsacien
  - souabe
  - Schwytzertütsch
- lorrain
- luxembourgeois
- allemand
- yiddish

N.B. Les noms des langues éteintes sont suivis d'une croix (†).

Les apports ultérieurs

Des contacts ultérieurs avec d'autres langues germaniques se sont produits, mais ils ont eu des conséquences bien moindres sur le plan linguistique. Avec les Vikings, ces Germains venus des pays scandinaves et qui finiront par s'installer en Normandie, l'apport linguistique a été assez faible. En revanche, le néerlandais a considérablement enrichi la langue française dès le XIIe siècle, à une époque où les foires de Champagne étaient un lieu de rencontre pour des populations venues de diverses contrées. Enfin, à partir du XVIe siècle, les apports ont été d'une part ceux des mercenaires, d'autre part ceux des savants.

L'importance du bois

Pour les périodes les plus reculées, on a pu distinguer, de façon à la fois schématique et imagée, parmi les divers peuples germaniques, ceux de la mer, ceux des steppes et ceux de la forêt [63] :
- les peuples de la mer, représentés par les Scandinaves, les Frisons et les Saxons ;
- les peuples des steppes, représentés essentiellement par les Goths, ultérieurement divisés en Ostrogoths et Wisigoths ;
- les peuples des forêts, représentés en gros par les populations occupant la région de l'Allemagne actuelle.

Cette caractérisation un peu superficielle a du moins le mérite de permettre de relier ces populations anciennes à la langue française et d'y reconnaître la marque des peuples des forêts. Ce qui frappe, en effet, dans le lexique français d'origine germanique, c'est la masse du vocabulaire relatif à la forêt en général, et en particulier aux arbres et aux productions qui en dérivent : le *houx* et le *gui* sont germaniques, de même que l'*osier,* le *roseau*, le *troène* et le *saule*.

Deux noms d'arbres pourraient être choisis comme symboles de la présence des Germains sur le territoire et de la persistance de leurs usages linguistiques : l'*aulne* et le *hêtre*, mais ils le sont de façons différentes.

Comme on l'a vu (cf. ch. 4, VESTIGES DU GAULOIS, p. 47), le nom d'origine germanique *(aulne)* n'a fait qu'une faible percée dans les noms de lieux en comparaison avec l'abondance des toponymes du type *vergne*, continuateur du mot gaulois *(verno)*.

Mais *vergne* n'a survécu que dans les usages régionaux, et c'est finalement le mot *aulne,* d'origine germanique, qui s'est imposé en français commun.

Les résultats ont été encore plus systématiques avec le hêtre, où le nom germanique était en compétition avec le nom latin.

Le fouet : un petit « fou »

Pour désigner le hêtre, le latin avait en effet le mot FAGUS, qui avait phonétiquement évolué en *fou* en vieux français. Pourtant, on n'en retrouve la trace que dans le mot *fouet*, étymologiquement « petit fou », c'est-à-dire « petite baguette de hêtre ». Et c'est le mot d'origine francique *(hestr)* qui l'a ensuite emporté, sous la forme *hêtre*.

Le bois sous toutes ses formes

Les innombrables produits dérivés de la forêt – le *bois*, la *bille*, la *bûche*, la *latte*, la *gaule*, le *mât*, le *scion*... – portent des noms laissés par les envahisseurs germaniques. On peut y ajouter le sinistre *gibet*, terme qui désignait d'abord un bâton fourchu, avant de devenir la potence où l'on exécutait les condamnés.

LE BORDEL : UNE CABANE EN PLANCHES

D'après l'anglais *board*, le danois *bord* « table » ou l'allemand *Bord* « étagère », on peut reconstruire l'ancienne forme germanique, celle qui a donné naissance à l'ancien français *borde* « bûche », d'où « cabane en planches », et aussi à son dérivé *bordel*.

Ce dernier mot a pris dès le Moyen Âge le sens que nous lui connaissons aujourd'hui, les prostituées n'ayant alors le droit d'exercer leur activité que dans des cabanes à l'écart des lieux habités.

Tout ce bois servait aussi à fabriquer des sièges, par exemple des *bancs* et des *fauteuils,* dont les noms germaniques sont anciens. Si le sens du premier a peu changé – il désignait bien à l'origine un banc, mais fixé au mur – celui de *fauteuil* a fait du chemin depuis le xıᵉ siècle : en ancien français *faldestoel*, où, sous *stoel*, on peut reconnaître l'allemand *Stuhl* « chaise », et sous *fald*, l'anglais *to fold* « plier », ce n'était encore qu'une simple chaise pliante. Il est vrai que c'était un siège somptueusement décoré, réservé aux grands seigneurs, qui pouvaient l'emporter en voyage, mais il n'avait rien du siège confortable comportant un dossier et des bras que nous connaissons depuis le XVIe siècle. Pourtant, il faut croire que l'étymologie a la vie dure puisque, avec le fauteuil pliant du metteur en scène de cinéma, c'est un retour inattendu au premier sens du mot qui reprend vie.

Récréation

LE JEU DES NOMS DE COULEUR

Parmi les 9 noms de couleur suivants, il y en a 5 qui sont d'origine germanique, 3 d'origine latine et 1 d'origine inconnue. Classez-les selon leur langue d'origine :

1. noir	2. blanc	3. gris
4. rouge	5. brun	6. rose
7. bleu	8. vert	9. fauve

Réponses : origine germanique : 2, 3, 5, 7, 9 – latine 1, 4, 8 – inconnue 6.

Marquer son territoire

Ces « Germains des bois » avaient surtout à cœur de marquer leur territoire, comme on peut le constater par l'abondance du vocabulaire désignant des limites, même si aujourd'hui tous ces mots n'ont pas gardé leur signification première.

DU JARDIN À LA VILLE

Le mot *jardin* vient d'une forme germanique, que l'on retrouve dans l'allemand *Garten* et l'anglais *garden*, et qui désignait à l'origine un enclos.

La même racine indo-européenne a abouti au russe *gorod*, avec le sens de « ville », qui apparaît dans *Novgorod* « la ville neuve » et, sous une forme plus évoluée, dans *Petrograd* « la ville de Pierre [64] ».

On retrouve bien l'idée de limite dans la *haie* faite de branchages ou d'arbustes pour servir de clôture à un champ, mais cette idée est moins évidente dans *lice, liste, hallier* ou *jardin*. Or, si aujourd'hui on n'emploie plus le mot *lice* que dans l'expression *entrer en lice* (pour une compétition sportive, par exemple), le mot désignait bien au Moyen Âge la palissade qui délimitait le terrain où se déroulaient les tournois, et la *liste* était encore une bordure, une frange en ancien français ; le *hallier* était à l'origine un lieu entouré de noisetiers (cf. l'anglais *hazel* « noisetier ») et le *jardin*, tout simplement un enclos.

Il est enfin significatif que le mot *marche*, dans le sens de « région frontalière », soit aussi un mot d'origine germanique, de même que le mot *marquis*, qui désignait le gouverneur d'une marche franque [65].

LES TITRES DE NOBLESSE

Alors que **roi, duc** et **comte** viennent du latin, la plupart des autres titres de noblesse sont d'origine germanique comme :

marquis : gouverneur d'une marche franque, d'une zone frontière

baron : au Moyen Âge, ce terme désigne aussi bien le mari que le notable qui participe aux conseils [66]

sénéchal : le serviteur le plus âgé (du germanique *skalk* « valet » et du latin SENEX « vieux »)

maréchal : le serviteur chargé des chevaux (cf. anglais *mare* « jument »).

Les noms de personne raccourcissent

Après les noms à rallonge, habituels sous l'Empire romain, où chacun avait au moins trois, sinon quatre noms [67] – *Cicéron* s'appelait en fait *Marcus Tullius Cicero*, et *Suétone, Caius Suetonus Tranquillus Silentius* –, l'habitude germanique a été prise de ne porter qu'un seul nom, généralement formé de deux mots germaniques accolés [68].

Le lien de sens n'y est pas toujours très évident : *Dagobert*, par exemple, est formé sur un premier mot signifiant « jour », suivi d'un autre mot signifiant « brillant », et *Sigisbert* signifie « victoire » + « brillant ».

On retrouve bon nombre de ces noms germaniques anciens dans les prénoms actuels, dont l'origine germanique apparaît clairement dans certaines terminaisons :

-bert « brillant », comme dans *Albert, Hubert, Robert*

-baud « audacieux », comme dans *Thibaud* « peuple » + « audacieux »

-ard « fort, puissant », comme dans *Bernard* « ours » + « puissant » ou *Gérard* « lance » + « puissant ».

LE NOM DU RENARD

On l'appelait **goupil** en ancien français, mais ce nom est tombé en désuétude et on lui a préféré celui d'un goupil nommé **Renart**, héros du **Roman de Renart**. Depuis le Moyen Âge, le nom est resté, et seule l'orthographe de ce nom a changé.

D'un adjectif germanique à un suffixe français

Ces derniers exemples sont particulièrement intéressants parce qu'ils permettent d'illustrer un phénomène qui non seulement a pris une nouvelle valeur en français, mais qui a abouti à une création grammaticale : l'adjectif germanique signifiant « puissant, dur » (représenté, par exemple, par l'anglais *hard*) a donné naissance à un suffixe français très productif, *-ard*, comme dans *chauffard, fêtard, gueulard, traînard, vantard, veinard* mais aussi *maquisard, montagnard* et *ringard*.

Deux adverbes seulement, mais des centaines de verbes

On aura peut-être remarqué, dans les chapitres précédents, que les emprunts aux langues étrangères concernent généralement surtout le lexique, et rarement la grammaire. Ce phénomène de grammaticalisation méritait donc d'être souligné, tout comme mérite de l'être la naissance de deux noms et d'un adverbe français à partir d'un même nom germanique : les substantifs *troupe* et *troupeau* ont la même origine que l'adverbe *trop*, avec une intensification du sens pour l'adverbe. On est passé de la grande quantité (dans *troupe* et *troupeau*) à l'excès (dans *trop*).

Une autre forme grammaticale a été empruntée très anciennement : l'adverbe *guère*, également dans le sens de « beaucoup », mais qui s'emploie uniquement avec un verbe à la forme négative *(je n'en ai guère)* ou dans une forme amalgamée de *il n'y a guère* : *naguère.*

Enfin, on peut voir un autre signe de pénétration profonde de cette langue dans la langue française par l'existence de plusieurs dizaines de verbes d'origine germanique devenus tout à fait usuels pour exprimer des activités de la vie quotidienne :

marcher, trotter, galoper	*lorgner, guigner, guetter*
glisser, trébucher, tomber	*frapper, déchirer, griffer*
laper, lécher, téter	*blesser, soigner, guérir...*

Une revenante : la consonne *h*

Un effet inattendu des invasions germaniques a été le retour d'une consonne disparue depuis longtemps, celui de la consonne initiale *h*. Et si l'on parcourt dans un dictionnaire français la liste des mots commençant par cette lettre, on constate qu'ils sont en très grande majorité d'origine germanique :

la *hache* et la *houe*	la *halle* et le *hangar*
la *hotte* et la *huche*	la *haine* et la *hargne*
les *housses* et les *haillons*	le *hanneton,* le *héron* et le *hareng.*

Récréation

POURQUOI UN *H* DANS *HUILE, HUIT* ET *HUÎTRE* ?

Les historiens de la langue affirment que la plupart des mots commençant par *h* sont d'origine germanique. Mais alors, que doit-on penser de **huile, huit** et **huître**, qui non seulement viennent en droite ligne du latin, mais qui ne comportaient pas d'*h* dans cette langue (OLEA, OCTO, OSTREA) ?

Trouvez la bonne réponse :

1. ce *h* s'est prononcé au Moyen Âge parmi les paysans et les petits commerçants
2. ce *h* est uniquement graphique. Il était destiné à faciliter la lecture des anciennes formes **uile, uit** ou **uitre**.

Réponses : 2. Ce h a été ajouté pour éviter la confusion possible de huile, huit et huître avec vile, vit et vitre, à l'époque où l'on écrivait le u et le v de la même façon.

Pourtant il y a aussi des mots d'origine latine commençant par un *h* : *homme, honneur, humble, heure,* où la consonne avait été maintenue uniquement dans la graphie. On ne la prononçait plus depuis l'époque de Cicéron et, en ancien français, on ne l'écrivait pas toujours. Ainsi, sur *homo* « homme », on avait formé le pronom personnel indéfini *on*, et, de son côté, le verbe *avoir* n'avait pas gardé le *h* de HABERE.

Une consonne en remplace une autre

Si l'influence germanique a été responsable du retour d'une consonne prononcée, dans des mots comme *haie* ou *hameau*, elle a aussi grossi l'inventaire des mots commençant par une consonne initiale qui n'avait jamais cessé d'exister, la consonne /g/. En jetant un coup d'œil sur la liste des mots français commençant par /g-/, on constate qu'une grande partie d'entre eux provient de mots germaniques et que dans cette langue ils commencent par /w/. Tel est le cas de *guerre*, par exemple, qui vient du même mot que l'anglais *war*. Mais il y a aussi les verbes *gagner, garder, guetter, guérir* et les noms *gain, gant, garçon, gars, guimpe, guise*[69].

Un « germanique » menu

Cette construction peu habituelle en français, avec l'adjectif précédant le nom, est normale dans les langues germaniques, et elle s'était manifestée en ancien français à la suite des invasions.

On en trouve de multiples traces dans la toponymie[70], à condition de savoir identifier, par exemple, « clair » et « mont » dans *Clermont*, « nouveau » ou bien « château » dans *Neuchâtel*, ou encore de pouvoir reconnaître, dans la première syllabe de *Pommard* (Côte-d'Or) la forme germanique signifiant « étang, marais » (cf. *pool* en anglais) et dans la seconde le mot germanique qui a donné *Mark* « borne, limite » en allemand. *Pommard* est donc, selon l'étymologie, « la marécageuse limite[71] ».

Par ailleurs, *Forbach* est « le ruisseau des pins », mais, si l'on identifie sans peine *bach* (cf. l'allemand *Bach* « ruisseau »), on devine moins facilement *Föhre* « pin sylvestre[72] », tandis que dans *Mulhouse* la « meunière maison » (ou plutôt la « maison du moulin ») apparaît comme une évidence si on pense à l'allemand *Mühle* « moulin » et à *Haus* « maison[73] ».

Enfin, pour réparer une injustice millénaire, rappelons que ces prétendus « barbares » étaient aussi de fins gourmets puisque, grâce aux mots de leur langue, on pourrait préparer le repas suivant, dont tous les plats ont des noms d'origine germanique :

> *Harengs saurs*
> *Soupe* au *cresson*
> *Escalopes* aux *morilles*
> *Cailles garnies*
> *Gibier mijoté*
> *Gigot rôti*
> *Flan* aux *groseilles*
> *Gâteau* aux *framboises*

Et, pour terminer ce repas de germanique façon, le tout serait arrosé d'un *flacon* de l'*échanson*.

Venus de Scandinavie, d'autres Germains

C'est en 793, après leur premier raid sur le monastère de Lindisfarne, en Écosse, que d'autres populations germaniques, connues sous le nom de Vikings, commencent à défrayer la chronique hors de leur pays d'origine. Partis de Scandinavie sur leurs navires à tête de dragon – les drakkars –, ces hommes du Nord, ces Normands, vont déferler en vagues successives et semer la terreur dans toute l'Europe pendant plus de deux siècles.

En France, leurs incursions étaient devenues régulières vers le milieu du IXe siècle, contraignant les populations à leur verser une rançon, appelée *Danegeld* (« la rançon des Danois »), en échange d'une trêve momentanée, et cette situation inconfortable s'était prolongée jusqu'à la création du duché de Normandie, en 911. Le roi de France Charles le Simple, en faisant du chef des Vikings son vassal, parvenait ainsi à ramener la paix dans une vaste région très éprouvée. Mais à l'époque le domaine occupé par les Vikings devait certainement dépasser de beaucoup les limites de la Normandie si l'on en croit la répartition des noms de lieux du type *La Guerche* (du scandinave *virki* « fortification »). On trouve des *La Guerche* aussi bien en Bretagne et dans le Maine qu'en Poitou, en Anjou, en Touraine et jusque dans le Berry [74].

Ils adoptent la langue de leur nouvelle patrie

En contraste avec les envahisseurs germaniques précédents, les Vikings n'ont laissé que peu de traces de leur langue dans la

langue française : la colonisation scandinave avait été stricte-
ment masculine, et la langue de la famille, née des couples
mixtes, a très vite été la langue de la mère, c'est-à-dire la
langue romane de la région, surtout après la conversion des
Normands au christianisme. Toutefois, il semble bien qu'au
milieu du Xe siècle la langue des Vikings n'avait pas encore
totalement disparu et se maintenait ici ou là, et en particulier à
Bayeux, que l'on considère comme l'ultime bastion de la
langue norroise [75].

MOTS VENUS DU VIEUX SCANDINAVE

agrès	eider	hanter	quille
ballast*	étambot	haras	raz
bidon	étrave	haridelle	regretter
bitte (poteau)	flâner	harnais	remugle
blémir	flotte	harpon	risée (brise)
carlingue	gabegie	hauban	rogue
cingler	gable	homard	saga
crique	girouette	hune	scorbut
dalle*	graffigner	joli	tillac
débiter	gréer	marquer	turbot
drakkar	guichet	marsouin	vague
duvet	guindeau	mièvre	varech
égrillard	guinder	nantir	viking

* par le néerlandais

Noms de lieux en Normandie

L'abondance des toponymes de Normandie terminés par
-*ville*, du latin VILLA « ferme, propriété agricole » – plus de 200 –,
montre de quelle façon l'adoption de la nouvelle langue avait pu
se produire : du germanique, on abandonnait en partie le vocabulaire, mais on gardait la structure des constructions, en plaçant le
déterminant avant le déterminé. Sont ainsi de formation hybride
latino-germanique :

Cricqueville (Calvados) et *Querqueville* (Manche), où l'on
doit reconnaître, dans l'élément initial, la forme scandinave *kirkja*
« église », précédant la forme -*ville,* issue du latin VILLA [76] ;

Sotteville (Manche, Seine-Maritime) du nom propre *Soti* et de *ville* ;

Tocqueville (Eure, Manche, Seine-Maritime) du nom propre *Toki* et de *ville* ;

Tourville (Calvados, Eure, Manche, Seine-Maritime) du nom propre *Thori* et de *ville* ;

Trouville (Manche, Seine-Maritime) du nom propre *Turold* et de *ville*.

Il est toutefois difficile, pour les noms de lieux en *-ville*, qui sont particulièrement fréquents dans le nord de la Normandie, d'en attribuer avec certitude la paternité aux seuls Vikings, étant donné qu'ils avaient été précédés dans ces lieux par d'autres populations de langue germanique, les Francs [77].

MÉFIONS-NOUS DES APPARENCES

Attention ! Les noms de lieux terminés par *-beuf, -bec, -fleur,* qui, en français, évoquent tout naturellement la campagne, sont en fait le rappel d'un univers de marins. Ainsi,

-beuf désignait un « abri » :
> *Criquebeuf* (Eure, Seine-Maritime, Calvados) signifie « à l'abri de l'église ». On y retrouve la même forme *kirkja* « église » que dans *Cricqueville* ou *Querqueville*
> *Elbeuf* (Seine-Maritime) « à l'abri de la fontaine »
> *Lindebeuf* (Seine-Maritime) « à l'abri des tilleuls »
> *Yquebeuf* (Seine-Maritime) « à l'abri des chênes »

-bec, un « ruisseau » :
> *Caudebec* (Seine-Maritime), de *kald* « froid », « le froid ruisseau »
> *Houlbec* (Eure, Manche), de *hollr* « profond », « le profond ruisseau »
> *Bricquebec* (Manche) de *brekka* « colline », « le ruisseau de la colline »

et *-fleur*, une « crique » :
> *Honfleur* (Calvados), où la première partie est un nom propre
> *Harfleur* (Seine-Maritime), où *har* est l'adjectif « élevé »
> *Barfleur* (Manche), où *bar* signifie « angle ».

En revanche, on peut être plus affirmatif pour les toponymes en *-tot*, qui sont très répandus – plus de 100 – en Normandie pour désigner un habitat, car ils sont souvent précédés d'un nom de personne scandinave *(Robertot, Yvetot)*. On peut parfois y trouver des allusions descriptives des lieux :

Aptot ou *Appetot*	« la ferme aux pommiers »
Bouquetot	« la ferme aux hêtres »
Lintot	« la ferme aux tilleuls »
Ecquetot	« la ferme aux fresnes ».

Des mots de la mer

Comme il fallait s'y attendre, c'est surtout le vocabulaire maritime qui rappelle en français la langue scandinave des premiers Normands. Pêle-mêle, voici :

vague, varech et *flotte ;*

quille, tillac « pont de bateau », *étrave, carlingue ;*

marsouin (mot à mot « cochon de mer »), *turbot* et *homard ;*

hauban, hune et *bitte* (d'amarrage). De ce dernier mot vient le verbe *débiter*, dérivé du scandinave *biti* « poutre », d'abord avec le sens de « découper du bois de construction ».

Des mots normands

Certaines formes, comme *cingler* « faire voile », *guichet* ou *harnais*, ou encore *hanter* ou *nantir* sont apparues assez tôt (XIIᵉ ou XIIIᵉ siècle), mais d'autres semblent avoir été transmises plus tard à la langue française, par l'intermédiaire du normand, comme par exemple *remugle* au XVIᵉ siècle et *flâner* au XVIIᵉ siècle. Le remugle, qui désigne en français l'odeur des objets restés longtemps enfermés, a gardé en Normandie une forme – *remucre*, ou *mucre* – et un sens – « moisissure » – plus proches du scandinave (*mygla* « moisissure » et *mykr* « fumier »). De même, *dalle*, par exemple, y désigne encore soit la rigole, comme en scandinave, soit l'évier de pierre. Le mot est emprunté au scandinave *dæla* « rigole ». Il est passé en français avec le sens un peu différent de « plaque de pierre ».

Il y a enfin l'adjectif *joli*, qui rappelle le nom d'une très vieille fête païenne de Scandinavie pour célébrer le solstice d'hiver et qui est devenue la fête de Noël (« Joyeux Noël » se dit encore aujourd'hui *God Jul* en danois). En ancien français,

---

QUELQUES MOTS ENTENDUS EN NORMANDIE

On y trouve des traces de la langue des Vikings [78] :
une **falue** est une galette briochée, légèrement bombée (de *fali* « tube »)
un **haitier**, une poêle lourde et plate (de *heitr* « brûlant »)
un **viquet**, une petite porte amovible (de *vik* « baie »). Ce même mot a
        abouti à *guichet* en français commun
les **gades** ou *gadelles* sont des groseilles à grappes (de *gaddr* « épine »)
se **vâtrer**, c'est se salir dans la boue (de *vatn* « eau »).

---

l'adjectif a d'abord été attesté sous la forme *jolif*, et avec des sens divers : « gai, beau », mais aussi « ardent, amoureux ». Ce dernier sens se retrouve très exactement dans notre expression un peu désuète *faire le joli cœur*.

Récréation

LA NORMANDIE EN FLEUR

1. La ville de *Harfleur* est citée dans un poème célèbre, dont voici le premier vers : *Demain dès l'aube, à l'heure où blanchit la campagne.* De qui est ce poème ?
2. La ville de *Honfleur* s'appelle ainsi parce qu'elle est toujours très fleurie. Vrai ou faux ?
3. *Honfleur* est la ville natale d'un peintre normand amoureux des paysages de plage. Il a été le maître de Monet et il est considéré comme le précurseur des impressionnistes. Qui est ce peintre ?

Réponses :

1. Ce poème est de Victor Hugo (*Les Contemplations*, 1847), et en voici les quatre derniers vers :
« Je ne regarderai ni l'or du soir qui tombe,
Ni les voiles au loin descendant vers Harfleur,
Et quand j'arriverai, je mettrai sur ta tombe
Un bouquet de houx vert et de bruyère en fleur. »
2. Faux. Dans *Honfleur*, le suffixe *-fleur* résulte de l'évolution d'un mot scandinave signifiant « crique, baie ».
3. Eugène Boudin, né à Honfleur en 1824, mort à Deauville en 1898.

9

LE TEMPS DES FOIRES

Diversité des apports au Moyen Âge

C'est au cours de la longue période aux limites floues qu'on appelle le Moyen Âge que s'était lentement formée la langue française, une langue qu'on peut grossièrement définir jusque-là comme du latin ayant poussé sur un fonds gaulois plutôt mince, mais avec un apport germanique déjà important : celui des Francs, considérable, et celui des Vikings, infiniment plus modeste.

Pendant le même temps s'étaient développés en France d'autres idiomes, parmi lesquels des parlers gallo-romans (oïl, oc et francoprovençal) et des parlers germaniques (flamand, alsacien, lorrain germanique). À ces deux filons – langues romanes et germaniques – devait se joindre un troisième élément très important, celui des langues de l'Orient et de la Méditerranée, par l'intermédiaire de l'arabe. Les contacts entre toutes ces langues avaient trouvé un terrain particulièrement favorable dans les foires de Champagne.

Les foires de Champagne

Ces lieux de rencontre drainaient, probablement dès le milieu du xie siècle, et sûrement entre le xiie et le xiiie siècle [79], des marchands venus de partout.

Dans le Nord, la Flandre était devenue un pôle très important de l'activité économique, avec la production de drap et de toile, tandis que dans le Sud l'Italie constituait un pôle encore plus varié car c'était la voie de passage presque obligée des produits venus d'Orient. Située à mi-chemin entre ces deux pôles, la Champagne constituait, du fait de sa position géographique, un lieu privilégié pour des échanges commerciaux, d'autant plus que les comtes de Champagne avaient pris des mesures en faveur des marchands. Les villes de Bar-sur-Aube, Troyes, Provins, Lagny étaient devenues le centre du négoce européen [80]. On y vendait, en provenance des pays du Nord, des étoffes de laine, des toiles, des cuirs, des pelleteries, du fromage, du beurre et, venus d'Orient, toutes sortes de produits qui avaient été commercialisés sous un terme générique suggestif : *avoir-du-poids*. L'expression est passée dans l'anglais *avoirdupois* ou *averdepois* qui désignait, avant l'application du système métrique, un système de poids appliqué à toutes les marchandises autres que les métaux précieux, les pierreries et les médicaments [81].

Les foires de Champagne constituaient ainsi de vastes marchés où l'on trouvait des épices aux noms magiques, évocateurs de pays lointains, mais aussi de simples colorants ainsi que des produits de base comme l'alun, employé comme mordant en teinturerie [82]. Les noms de tous ces produits de provenance étrangère font alors irruption dans la langue française en formation : des mots arabes mêlés à des mots venus des autres dialectes de France et à des mots néerlandais.

Des mots venus du néerlandais

Le néerlandais est à l'origine la langue des Francs, le francique, dont une des variétés s'est perpétuée en France sous le nom de flamand jusqu'à nos jours dans le département du Nord. Les premières attestations dans la langue française de ces mots venus des plaines du Nord datent justement de la lointaine époque des foires de Champagne. C'est dire que ces formes lexicales ont eu le temps, au cours des siècles, de s'intégrer harmonieusement aux structures de la langue française. Qui, en effet, hésiterait à qualifier de français des mots comme *matelot, cabillaud, maquereau, crabe* ou *ramequin* ? On pourrait aussi citer *layette* et *ruban*, l'adjectif *espiègle* et les verbes *amarrer, flotter, frelater, maquiller* ou *dégringoler*. Tous sont pourtant venus du « plat pays », et leur migration vers la langue française ne devrait pas étonner car les relations ont été constantes et étroites entre la France et les « Provinces-Unies » dès le Moyen Âge.

Parmi les mots le plus anciennement attestés en français, on trouve celui de la *gaufre*, qui, en ancien français, désignait un gâteau de cire d'abeilles, et qui paraît venir du vieux francique. Mais il semble que ce soit par le néerlandais qu'ait été introduit le nom du *boulanger* – « celui qui confectionne des boules de pain » –, nom qui a définitivement remplacé les formes de l'ancien français *panetier* et *pestor*. On trouve aussi, pour désigner une boutique, le terme *échoppe*, d'abord sous les formes *escopes* ou *eschoperie*, ainsi que le nom du *crabe* qui, jusqu'au XVIIIe siècle, était du genre féminin.

C'est avant le XVe siècle que sont attestés de nombreux termes néerlandais concernant la marine et la navigation (*coche d'eau, beaupré, fret, lest...*), ainsi que les produits de la mer comme le *bar*, l'*aiglefin*, le *cabillaud*, l'*éperlan* et le *maquereau*.

DEUX MAQUEREAUX OU UN SEUL ?

En argot, l'entremetteur est appelé un ***maquereau***, mot qui vient selon toute vraisemblance du néerlandais ***makelaer*** « courtier ».

Mais pourquoi le poisson s'appelle-t-il ainsi ? Deux thèses s'affrontent :

– une étymologie populaire voudrait que ce soit en raison des mœurs de ce poisson, qui a pour habitude de rapprocher les harengs mâles des harengs femelles et de les accompagner dans leurs déplacements [83]

– une autre hypothèse prend appui sur les taches que les maquereaux portent sur leurs écailles, et sur l'ancien verbe français ***maquerer*** « frapper, marquer d'une tache ». Cette explication serait confirmée par le nom de la ***groseille à maquereau*** ou « groseille tachetée [84] ».

Mais, d'autre part, on apprend que le mot néerlandais ***mackerel*** qui désigne le poisson, viendrait lui-même du français ***maquereau*** [85].

On revient alors à la case départ, ce qui signifie qu'en matière d'étymologie on n'est jamais sûr de rien.

Un peu plus tard, de véritables colonies hollandaises s'implanteront dans plusieurs ports français, à Rouen, à Dieppe ou à Bordeaux, et l'influence de leur langue continuera à s'exercer sur le français pendant le XIVe et tout le XVe siècle. Elle se développera encore par l'intermédiaire des ingénieurs spécialistes qu'Henri IV ira chercher en Hollande pour assécher les marais de Picardie et du Poitou, de Saintonge et de Guyenne, d'Auvergne et de Provence. C'est de Flandre que Colbert, dans son désir de réorganiser en France le tissage, l'industrie hydraulique et la construction navale, fera venir les meilleurs artisans, et un nouvel afflux de mots néerlandais enrichira alors la langue française.

QUELQUES MOTS VENUS DES COLONIES NÉERLANDAISES

Au XVIIᵉ siècle, les Pays-Bas étaient la première puissance commerciale d'Europe et avaient étendu leur empire sur une grande partie de l'Indonésie. C'est par leur intermédiaire que quelques mots **malais** se sont introduits en français :

cacatoès, sorte de grand perroquet
béribéri, nom d'une maladie due à une carence de vitamine B
kapok, fibre végétale d'un arbre tropical
casoar, sorte d'autruche
rotin, sorte de palmier dont les tiges servent à fabriquer des câbles et des meubles.

Cet apport lexical néerlandais ne s'interrompra qu'au cours du XVIIIᵉ siècle, et pour une raison qui s'explique par l'histoire sociolinguistique : les Hollandais, Brabançons ou Flamands qui résidaient en France avaient alors pris l'habitude de parler français.

Des mots qui racontent une histoire

Il y a des mots empruntés dont la forme permet de comprendre aisément l'origine, comme *bouquin*, par exemple, qui a été emprunté au moyen néerlandais *boekelkijn*, diminutif de *boek* « livre ». On constate ainsi qu'un bouquin, à l'origine, ne pouvait donc pas être volumineux.

Mais pourquoi dit-on d'un homme mis en prison qu'il a été *écroué* ? Ce verbe, en fait, n'a rien à voir avec l'*écrou* qui se visse (qui, lui, est d'origine latine), mais il doit être relié à un autre mot de même forme, qui avait été emprunté par l'ancien français au néerlandais, et qui désignait un « lambeau de tissu ». Plus tard, il prend le sens plus précis de « bande de parchemin », puis de « registre » (où l'on inscrivait les noms des prisonniers).

Le *ruban* et la *layette* réservent d'autres surprises. Le *ruban* est d'abord attesté sous la forme *riban*, mais avec le sens de « collier », forme et sens qui sont beaucoup plus proches du néerlandais *ringhband* « bande en forme d'anneau » (cf. aussi l'anglais *ribbon*). Quant à la *layette*, c'est un dérivé de *laye*, attesté pour la première fois en 1357 à Lille [86], mais dans le sens de « coffre, tiroir » (cf., en patois sarthois, *liette* « tiroir » [87]) où l'on étend le linge, comme on peut le comprendre si on rapproche ce mot de l'anglais *to lay* « étendre ». Le sens de « trousseau de bébé », qu'il a pris en français, ne date que du XVIIe siècle.

Des mouvements dans les deux sens

S'il est vrai que le français a si parfaitement intégré ses emprunts au néerlandais, les mouvements des mots ne se sont pas produits à sens unique, et le néerlandais, de son côté, fourmille de mots venus du français. On croit ne rien connaître de la langue néerlandaise, et pourtant on retrouvera avec amusement, sous *avontuur*, notre *aventure*, sous *plezier*, notre *plaisir*, sous *boetiek*, notre *boutique* et, sous *bordeel*, le mot français *bordel*, lui-même d'origine germanique (cf. ch. 8, *encadré* LE BORDEL, UNE CABANE EN PLANCHES, p. 88). Il faudra en revanche se méfier de la signification, en néerlandais, de *chanteren*, qui ne signifie pas « chanter » mais « exercer un chantage », de celle de *bon*, qui est une « contravention », et de celle de *bonbon*, qui est un « chocolat fourré ». Enfin, nous aurons encore plus de mal à deviner que *krek* est une altération du français *correct*, et que *krant*, qui vient de l'adjectif français *courant*, désigne le « journal » en néerlandais [88].

Le « françois », une langue composite

Pendant tout le Moyen Âge, la langue que l'on appelait alors le *françois* s'était lentement formée et elle avait commencé à se manifester par écrit au cours du IXe siècle. À cette époque, elle n'était pas encore codifiée mais, dans la région parisienne, devenue dès le XIe siècle le centre politique et intellectuel du royaume, on verra s'élaborer au cours des siècles suivants une langue commune au contact des autres dialectes de France [89]. Et c'est tout naturellement dans le creuset parisien que se fera le tri des emprunts aux langues régionales [90].

Commencée sous Philippe Auguste (1180-1223), l'unité poli-

tique, administrative et juridique du royaume se poursuivra sous
Louis VIII avec l'acquisition du Poitou et sous Saint Louis avec
l'annexion du Languedoc et le rattachement des provinces du
Midi.

Il est important de signaler que les premières chartes – et les
plus nombreuses – en langue locale, c'est dans le Midi qu'on les
trouve dès le début du xııᵉ siècle. Dans le Nord, les premières
chartes en langue vulgaire sont attestées à la fin du xııᵉ siècle à
Tournai, puis dans d'autres villes du Nord et de la Champagne,
tandis que dans la région parisienne elles datent seulement de la
seconde moitié du xıııᵉ siècle [91]. C'est donc très lentement que le
français émergera de l'amalgame de plusieurs dialectes romans,
dans la région parisienne, et qu'il se répandra ensuite dans
l'ensemble du territoire à mesure que s'agrandira le royaume de
France.

LES DIALECTES GALLO-ROMANS

Sous cette désignation, on distingue, parmi les langues issues du latin,
celles qui se sont développées autour du français, par opposition aux dialectes italo-romans (autour de l'italien) ou ibéro-romans (autour de l'espagnol).

Les trois grandes divisions des dialectes gallo-romans, **oïl, oc** et **francoprovençal,** se subdivisent de la façon suivante :

zone d'oïl : picard, normand (et anglo-normand), gallo, tourangeau,
angevin
wallon, lorrain, champenois
franc-comtois, bourguignon, bourbonnais
saintongeais, poitevin, berrichon

zone francoprovençale : Forez, Dauphiné, Savoie, sud de la
Franche-Comté, Val d'Aoste, Suisse romande

zone d'oc : gascon
béarnais
nord occitan (limousin, auvergnat, provençal alpin)
occitan moyen (provençal, languedocien)

catalan, qui se prolonge en Espagne

corse, qui se rattache aux parlers italo-romans [92].

D'abord les troubadours

Le français est incontestablement une langue romane du domaine d'oïl, où l'influence germanique – on vient de le voir – s'était fait sentir depuis plusieurs siècles, mais c'est plus exactement une langue d'oïl qui a grandement bénéficié des apports des langues d'oc, dont la littérature lyrique, d'un extrême raffinement, avait largement dépassé les frontières de la France dès le XIIᵉ siècle. Vers 1323 avait en outre été créée à Toulouse une académie de langue d'oc, *le gay savoir* [93] : cet événement se produisait plus de trois cents ans avant la création de l'Académie française.

TROUBADOUR = TROUVÈRE

Voilà deux mots qui évoquent la poésie du Moyen Âge, sous une forme méridionale (**troubadour**) et sous une forme d'oïl (**trouvère**). Dans **troubadour** on reconnaît une forme méridionale grâce à la présence des consonnes **b** et **d** entre deux voyelles, tandis qu'en français ces deux consonnes ne se sont pas maintenues : **b** a évolué en **v** (comme dans **avoir**, issu de HABERE) et **d** n'a pas survécu (comme dans **foi**, issu de FIDEM).

Un suffixe très dynamique

Pour reconnaître les emprunts du français aux diverses variétés d'oc, il existe des arguments phonétiques, qu'il faut pourtant utiliser avec beaucoup de circonspection, comme on peut le constater avec les mots terminés par le suffixe *-ade*.

Il faut tout d'abord se rappeler que le *-t-* du latin placé entre deux voyelles n'est plus présent, pas même sous une forme modifiée, dans les mots de la langue française, alors qu'il a survécu dans les langues du Midi en se changeant en *-d-* : à partir de SETA latin, le *-t-* n'a laissé aucune trace dans *soie* en français, mais le mot a évolué en *sedo* en provençal. De même, *amata* latin a abouti à *aimée* en français et à *amado* en provençal. Comme on sait en outre que le suffixe *-ade* vient du latin *-ata*, on est donc fortement tenté d'attribuer aux variétés occitanes l'origine de tous les mots français en *-ade*. Or d'autres langues romanes ont aussi vu évoluer le *-t-* intervocalique du latin en *-d-*, par exemple l'espagnol et le portugais, ainsi que les parlers de l'Italie du Nord.

Seules des indications historiques permettront donc de confirmer la répartition des mots en -*ade* selon la liste suivante :

venus de la France du Midi

accolade	aiguade	aillade	aubade
ballade	bigarade	brandade	cantonade
cassonade	charade	croustade	daurade
galéjade	gambade	muscade	panade
pétarade	salade	tapenade	

venus de l'Italie du Nord

arcade	arlequinade	autostrade	balustrade
bastonnade	bourgade	bravade	brigade
carbonade	cascade	cavalcade	chamade
colonnade	débandade	embuscade	escalade
escapade	esplanade	estafilade	estrade (?)
estrapade	façade	incartade	mascarade
orangeade	parade (?)	passade	pommade
rebuffade	sérénade	taillade	tirade

venus de l'espagnol

camarade	capilotade
estrade (?)	parade (?)
tornade	algarade (< arabe)

venus du portugais

marmelade   pintade

Est-ce parce que le goût de la gastronomie nous vient des régions du soleil que la plupart du vocabulaire venu de l'occitan – de l'*aillade* à la *croustade* et de la *panade* à la *salade* – a trait au domaine culinaire ? Il faudrait dans ce cas adjoindre à l'occitan le portugais, qui nous a donné *marmelade* et *pintade*, et il serait bon de faire remarquer, pour l'Italie, le nombre élevé de mots beaucoup moins amènes, comme *bastonnade, estrapade, rebuffade* ou encore *taillade*. Quant à *algarade*, le mot est passé en français par l'intermédiaire de l'espagnol, mais il vient d'un mot arabe signifiant « attaque à main armée ».

Une dernière réflexion sur ce suffixe : introduit en français de plusieurs côtés, il s'y est ensuite si bien acclimaté qu'il est devenu à son tour productif après le XVIe siècle. Des mots comme *cotonnade, grillade, rigolade* ou encore *citronnade* ont sans doute été dérivés directement en français par imitation et n'ont pas été empruntés tels quels.

La langue des troubadours

La langue de la poésie de l'amour courtois, ou « koinè » littéraire, était assez unifiée au Moyen Âge, époque à laquelle on l'appelait parfois *limousin* ou *lemosi*, ou encore *provençal*, en souvenir de l'ancienneté de la Provincia romaine. Mais ce dernier terme est ambigu, et de nos jours on préfère réserver le terme de *provençal* aux seules variétés parlées en Provence. Il reste cependant difficile d'attribuer aujourd'hui spécifiquement à l'une ou à l'autre des variétés d'oc (gascon, languedocien, béarnais, provençal...) les nombreux emprunts que le français leur a faits. C'est pourquoi on trouve parfois la dénomination *provençal* dans la même acception que *occitan*, ce qui, malheureusement, peut prêter à confusion.

Récréation

EST-CE VRAI OU FAUX ?

A. Les mots *amadou, bartavelle, girelle, ortolan* et *tapenade* sont tous d'origine méridionale.

B. 1. *amadou* vient du provençal *amadou* « amoureux » et se dit d'une sorte de champignon qui s'enflamme très facilement.
2. la *bartavelle* est une sorte de crécelle, très en vogue au XVIIᵉ siècle.
3. la *girelle* est une espèce de girouette qui orne souvent les mas de Provence.
4. *ortolan* vient d'un mot provençal signifiant « jardinier », dérivé du latin HORTUS, les ortolans étant réputés pour être des oiseaux fréquentant les jardins.
5. *tapenade* vient de *tapeno* « olive », en provençal.

Réponses : A. Vrai – B 1. Vrai – B 2. Faux. La *bartavelle* est une sorte de perdrix – B 3. Faux. La *girelle* est un poisson. – B 4. Vrai – B 5. Faux : *tapeno* signifie « câpre » en provençal, mais la *tapenade* contient à la fois des câpres et des olives.

Parmi les emprunts les plus anciens, donc sans différenciation précise possible, on trouve : *barge, barque,* et également *port* (mais dans le sens de « col de montagne », comme dans *Saint-Jean-Pied-de-Port*, dans le Pays basque).

Au XIIᵉ siècle sont attestés : *aigle, cadeau, cigogne, donzelle, flûte, rossignol, tortue* et l'adjectif *jaloux*. Ce dernier mot doit être rapproché du mot *amour*, non seulement à cause de sa signification (puisque les troubadours provençaux sont les inventeurs de l'amour courtois) mais aussi pour sa forme car on attendrait en français une autre voyelle à la fin du mot : la voyelle *eu*. La forme *jaleus* a d'ailleurs existé en ancien français, mais elle a finalement été supplantée par la forme méridionale *jaloux* [94].

Le mot *amour* est attesté en français au XIIIe siècle, en même temps que *fagot, muscade* ou *sommelier*, et au XIVe siècle apparaissent *abeille, aiguière, broc, tocsin, langouste...*

AMOUR EST ENFANT DU MIDI

Il s'agit bien évidemment de la forme du mot : en effet, les mots latins terminés en -OR ont donné *-eur* en français et, de même que FLOR a donné *fleur* et CALOR *chaleur*, c'est *ameur* que l'on attendrait pour AMOR. Mais c'est le mot *amour* qui a été adopté par la langue française : il reste ainsi comme un vivant témoignage et presque le symbole de tout ce qu'elle doit aux troubadours du Moyen Âge, inventeurs de l'amour courtois.

Quelques origines mieux localisées

Parfois on peut localiser les emprunts contractés par le français auprès des langues du Midi de façon un peu plus précise. Ainsi, viennent sans doute

du **limousin** : *chabichou* (le même fromage se nomme *cabécou* dans des zones plus méridionales)

du **périgourdin** : *truffe*

de l'**auvergnat** : *bougnat*

du **gascon** : *barrique, cadet, cagnotte, castrat, cèpe, mascaret, rabiot, tacite, traquenard*

du **languedocien** : *banquette, cassoulet, grigou, malfrat, palombe*

du **béarnais** : *béret, cagot, garbure, piperade*

du **rouergat** : *causse*

du **cévenol** : *airelle*.

Le **corse** tient une place à part car ce n'est pas une variété de l'occitan, mais une langue romane apparentée aux parlers italiens. Les emprunts au corse ne sont pas très nombreux, mais on peut être sûr que *maquis* et *vendetta* sont des mots venus de l'île de Beauté.

Si l'on quitte maintenant les rivages de la Méditerranée en remontant la vallée du Rhône, on entre dans le domaine du franco-provençal, où se sont développées d'autres langues romanes.

La montagne

Les parlers francoprovençaux couvrent en France tout le Lyonnais et la Savoie ainsi qu'une partie du Dauphiné, du Forez et de la Franche-Comté et se prolongent en Suisse romande et en Italie (Val d'Aoste). Comme on pouvait s'y attendre en raison de leur implantation géographique, ils ont fourni un certain nombre de mots liés à la montagne et à la neige, tels que :

adret « partie de la montagne faisant face au soleil »
congère « amas de neige entassée par le vent »
moraine « amas de pierres entraînées par le glissement d'un glacier »
névé « masse de neige durcie »
piolet « bâton d'alpiniste »...

Signalons aussi l'*omble (chevalier),* qui est un poisson des lacs de montagne, et dont le nom vient d'un dialecte de Suisse romande.

LE REBLOCHON

Ce fromage des Alpes est particulièrement apprécié par les linguistes car, en dehors de ses qualités gustatives, il est souvent cité par les phonéticiens et par les historiens des langues romanes pour deux raisons :

1. La première syllabe de ce mot est souvent prononcée avec un *o* (à cause du *o* qui suit) ce qui pousse les gens à écrire son nom comme ils le prononcent *(roblochon)*.
2. Le nom de ce fromage a par ailleurs permis à un vieux mot savoyard de survivre : le verbe ***blocher*** « pincer », puis « traire ».

Le verbe ***reblocher*** signifie donc « traire une seconde fois ». Selon une coutume du XIVᵉ siècle, chez certains fermiers du massif des Aravis, ce fromage était confectionné avec du lait provenant d'une deuxième traite de la vache [95].

L'héritage de Guignol

Créé à Lyon en même temps que son ami Gnafron, Guignol (la marionnette) est passé, en un clin d'œil – car telle pourrait bien être l'étymologie de *Guignol*, du verbe *guigner* « cligner de l'œil » – du statut de nom propre à celui de nom commun dans la langue française. Ce mot typiquement lyonnais a accompagné toute une série d'autres de même provenance, appartenant le plus souvent au registre familier, comme on peut le voir par la liste suivante :

bafouiller, jacasser, ronchonner, décaniller, vadrouille, moutard, frangin, rapetasser, flapi, dégobiller...

Réputée pour sa gastronomie, mais aussi pour sa liberté de parole et son impertinence héritées de Guignol, la ville de Lyon n'hésite pas à nommer sa spécialité de fromage blanc frais *cervelle de canut*, le terme *canut* désignant un ouvrier d'une manufacture de soie. C'est sans doute aussi chez ces mêmes canuts que s'est d'abord diffusé le mot *échantillon*, né dans la région lyonnaise d'un verbe *échandiller* « vérifier les mesures des marchands ». Le sens actuel de « petite quantité de marchandise permettant de juger de la qualité de l'ensemble » date du xve siècle.

Les parlers d'oïl

Comme les régions d'oïl ont été les premières « contaminées » par le français, on a souvent du mal à distinguer entre les diverses provenances régionales et les créations opérées dans le creuset parisien. Parfois – mais c'est rare – on a la chance de savoir d'où et à quel moment précis un mot régional a pu être diffusé, le plus souvent après être passé par Paris. Cela se produit seulement à l'occasion d'un événement exceptionnel qui fait la une des journaux.

Les parlers d'oïl du Nord

On sait, par exemple, très exactement le lieu d'origine et la date d'introduction en français du mot *rescapé* : en 1906, une formidable explosion de grisou avait fait 1 200 victimes dans les mines de charbon de Courrières, dans le Pas-de-Calais, et les journalistes dépêchés sur place avaient employé la forme picarde *(rescapé)* pour désigner les heureux mineurs qui avaient *réchappé* (c'est la forme française) à la catastrophe. Le mot *grisou* lui-même, venu du wallon, s'était déjà répandu au cours du XIXᵉ siècle.

Si on a moins de données sur la date et les circonstances de l'introduction du mot *usine* en français, on sait néanmoins qu'il est également originaire d'un dialecte du Nord et qu'il représente une évolution du latin OFFICINA « lieu où l'on produit des ouvrages » (il est formé sur OPUS « travail, ouvrage »).

Quant à *ducasse* et à *coron*, ils sont tout de suite identifiables comme des mots du Nord, car ils se réfèrent à des réalités spécifiques de cette région. Ajoutons que la *ducasse*, qui désigne la fête patronale dans les villes du nord de la France et en Belgique, tient son nom de l'altération de *dédicace* (à un saint patron) sous sa forme dialectale. Le mot *coron*, dérivé de *corne*, désignait à l'origine le coin, la corne d'un bâtiment. Le sens de « quartier ouvrier » d'une localité industrielle est dû au fait que les habitations de ce type sont généralement reléguées en bout de rue, à l'extrémité des agglomérations.

LA CREVETTE, UNE PETITE CHÈVRE ?

Oui, mais alors très petite, et qui vit dans l'eau.

Le mot *crevette* est effectivement la forme prise par le diminutif du latin CAPRA « chèvre » en picard et en normand. On l'appelait ainsi en raison de ses déplacements par bonds.

En ancien français, la forme, pour le crustacé, était *chevrette*, et on la trouve encore avec ce sens au XVIᵉ siècle, chez Rabelais. Plus tard, seule la forme *crevette*, empruntée au normanno-picard, n'a plus servi qu'à désigner le crustacé, ce qui a permis de distinguer la *crevette* (qui saute dans l'eau) de la *chevrette* (qui gambade sur terre).

Les parlers d'oïl de l'Ouest

Parmi les mots venus des parlers de Normandie, on peut citer *brancard*, dérivé de *branque*, équivalent du français *branche*, ainsi que *câble*, qui s'est substitué à l'ancien français *chaable* « grosse corde ». On pense en outre que la *brioche* doit son nom au verbe normand *brier*, correspondant au français *broyer*, la *brie* étant l'instrument servant à pétrir la pâte. Enfin, les *potins*, dans le sens de « commérages », semblent dus à l'habitude qu'avaient les femmes normandes d'apporter leurs chaufferettes (appelées des *potines*) quand elles se réunissaient chez l'une d'entre elles pour bavarder pendant la saison froide (cf. aussi, ch. 8, § Des mots normands).

Originaire des dialectes de l'Ouest, le *cagibi* désignait tout d'abord une petite cabane où l'on remisait les vieux meubles. Le verbe *dégouliner* est également un verbe des parlers de l'Ouest, formé sur *goule* « bouche », la forme française étant *gueule*. Enfin, le mot *lessive*, venu aussi d'un des dialectes de l'Ouest, a remplacé le mot *buée* de l'ancien français à partir du xvie siècle.

Les parlers d'oïl de l'Est

Pour les parlers d'oïl de l'Est, on a un critère phonétique assez sûr : la prononciation *oua* des mots en *-ois* ou en *-oie*. Ainsi, c'est au champenois que le français a emprunté la forme *avoine*, qui se prononçait *aveine* à Paris comme dans les dialectes de l'Ouest jusqu'au xviie siècle (cf. ci-dessous, *encadré* PARIS IMITE PARFOIS CE QUI VIENT D'AILLEURS).

PARIS IMITE PARFOIS CE QUI VIENT D'AILLEURS

Contrairement à une idée reçue, les prononciations parisiennes ne sont pas toujours victorieuses. La preuve : à la cour de Louis XIV on disait **estret, crère, crêtre** pour *étroit, croire, croître*, et Molière faisait rimer **droite** et **nette**.

Pourtant, à la fin du xviiie siècle, ce sont les prononciations en *oua* venues des parlers de l'Est (**étroit, croire, croître** et **droit**) qui ont supplanté les autres dans ces mots et dans plusieurs autres. Mais on a gardé le **harnais** à Paris, côte à côte avec le **harnois** venu de l'Est, et *roide* ne nous semble pas aujourd'hui moins français que **raide**, sinon un peu plus recherché [96].

10

LES LANGUES DE L'ORIENT
ET DE LA MÉDITERRANÉE

Une place privilégiée pour l'arabe

Sans avoir connu le destin de l'espagnol, qui s'est trouvé en contact quotidien avec l'arabe pendant une très longue période – sept siècles, au moins pour le sud de la Péninsule –, le français a emprunté (et gardé) une grande quantité de mots arabes. Ceux qui viennent le plus rapidement à l'esprit sont sans doute ceux qui nous ont été apportés d'Afrique du Nord au moment de la colonisation, comme *bled*, *clebs*, *maboul*, *toubib*, *smala*, ou *gourbi*, ou encore *flouss* (curieusement, assez souvent prononcé *flouze*). C'est là un vocabulaire réservé aux conversations familières quelque peu relâchées, voire délibérément argotiques. Mais il représente une couche infime du lexique français.

D'autres apports, bien plus anciens, l'avaient enrichi auparavant de façon considérable. Ils datent du Moyen Âge. Certains d'entre eux, comme *sirop* ou *sorbet*, ont été apportés par les croisades (cf. ci-dessous, *encadré* LES SOUKS D'ALEP PENDANT LES CROISADES).

LES SOUKS D'ALEP PENDANT LES CROISADES

« Non loin des gargotes s'entend le tintement caractéristique des vendeurs de **charab**, ces boissons fraîches aux fruits concentrés que les Franj* emprunteront aux Arabes sous forme liquide, **sirop**, ou glacée, **sorbets**. »

(Extrait de Amin Maalouf, *Les Croisades vues par les Arabes* [97].)

* Ce mot désignait indistinctement tous les croisés venus d'Europe.

D'autres restent de vivants témoignages des connaissances scientifiques apportées à l'Occident par les savants arabes et ont le plus souvent transité par les langues de l'Espagne, tandis que d'autres enfin passaient soit par Venise et le nord de l'Italie, soit par les ports de la Méditerranée, où débarquaient les marchandises venues d'Orient.

Les apports de l'arabe au français nous donnent maintenant l'occasion d'aborder un autre pan du paysage infiniment varié des langues du monde : les langues de la famille *chamito-sémitique*.

Les fils de Cham et de Sem

Dans la Bible, on apprend que deux des fils de Noé, Cham et Sem, avaient eu une importante descendance, ce qui laisse supposer que les peuples chamito-sémitiques avaient pu partager une langue commune vers le ve millénaire av. J.-C., mais les langues finalement attestées montrent que cet idiome s'est ensuite diversifié (cf. ci-dessous, *encadré* LA FAMILLE CHAMITO-SÉMITIQUE).

LA FAMILLE CHAMITO-SÉMITIQUE

Plusieurs langues de cette famille, comme l'**akkadien,** le **cananéen** et l'**araméen,** ont aujourd'hui disparu, mais :

l'**égyptien ancien** survit d'une certaine manière dans les usages liturgiques du **copte.** L'arabe d'Égypte actuel n'en est pas le descendant

le **couchitique** est parlé dans la « corne de l'Afrique » (Somalie, Éthiopie, Érythrée, Soudan et Égypte du Sud)

le **libyco-berbère** comprend plusieurs variétés de langues d'Afrique du Nord, parmi lesquelles celles des Kabyles, des Touaregs, etc.

le **sémitique** est représenté en particulier par l'**arabe** et l'**hébreu.** Selon une hypothèse encore discutée, le **haoussa,** langue tchadienne, leur serait également apparenté.

Seuls l'arabe et l'hébreu ont fourni du vocabulaire à la langue française. Ces deux langues font partie de la même branche linguistique, celle du sémitique, mais les deux langues ont connu des destins prodigieusement différents : l'arabe s'est répandu sans interruption, tout en se différenciant au contact des diverses populations islamisées à partir du VIIe siècle, tandis que l'hébreu, longtemps connu uniquement comme la langue de la Bible, a subi une éclipse de dix-sept siècles, tout en restant la langue de la liturgie, avant de revivre à la fin du XIXe siècle pour devenir en 1948 l'une des deux langues officielles du jeune État d'Israël. Cette langue s'écrit comme l'hébreu ancien mais elle s'est adaptée au monde moderne en développant un lexique plus conforme aux besoins contemporains [98].

LA BRANCHE SÉMITIQUE [99]

À l'Est   l'**akkadien** † : c'est la langue sémitique la plus ancienne, qui s'est ensuite ramifiée :
en **babylonien** †
et en **assyrien** †.

À l'Ouest   **1.** le **cananéen** :
phénicien † ou **punique** † (côtes du Liban, Carthage et divers comptoirs du nord de la Méditerranée)
ougaritique † (XVe-XIIe av. J.-C.). Les textes retrouvés sont en écriture cunéiforme
hébreu : il a été parlé en Palestine pendant 1000 ans. C'est la langue de la Bible (IXe-VIIe av. J.-C.)
2. l'**araméen** : d'abord nomade, cette langue a remplacé, à partir du IVe siècle av. J.-C. (peut-être avant), l'akkadien et l'hébreu dans les usages parlés. Le **syriaque**, qui en est issu, est aujourd'hui réservé à des usages liturgiques et survit sous forme de dialectes en Asie
3. l'**arabe**, qui se subdivise en diverses variétés
4. le **sudarabique**, dont l'**éthiopien**.

† langue disparue.

L'hébreu, langue de la Bible

L'hébreu est donc tout d'abord la langue de la Bible, qui a probablement été écrite entre le milieu du IXe siècle et la fin du VIIe siècle av. J.-C. Mais à la suite de la chute de Jérusalem, au VIe siècle av. J.-C., tout en demeurant une langue écrite et lue à des fins religieuses, elle avait cessé d'être parlée et, au moment de la conquête de la Palestine par Alexandre au IVe siècle av. J.-C., c'est une autre langue de la même famille, l'araméen, qui avait remplacé l'hébreu dans les usages oraux.

JÉSUS POLYGLOTTE

Sa langue quotidienne était l'**araméen**, qui était alors la langue commune de la Palestine, une langue qu'on peut encore entendre dans quelques villages près de Damas. Il connaissait aussi l'**hébreu** ancien, qu'il lisait sans peine dans le texte, et il pouvait également s'exprimer en **grec**, langue officielle de l'Empire romain en Orient [100].

L'araméen, qui était la langue quotidienne de Jésus, était une langue d'origine nomade, venue du nord de l'Arabie, et qui s'était ensuite sédentarisée sur le territoire de la Syrie actuelle. Elle s'était étendue à toutes les populations du Proche-Orient à partir du IIIe siècle av. J.-C. Parmi ses variétés, seul le syriaque a pu se maintenir comme une langue de culture chrétienne jusqu'au Xe siècle, mais, depuis, elle est essentiellement réservée à des fins liturgiques [101].

Les traductions de la Bible et leur impact linguistique

La *Bible*, dont le nom grec est une forme de pluriel, *biblia* « les livres », est effectivement restée « **le** livre » par excellence dans tout le monde judéo-chrétien, et ses traductions dans les diverses langues de l'Europe ont eu une importance capitale dans l'histoire de ces langues.

Parce qu'elle a été traduite en grec dès le IIIe siècle av. J.-C. (version des *Septante*, à Alexandrie), c'est dans des traductions grecques que les premiers chrétiens prendront ensuite connaissance de l'Ancien et du Nouveau Testament.

Les traductions latines sont beaucoup plus tardives. Celle de saint Jérôme date du IVe siècle après J.-C. Elle est connue depuis sous le nom de *Vulgate*.

C'est aussi du milieu de ce IVe siècle après J.-C. que date la première traduction en langue germanique, rédigée par l'évêque arien Wulfila. Ce texte, en gotique, est la plus ancienne attestation écrite que nous possédions d'une langue germanique.

GOTIQUE OU GOTHIQUE ?

Depuis le XIXe siècle, on a pris l'habitude d'écrire *gotique* (sans *h*) pour la langue et *gothique* (avec un *h*) dans tous les autres cas.

Au IXe siècle, à leur tour, les moines Cyrille et Méthode traduiront en langue slavonne (ou vieux-slave) le texte grec des *Septante*.

La première Bible imprimée l'a été par Gutenberg vers 1452, mais elle n'est pas en allemand. Le texte est celui de la traduction latine de saint Jérôme et il se trouve à la Bibliothèque nationale de Paris sous le nom de « Bible à 42 lignes », dite « Bible Mazarine » parce qu'elle avait appartenu à Mazarin. Il faudra attendre le XVIe siècle pour que l'allemand, alors très diversifié, trouve une expression écrite unifiée dans une langue « au-dessus des dialectes ». Elle sera réalisée grâce à la traduction de la Bible par Luther (1521-1522), et cet événement sera essentiel dans la constitution de l'allemand standard.

Dès le Moyen Âge, la Bible a été paraphrasée en anglais, et des versions complètes dans cette langue ont été réalisées au XIVe siècle, mais c'est seulement en 1611 que paraît *The Authorized Version*, faite à la demande du roi Jacques Ier [102].

Pour les langues celtiques, vers le milieu du XVIe siècle paraît une traduction en gallois, dans une forme standardisée généralement acceptée, ce qui a certainement été un élément important dans la résistance du gallois à la domination de l'anglais.

Auparavant, les moines irlandais avaient joué un rôle déterminant dans l'évangélisation des îles Britanniques et aussi dans leur histoire linguistique : ils avaient adopté l'alphabet latin en l'adaptant aux nécessités de leur langue celtique, et ils avaient aussi fourni à l'anglais un signe particulier (ð, une sorte de *d* barré) pour désigner ce qui s'écrit aujourd'hui *th* [103].

Grâce à toutes ces traductions de la Bible, des tournures et des mots venus de l'hébreu se sont abondamment infiltrés dans toutes les langues européennes, et ils s'y sont si bien acclimatés qu'ils font partie de leur patrimoine commun. L'hébreu survit ainsi dans des langues appartenant à d'autres familles, bien que sa présence ne se révèle parfois qu'au prix d'un certain effort.

L'hébreu visible et invisible

On conçoit aisément que des mots comme *alléluia* « Louez l'Éternel », *amen* « ainsi soit-il », *hosanna* « Sauve-nous, de grâce », *éden* « paradis terrestre », proviennent de l'hébreu de la Bible : la forme du mot de la langue d'origine y est encore reconnaissable.

Mais comment déceler l'hébreu sous des mots comme *calvaire* ou *scandale*, qui ne ressemblent pas du tout à la forme qu'ils avaient en hébreu ? C'est impossible si l'on ne tient pas compte du fait que la Bible, d'abord écrite en hébreu, était passée par la traduction avant de parvenir jusqu'aux langues modernes. Les linguistes appellent ces expressions, dont seul le sens est transposé, des *calques* (cf. ci-dessous, *encadré* UN CALQUE N'EST QU'UNE TRADUCTION).

UN CALQUE N'EST QU'UNE TRADUCTION

Certains emprunts sont peu visibles car ce n'est pas leur forme d'origine qui est passée dans la langue emprunteuse, mais seulement leur sens. Tel est le cas du mot *ange*, qui résulte de la traduction du mot hébreu *mal'hak* « le messager », d'abord en grec (*aggelos*), puis en latin (ANGELUS).

En revanche, et toujours dans le domaine angélique, *chérubin* et *séraphin* ne sont pas des calques, mais des emprunts purs et simples, car on peut y reconnaître à la fois la forme (à peine modifiée) et le sens des mots hébreux d'origine (*keroûbim* et *seraphim*).

Tel est le cas, par exemple, pour *calvaire*, qui est à l'origine une traduction latine de l'hébreu *goulgoleth* « crâne ». Pour comprendre ce saut sémantique apparemment incongru, il faut savoir que la colline où Jésus fut crucifié avait reçu ce nom de *goulgoleth* en raison de sa forme arrondie et de son aspect désertique : elle ressemblait à un crâne chauve. Pour désigner le *Golgotha*, on trouve le terme *calvarius locus* (du latin *calvus* « chauve ») dans la traduction latine de l'Évangile de saint Matthieu (XXVII, 33), d'où le français *calvaire*. Et c'est seulement plus tard que ce mot a pris le sens de « épreuve longue et douloureuse ».

De son côté, l'histoire du mot *scandale* conduit à l'hébreu *mikchôl*, qui désignait « le caillou, ce qui fait trébucher ». Le mot a d'abord été traduit en grec par *skandalon* et il est ensuite passé dans le latin d'Église *scandalum*, d'abord avec le sens de « pierre d'achoppement », puis celui de « dispute », puis son sens actuel. En français, on trouvera aussi, plus tard, le même mot sous la forme *esclandre*.

Venues de la Bible, des images...

Parmi les innombrables expressions directement traduites de l'hébreu et qui n'ont pas cessé d'être employées en français, on peut citer :

le bouc émissaire	*être sur la brèche*
le cheval de bataille	*crier sur les toits*
le don des langues	*se voiler la face*
la paille et la poutre	*sortir par le nez*
le sel de la terre	*n'avoir que la peau sur les os*
le nombril du monde	*semer la zizanie*
le serpent de mer	*tomber du ciel*

... et des tournures grammaticales

Mais si l'on veut vraiment retrouver l'hébreu sous son aspect grammatical, c'est du côté des formes superlatives qu'il faut chercher (cf. ci-dessous, *encadré* LE CANTIQUE DES CANTIQUES).

LE CANTIQUE DES CANTIQUES

Des tournures comme *le cantique des cantiques*,
le roi des rois,
le dieu des dieux,
sont des formules typiques de l'hébreu, où cette répétition est une façon de marquer le superlatif : *le saint des saints* est le lieu inviolable, où l'on ne pénètre que pour un sacrifice exceptionnel, et *les siècles des siècles* représentent une durée illimitée, autrement dit l'éternité.

Sur la lancée de ces expressions héritées de l'hébreu de la Bible, le français en a forgé quelques autres comme *le fin du fin* ou *la der des der*, et, « comble du comble », ce n'est pas en français, mais en anglais, que l'on dit *la crème de la crème*.

Plus récemment, on a vu fleurir *le top du top*, qui mêle tout à fait anachroniquement l'anglais du XXe siècle et l'hébreu de la Bible [104].

L'arabe des savants

Ce n'est plus le domaine religieux mais celui de l'ensemble des connaissances scientifiques au Moyen Âge qu'il faut faire revivre lorsque l'on aborde les apports de l'arabe à la langue française (et aux autres langues de l'Europe). Affaiblie par les invasions, l'Europe avait à cette époque perdu le goût de la recherche, et les manuscrits des Anciens avaient en grande partie disparu. Seuls quelques moines savants au fond de leurs monastères tentaient encore de recopier ceux qui avaient survécu, mais le flambeau de la science, après avoir été l'apanage des Grecs, était passé aux mains des Arabes.

Dès le VIIIe siècle, le calife Al-Mansour, à Bagdad, avait tenu à encourager ses sujets à traduire en arabe les ouvrages trouvés chez les Grecs et, au tournant du IXe siècle (786-833), le calife Al-Mamoun était si désireux de s'instruire et d'instruire son peuple qu'il avait exigé de Michel III, empereur d'Orient, qu'il venait de soumettre, la livraison d'un exemplaire de tous les manuscrits grecs qu'il possédait [105].

L'ARABE, INTRODUCTEUR DE MOTS GRECS

C'est à travers l'arabe du Moyen Âge que sont parvenus en français certains mots grecs. Par exemple :

alambic, où l'on reconnaît l'article défini *al* de l'arabe, suivi du mot grec *ambix* « vase à distiller » ;

élixir, où l'article arabe a été rendu par *él-*, et où l'on devine le grec *ksêron* « médicament de poudres sèches » ;

estragon, dont l'origine serait le terme botanique grec *drakontion* « serpentaire », dérivé de *drakon* « serpent » (nommé ainsi peut-être à cause de son aspect filiforme) ;

guitare, qui est passé par l'arabe *qitâra* (et plus tard par l'espagnol) et qui se trouve être un doublet de *cithare*, également venu du grec *kithara*.

Dans l'Espagne occupée par les Arabes, la ville de Cordoue avait alors une bibliothèque de 600 000 volumes, et la ville de Tolède avait créé un grand centre de traduction qui recevait beaucoup d'étrangers. C'est le plus souvent dans des traductions arabes que les écrits d'Aristote ont été connus du monde occidental, et les *Éléments* d'Euclide ont d'abord été diffusés en Occident dans la traduction en latin, faite par l'Anglais Adélard de Bath à partir d'une version arabe du texte grec original [106].

Trois siècles après la mort du Prophète, la langue arabe était ainsi devenue le véhicule de la science. Les Arabes étaient en particulier passés maîtres dans l'art de la médecine, et la réputation d'Avicenne était telle au xie siècle que le roi de Castille avait même choisi d'aller se faire soigner à Cordoue, chez ses propres ennemis.

Albucasis, chirurgien précurseur

La traduction en latin des ouvrages écrits en arabe par Abu'l Qasi, dit Albucasis, chirurgien arabe qui vivait à Cordoue et qui était probablement le médecin personnel du calife Hakam II (fin du xe siècle), a été pendant des siècles le texte qui a fait autorité dans l'enseignement et la pratique de la médecine européenne. Tel était en particulier le cas de son livre, traduit en latin sous le titre *Chirurgia*, où il présentait, entre autres, non seulement la méthode de la cautérisation héritée des Grecs, mais aussi ses propres méthodes de chirurgie oculaire, qu'il accompagnait de la description de deux cents instruments conçus par lui et dont il fournissait les croquis [107].

Le texte arabe a probablement été traduit en latin par Gérard de Crémone, l'un des plus célèbres traducteurs de l'école de traduction de Tolède. Il restera pendant plus de deux siècles l'unique manuel de chirurgie en langue latine, et il jouissait encore d'une grande faveur au xvie siècle [108].

L'arabe des mathématiciens

Également nourris de culture indienne, les Arabes avaient bénéficié des connaissances des peuples qu'ils avaient asservis et ils étaient devenus experts en mathématiques : on leur doit l'introduction du zéro dans la numération et celle du système décimal [109], et il n'est pas exagéré de dire que sans les Arabes l'histoire des chiffres en Occident aurait certainement été différente, car c'est grâce à eux qu'à partir du xiie siècle l'ensemble de l'Europe a pu prendre connaissance des méthodes de calcul qu'ils avaient apprises des Indiens. Depuis, on appelle – improprement –

« chiffres arabes » des chiffres qui sont en fait indo-arabes. Adoptés tout d'abord par les savants d'Europe, ces chiffres indo-arabes ont acquis depuis un caractère quasi mondial.

Il faut ajouter à cette caractéristique universelle une particularité linguistique moins généralisée : le même mot arabe *şifr*, qui correspondait à l'adjectif « vide », a donné en français et dans d'autres langues romanes non pas un seul, mais deux mots différents – de forme et de sens (cf. ci-dessous, *encadré* CHIFFRE = ZÉRO).

CHIFFRE = ZÉRO

Un Français, Gerbert d'Aurillac, futur pape, semble avoir le premier vulgarisé, au Xᵉ siècle, l'usage des chiffres indo-arabes [110], mais c'est à un Italien, Léonard de Pise, dit *Fibonacci*, qu'on doit, au XIIᵉ siècle, le mot *zéro* qui, comme le mot *chiffre*, vient du mot arabe *şifr*. Il l'avait d'abord latinisé en *zephirum*, que l'on trouve plus tard en italien pour désigner une absence d'unité, un « vide », sous la forme *zefiro*, puis *zefro*, et enfin *zero*.

C'est finalement sous cette forme qu'il est passé en français à la fin du XVᵉ siècle, et voilà pourquoi on peut dire, sans paradoxe, que *chiffre = zéro* [111].

L'arabe des alchimistes

La chimie, en tant que discipline scientifique, ne prendra naissance qu'à la fin du XVIIIᵉ siècle, avec en particulier l'établissement d'une nomenclature rigoureuse [112], mais, dès le haut Moyen Âge, cette discipline était représentée par les alchimistes, ces savants un peu fous qui cherchaient, par la transmutation des métaux et l'introduction de la « pierre philosophale », à aboutir à la fabrication de l'or, qui, selon eux, représentait la perfection métallique. Ils rêvaient aussi de découvrir le ferment mystérieux permettant de retarder presque indéfiniment la désagrégation des corps, et donc la mort.

C'est probablement par le *truchement* (le mot vient d'un mot arabe signifiant « interprète ») des alchimistes que sont parvenus en français des mots comme *alambic, alcali, alcool, antimoine* ou *élixir* :

> *alambic* « instrument servant à la distillation »
>
> *alcali* « soude » : ce mot, dans l'expression *alcali volatil*, désigne parfois l'ammoniaque, autre base alcaline, comme la soude

alcool : le mot vient de l'arabe *al-kohl,* qui correspond en fait à de la poudre d'antimoine qui, sous le nom de *khôl,* est encore utilisée aujourd'hui comme fard pour les paupières. C'est l'alchimiste et médecin suisse Paracelse, qui, au XVIᵉ siècle, sera responsable du changement de sens du mot *alcool*

antimoine est un terme d'origine arabe désignant plus exactement le sulfure d'antimoine, produit naturel qui, finement broyé, constitue le *khôl*

élixir : c'est ainsi que les alchimistes arabes nommaient la pierre philosophale, cette matière un peu magique qui était censée avoir la propriété de changer les métaux en or. Le mot arabe *al-iksir* avait été formé sur le grec *ksêron* « médicament (fait de poudres sèches) ».

L'arabe des naturalistes

C'est par l'intermédiaire du latin des naturalistes qu'ont été empruntés à l'arabe de nombreux noms d'animaux :

civette, dont le nom arabe désignait la matière odorante que sécrète l'animal qui porte ce nom

alezan, qui, en arabe, était le nom d'un renard au pelage roussâtre, tout comme *fennec* est celui d'un petit renard au pelage couleur du sable

gerboise, petit rongeur aux pattes avant peu développées, qui se tient souvent debout sur ses longues pattes arrière (comme le kangourou, toutes proportions gardées)

gazelle, de l'arabe *ghazâla*

girafe, de l'arabe *zarâfa,* mais les auteurs latins appelaient cet animal *camelo pardalis* « chameau-panthère », car il a la tête d'un chameau et la peau tachetée comme celle d'une panthère. Le mot *camélopard* a d'ailleurs existé en ancien français [113].

L'arabe des botanistes

Certaines productions botaniques ont aussi des noms arabes à l'origine :

henné, qui est un colorant, et *séné,* qui est un purgatif *abricot* et *artichaut*, qui ont tous deux conservé quelque chose de l'article défini arabe *al-* à l'initiale du mot *tamarin* et *chicotin,* dont l'évolution phonétique a effacé l'allusion géographique. En effet *tamarin,* c'est *tamâr hindi* ou « datte de l'Inde », mais on retrouve mieux la référence au lieu d'origine dans l'anglais *tamarind* ; quant à *chicotin,* c'est un aloès venu de l'île de *Socotra*, située en face du Yémen.

DU MAGASIN AU MAGAZINE

Aucun rapport ? Eh bien, si.
Ces deux mots viennent du même terme arabe signifiant « dépôt de marchandises », mais ils ont pénétré en français à plusieurs siècles de distance :
  magasin, à la fin du Moyen Âge, par l'intermédiaire du provençal
  magazine, avec le nouveau sens de « revue illustrée », à la fin du xviiie siècle, par l'anglais, qui, en fait, l'avait lui-même emprunté auparavant au français, mais avec le sens de « collection ».

La science arabe

Comme on l'a vu, c'est par des traductions du grec à l'arabe, puis de l'arabe au latin, à l'espagnol ou à l'italien, que les textes scientifiques, dans leur grande majorité, ont été finalement diffusés dans le monde occidental. Voilà pourquoi on hésite parfois sur l'origine première d'un mot savant au Moyen Âge et sur les langues intermédiaires par lesquelles il a pu transiter avant de pénétrer dans les langues de l'Europe.

Le /b/ dans *abricot*

Par bonheur, certains indices proprement linguistiques permettent quelquefois de s'y retrouver.
Le cas du nom de l'*abricot* est exemplaire à cet égard. Le mot pour désigner ce fruit a parcouru un long chemin avant de parvenir en français, par l'intermédiaire du catalan. On peut en attribuer l'origine lointaine à l'arabe *al-barqoûq,* qui, sous la forme *aubercot*, est attesté en français au xvie siècle. Mais l'arabe

l'avait lui-même emprunté au latin *praecoquum* « précoce », par l'intermédiaire du grec, qui avait transporté ce terme en Syrie [114]. Il désignait à l'origine un « fruit précoce » : *al-barqoûq*, c'est donc « le précoce ».

Ce qui nous permet de considérer l'arabe comme intermédiaire probable, c'est la présence d'un /b/ dans *abricot* pour représenter le /p/ du latin *praecoquum*. L'arabe, en effet, qui ne possédait pas de /p/ dans son système consonantique [115], remplaçait généralement, dans les mots qu'il empruntait, cette consonne /p/ par un /b/ (plus rarement par un /f/ : *Platon*, en arabe, se dit *Flatoûn*). Si le nom de l'abricot nous avait été transmis directement par le latin, c'est un /p/, et non pas un /b/, que nous aurions en français (comme par exemple dans *poire*, du latin PIRA).

Dernière information : ce même mot *al-barqoûq*, qui a connu une si large diffusion dans les langues romanes et germaniques, n'a pratiquement pas survécu avec ce sens en arabe d'aujourd'hui.

Un article qui ne dit pas son nom

On peut proposer un moyen simple pour reconnaître l'origine arabe d'un grand nombre de mots français : la présence de la syllabe *al-* au début du mot, qui n'est autre que l'article défini *al* « le », « la » ; les mots *alambic, alcool, alcali, alcôve, alezan, algèbre, algorithme*, etc. sont dans ce cas.

Si l'article arabe est demeuré entier dans les exemples qui précèdent, on le devine à peine dans *artichaut*, où pourtant il est bien présent (*al-karchoûf* nous a été retransmis par l'espagnol *alcachofa*, plus proche de la forme d'origine).

L'exemple d'*amiral* est plus trompeur, car ce n'est pas au début, mais à la fin du mot français qu'il faut le chercher : sans pitié pour le sens, l'expression arabe *emir al bahr* « prince de la mer » a été tronquée en français pour devenir *amiral*, mot à mot « prince de la », ce qui ne signifie pas grand-chose. Mais on pourrait aussi considérer *-al* comme un suffixe français qui existait déjà dans une série de mots comme *maréchal, sénéchal* (venus du germanique).

Dans *azimut* et *zénith*, si on a du mal à identifier le même mot arabe *samt* « chemin », c'est qu'une partie de l'article est encore présente dans *azimut* (à l'origine *as samt*), tandis que dans *zénith* l'article n'a pas été maintenu. Mais il y a plus : la forme française de ce dernier mot provient d'une erreur de lecture du *m* de *samt*, interprété comme *ni* (*sanit,* puis *zénith* [116]).

Enfin, dans *luth* (*al-oûd* « le luth »), seule la consonne initiale évoque l'ancienne forme de l'article arabe, tandis que dans *hasard*, de l'arabe *az zahr* « (jeu de) dés », la présence d'un *h* dans la graphie du mot français achève de dérouter les chercheurs les plus avertis.

C'est, semble-t-il, le phénomène inverse qui s'est produit dans le cas du *benjoin*, qui vient de l'arabe *louban djaoui* « encens de Java » et où la première syllabe (*lou-*) a sans doute été prise pour l'article défini. Cette expression a, de plus, été tronquée, et rendue par *benzoe* dans le latin des botanistes, pour donner plus tard naissance à *benzine* (mélange d'hydrocarbures), puis à *benzène* (corps chimique bien défini, de formule C_6H_6).

Des mots qui se dédoublent

Ce dernier exemple montre comment une seule expression a pu se fragmenter en trois mots de forme et de sens différents (*benjoin, benzine, benzène*) en passant dans une autre langue.

À partir de l'arabe, d'autres rapprochements peuvent être faits comme *chiffre* et *zéro* ou *azimut* et *zénith*, déjà commentés, comme *sirop* et *sorbet* ou *magasin* et *magazine* cités en encadré, ou enfin comme *mohair* et *moire*.

Le mot *moire* avait été emprunté dès le Moyen Âge à l'arabe, avec le sens qu'il avait en arabe « étoffe en poils de chèvre », et on peut se demander par quel miracle ce mot a, depuis le XVIIIᵉ siècle, pris le sens de « soie aux reflets changeants (mats et brillants) ». C'est à la même époque que le même mot arabe revient en français, mais cette fois par l'intermédiaire de l'anglais, sous la forme *mohair*, pour désigner une « laine soyeuse », ce qui s'explique en partie par l'influence du mot anglais *hair* « poil ».

Assassins : fumeurs de haschisch ?

Le mot *assassin* a une longue histoire, qui commence au début du XIᵉ siècle avec la secte musulmane dite « des Assassins », les *Haschischiyoun*. Cette secte avait été fondée par un vieux sage de confession chiite, Hassan As-Sabbah, qui était en lutte contre les

Turcs Seldjoukides, alors maîtres de l'Islam officiel, et qui, eux, n'étaient pas chiites mais sunnites. Les meurtres que les membres de cette secte chiite organisaient contre les personnalités sunnites se déroulaient toujours selon le même scénario spectaculaire : après avoir préparé l'attentat dans le plus grand secret, le meurtre avait lieu de préférence dans la mosquée, le vendredi, à l'heure de la plus grande affluence. L'acte revêtait ainsi une double signification pour eux : c'est en public qu'ils éliminaient définitivement une personnalité sunnite, tout en donnant de l'éclat à celui qui se sacrifiait avec un courage exemplaire à la vengeance de la foule qui s'acharnait alors sur lui et le mettait à mort.

Le calme avec lequel agissaient ces candidats au suicide a pu faire penser qu'ils étaient drogués avec du haschisch, d'où leur surnom *haschischiyoun* ou *haschaschin*[117]. Le mot a été transmis au français par l'intermédiaire de l'italien *assassino*, et l'étymologie par le haschisch a longtemps prévalu.

Mais une autre étymologie peut être avancée, car des documents attestent que Hassan avait coutume d'appeler ses adeptes *Assassiyoun*, c'est-à-dire ceux qui sont fidèles au *assas*, au « fondement » de la foi, les « fondamentalistes ». La ressemblance des deux mots – *Haschischiyoun* et *Assassiyoun* – aurait donc pu induire en erreur les premiers voyageurs occidentaux dont la connaissance de la langue arabe était sans doute superficielle[118].

Les surprises de la sémantique

Les évolutions sémantiques sont parfois aisées à expliquer, et parfois si extravagantes qu'elles sont à peine croyables.

Parmi les premières, il y a le mot *mousson*, qui désignait en arabe n'importe quelle saison et qui ne concerne plus en français que des intempéries propres à une saison particulière. On comprend aussi que le mot désignant « l'interprète » en chair et en os ait pu devenir notre abstrait *truchement*. Il en est de même pour *djubba*, qui désignait en arabe un long sous-vêtement de laine : nous pouvons y reconnaître le mot français *jupe*. Toutefois, en français, ce n'est jamais un sous-vêtement, mais une *jupe* qui n'est pas forcément longue, et qui peut aussi être confectionnée dans un tissu de *coton* ou de *moire*, autres mots également d'origine arabe. Le sens que le mot avait en arabe ne s'est pas vraiment maintenu, mais on reste dans le même domaine.

L'évolution sémantique de l'adjectif *cafard*, dont le sens premier, en arabe, était « incroyant », et qui qualifie en français une personne qui divulgue un secret, est déjà un peu plus mystérieuse. Celle de *mesquin*, qui signifiait « malheureux », ne laissait pas supposer que cet adjectif serait aujourd'hui un synonyme de « avare ».

Mais là où l'étonnement est à son comble, et peut même friser l'incrédulité, c'est lorsqu'on apprend qu'une forme arabe signifiant « belette sibérienne » a pu aboutir au français *chamarrer*, ou que *laquais* désignait, à l'origine, un haut fonctionnaire. Dans ce dernier cas, des données historiques permettent d'apporter quelques éclaircissements : lorsque le mot *laquais*, par l'intermédiaire du catalan, est passé en français, les chefs arabes avaient, du fait de la reconquête, perdu leur puissance en Espagne, et le mot *laquais* s'appliquait alors, non plus au « chef », mais au « valet d'armée [119] ».

DES PRINCES ARABES

calife,	chef suprême de l'empire islamique, remplaçant et successeur du Prophète [120]
sultan,	titre donné à l'origine aux chefs seldjoukides turcs qui, aux XIᵉ et XIIᵉ siècles, gouvernaient au nom du calife de Bagdad
chérif,	noble, descendant du Prophète
émir,	prince d'un pays musulman, celui qui gouverne ce pays et commande son armée
vizir,	ministre d'un souverain musulman (aujourd'hui *wazir*)
caïd,	haut fonctionnaire, en Afrique du Nord (administration, impôts, etc.).

L'arabe, langue de passage

L'arabe a été à son tour la langue qui a transporté vers les langues de l'Europe de nombreux mots venus d'Orient. Ainsi *babouche*, du persan *papouch*, mot à mot « qui couvre le pied », a d'abord transité par l'arabe. Mais pourquoi cette différence de prononciation en français ? Si on se rappelle que l'arabe ne connaissait pas la consonne /p/ dans son système consonantique, et la réalisait généralement grâce à une consonne voisine, /b/, on pense tout naturellement à un passage de ce mot persan par l'arabe, ce qui expliquerait les deux /b/ dans le mot français. Pourtant, le doute peut subsister car toutes les attestations anciennes du mot français *babouche* se trouvent toujours en relation avec l'Empire ottoman, ce qui favoriserait plutôt l'hypothèse d'un passage par le turc [121].

L'ARABE À LA CROISÉE DES CHEMINS

Grands commerçants et grands voyageurs, les Arabes ont souvent apporté en Europe des objets venus d'Orient et du pourtour de la Méditerranée et, avec eux, les mots pour les désigner.

Ainsi, c'est en passant par l'arabe que sont venus :

orange, qui est un mot sanskrit	
riz	hindi
azur	persan
minaret	turc
alambic	grec

Le persan, langue indo-européenne

Contrairement à l'arabe, langue de la famille sémitique, le persan est une langue appartenant à la famille indo-européenne, et plus précisément à la branche indo-iranienne de cette famille. Cette dernière se subdivise en :

langues indiennes, parmi lesquelles le *sanskrit*, langue liturgique, et les *prâkrits*, langues usuelles, d'où ont émergé le *pali*, le *hindi*, le *bengali*, le *tsigane*...

langues iraniennes, dont l'*avestique*, le *persan* (ou *farsi*), le *kurde*, l'*afghan (pachto)*, l'*ossète*... (cf. ci-après, *encadré* LA BRANCHE INDO-IRANIENNE).

Les premiers documents écrits en persan datent du début du VIIIe siècle après J.-C. Devenu langue commune au Moyen Âge, il est plus tard promu au rang de langue officielle dans le pays que, depuis 1935, l'on nomme l'Iran. Le persan s'écrit au moyen de l'alphabet arabe, et son lexique contient une grande quantité de mots empruntés à l'arabe [122].

De ce fait, les deux langues sont souvent liées lorsqu'on décrit les apports de l'Orient à l'Occident.

LA BRANCHE INDO-IRANIENNE

Les langues indo-iraniennes représentent, avec l'arménien, la partie asiatique de la grande famille des langues indo-européennes.

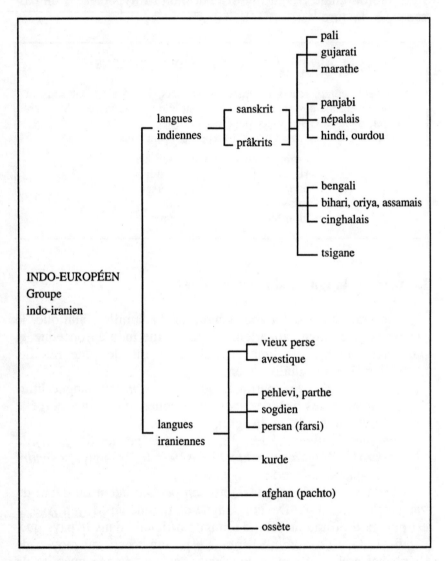

Des échanges de bons procédés

Si l'on devait établir un bilan des échanges entre le français et le persan, on verrait que la balance penche très nettement du côté du persan, qui s'est enrichi entre 1794 et 1924 de près de deux mille mots français, parmi lesquels : *artiste, concert, gendarme, appartement, microbe, manteau, sauce, cadeau, merci* et même *maman*, qui font aujourd'hui partie du vocabulaire persan courant [123].

Les emprunts dans l'autre sens – du français au persan – sont à la fois plus modestes et bien plus anciens, et ils sont souvent passés par l'arabe. Ils concernent en particulier :

– le vocabulaire de l'**habillement**, avec la *babouche*, la *casaque*, le *châle*, le *turban*, le *caftan,* le *taffetas*, la *percale*, le *zénana* (sorte d'étoffe cloquée), ainsi que le *pyjama*. L'étymologie de ce dernier mot est « vêtement des jambes », comme celle de *babouche* était « vêtement des pieds » ;

– le vocabulaire de la **botanique** et de l'**alimentation**, avec la *tulipe*, le *jasmin*, le *nénuphar*, l'*épinard*, la *pistache*, l'*aubergine*, la *badiane*, le *safran* et le *pilaf*. Il faut toutefois remarquer que, lorsqu'on dit *riz pilaf*, on commet un pléonasme car *pilaf* signifie déjà « plat de riz » en persan. La forme phonique de *pyjama*, avec un /p/ (et non pas un /b/) indique un emprunt direct, et non pas par l'intermédiaire de l'arabe ;

– la **zoologie**, avec le *chacal* ;

– le vocabulaire de la **maison**, avec la *tasse*, qui désignait en persan une grande coupe, ou encore le *divan*, qui a un doublet inattendu, la *douane* [124].

Divan et douane : même origine

En effet, ces deux mots français viennent tous deux du même mot persan *diwan*, par des chemins différents et à des dates différentes. En persan, le mot avait le sens de « registre, liste de contrôle » et c'est dans ce sens qu'il est d'abord passé en arabe, puis en latin médiéval, sous la forme *doana*, pour enfin désigner le bureau de *douane* en français à la fin du XIIIᵉ siècle. Ce n'est que beaucoup plus tard qu'arrive le mot *divan* (première attestation au XVIᵉ siècle), dont on ne peut comprendre l'évolution sémantique en

français que si l'on sait qu'en arabe on était déjà passé du sens de
« registre » à celui de « salle des registres », puis à « salle du
conseil », et que cette salle de réception était entourée de bancs de
pierre garnis de coussins [125].

Le retour au bercail

Certains mots que le français a empruntés anciennement au
persan, tels que *kiosque, camphre* ou *pyjama*, ont connu une aventure tout à fait exceptionnelle puisque, plusieurs siècles plus tard,
ils sont retournés dans leur langue d'origine, cette fois sous leur
forme française [126].

Récréation

LEQUEL EST PERSAN ?

Ces six mots désignent tous des lieux où se vendent des marchandises :
   1. Lequel est persan ? 2. D'où viennent les autres ?

> échoppe   bazar
> magasin   souk
> boutique   marché

souk de l'arabe, boutique du grec et marché du latin.
Réponses : bazar est persan, mais échoppe vient du néerlandais, magasin et

---

Le persan a aussi été un intermédiaire

Tout comme l'arabe, avec lequel les contacts ont été fréquents, le persan a servi de lieu de passage à certains éléments de
vocabulaire venus de l'Inde, et en particulier à des mots venus du
sanskrit. Ces mots sont souvent passés successivement par le persan et par l'arabe. C'est le cas de nombreux termes usuels de la
vie domestique, comme *riz* ou *sucre, candi* ou *orange, aubergine,
musc* ou *muguet*.

LE SANSKRIT, LANGUE LITURGIQUE

Le **sanskrit** – le mot signifie « (langue) parfaite, accomplie » – est la langue du brahmanisme, qui a été fixée très anciennement dans les **Véda** (IIe millénaire avant J.-C.), qui sont des hymnes liturgiques.

À côté de cette langue littéraire se sont développées des langues communes, les **prâkrits**. C'est dans un de ces prâkrits que Bouddha prêchera au vi[e] siècle avant J.-C. [127].

Un bleu devenu écarlate ?

Parfois le mot a connu des changements de sens considérables. Ainsi, *écarlate* est un mot qui doit sa forme à l'arabo-persan *saqirlat* par l'intermédiaire du latin *scarlatus*, qui désignait dans les pays orientaux un tissu de couleur bleue. Mais, devenu *escarlate* en ancien français, ce terme servait à nommer un drap de qualité dont la couleur variait beaucoup [128]. Il a fallu qu'au xiie siècle soit généralisée la teinture à base de cochenille pour que le terme ne désigne plus un tissu, mais la couleur de ce tissu : le rouge, et non plus le bleu d'origine.

En revanche, c'est bien la couleur rouge que désignait le mot arabo-persan *kirmiti* qui est à l'origine du mot *cramoisi*, puisqu'il était dérivé du nom du *kermès* « cochenille », qui est bien un insecte dont on tirait une teinture de couleur rouge. Une curiosité : jusqu'au xviiie siècle, le mot a aussi servi à qualifier l'intensité des couleurs plutôt qu'uniquement le rouge. C'est ainsi qu'on peut trouver chez Rabelais l'expression : *velours bleu cramoisi* [129].

Les Mille et Un Jours

Les mots ne sont pas l'unique lieu où arabe et persan se trouvent associés. Les Contes des *Mille et Une Nuits*, qui sont le fruit d'une tradition orale séculaire, sont très souvent généreusement attribués aux Arabes, parce que ces derniers les ont considérablement enrichis. Ils sont en fait d'origine indo-iranienne, et le titre persan était simplement *Mille Contes*. Les Arabes y ont ajouté le mystère de la nuit en les appelant *Alf Layla wa Layla* « Les Mille et Une Nuits ». Est-ce par esprit de contradiction, ou par désir d'être original à tout prix ? en France, au xviiie siècle, on avait préféré leur donner un autre titre : *Les Mille et Un Jours* [130].

Une autre langue orientale, le turc

Islamisés entre le viiie et le xe siècle, les habitants du futur Empire ottoman ont été en contact fréquent avec la langue arabe, et des emprunts du turc à l'arabe et au persan ont eu lieu dès le haut Moyen Âge. Si bien que, lorsque la langue française a emprunté le nom d'un objet appartenant à cette civilisation, les mots avaient déjà circulé entre les trois langues en question : l'arabe, langue sémitique, le persan, langue indo-européenne, et le turc, qui appartient à une tout autre famille, la famille ouralo-altaïque [131].

LE TURC

On rattache généralement le **turc** à la famille dite « ouralo-altaïque », et plus particulièrement à la partie altaïque, qui comprend aussi :
– le groupe **mongol**
– le groupe **mandchou-toungouze**
– et peut-être aussi le **coréen.**
Il n'y a pas une, mais plusieurs langues turques, et le **turc de Turquie**, qui est le produit de l'évolution de l'**osmanli**, parlé à la cour des Ottomans, en est le représentant le plus important.
Après avoir accueilli beaucoup de vocabulaire venu de l'arabe et du persan, la langue a été soumise à un grand mouvement d'épuration à partir de 1928, sous l'impulsion d'Atatürk, qui substitua également au système d'écriture arabe, mal adapté au turc, un alphabet latin aménagé pour les besoins de la phonétique turque [132].

Bien avant les « turqueries »

C'est seulement aux xviie et xviiie siècles que s'est manifestée en Europe la grande vogue des « turqueries », restées dans la mémoire collective avec, en particulier, le *Grand Mamamouchi* de Molière (qui pourtant ne parlait pas le turc mais un sabir méditerranéen [133]), le mouvement *Alla turca* d'une sonate de Mozart, ainsi que d'autres compositions artistiques relevant d'une Turquie imaginaire et fantaisiste.

Mais les premiers emprunts au turc sont bien plus anciens,

comme on peut le constater avec *bergamote* et *galetas*, attestés en français dès le XIVe siècle.

Ce dernier terme fournit l'occasion de poser le problème quasiment insoluble de la « vraie » langue des noms propres, puisque le mot *galetas* est en fait une adaptation du nom de la tour de Galata, qui était haute de près de 100 mètres et qui dominait Constantinople. Aujourd'hui, un quartier d'Istanbul porte encore son nom.

La même question se pose pour un grand nombre de mots devenus français, mais qui tiennent leur nom d'un nom de lieu à l'étranger (cf. ci-dessous, *récréation* LA GÉOGRAPHIE, SOURCE LEXICALE).

Récréation

LA GÉOGRAPHIE, SOURCE LEXICALE

Si l'on s'en tient aux régions orientales proches de la Méditerranée, on peut citer des noms de lieux ayant abouti à des mots du lexique français. Pouvez-vous les retrouver ?

1. **Pergame** 5. **Maiandros**
2. **Galata** 6. **Chypre**
3. **Troie** 7. **Cydonea (Crète)**
4. **Ascalon** 8. **Pharos**

Réponses : 1. *parchemin,* dont la préparation aurait été inventée à *Pergame.*

2. *galetas,* jusqu'à la fin du XVIIe siècle, c'était un logement sous les combles. Plus tard, le mot allait prendre le sens de logement misérable et sordide.

3. *truie,* du latin (PORCUS) TROIANUS (TROCUS) « porc farci », par allusion plaisante au cheval de Troie.

4. *échalote,* du latin ASCALONIA (CEPA) « (oignon) d'Ascalon ».

5. *méandre,* du nom du fleuve Maiandros, au cours particulièrement sinueux.

6. *cuivre,* du latin aes cyprium « bronze de Chypre ».

7. *coing,* du grec kudonia (mala) « (fruit) de Cydonea (ville de Crète) ».

8. *phare,* du grec *Pharos,* île où fut érigée, au IIIe siècle av. J.-C., une tour servant de point de repère aux marins.

Le déguisement des mots turcs

Non seulement les mots français venus du turc n'ont pas l'air turcs, mais certains d'entre eux font plutôt penser à d'autres langues étrangères : on jurerait que *caviar* est russe et *colback* d'ascendance allemande. Or ils sont tous les deux bel et bien turcs, mais ils ne sont pas toujours passés directement du turc au français. Ainsi, *caviar* est passé par la forme italienne *caviale*, et la forme française a été *cavial*, puis *caviat* jusqu'à la fin du xviie siècle.

D'autres mots d'origine turque, comme *cravache, laiton* ou *savate* n'ont plus rien d'exotique. Enfin *chagrin* (cf. la *peau de chagrin*, rendue célèbre par le roman de Balzac) est aussi un mot d'origine turque, *sagri*, désignant un cuir de chèvre d'aspect grenu.

HONGROIS EST UN MOT TURC

Lors de leur occupation du pays des Magyars au xvie siècle, les Turcs avaient été frappés (c'est le cas de le dire) par les flèches dont se servaient ces populations et ils les avaient appelées d'un nom formé sur le mot turc *ogur* « flèche », qui devint le mot *hongrois* en français.

11

LES APPORTS DES SŒURS LATINES

L'italien

À tout seigneur, tout honneur

En ces temps de morosité où l'on regarde avec inquiétude du côté de l'anglais envahissant, il peut être salutaire – pour se consoler – de jeter un coup d'œil rétrospectif sur une autre langue, l'italien, car c'est à cette dernière que le français, jusqu'au milieu du xxᵉ siècle, a le plus emprunté. Et lorsque l'on pense aux apports de l'italien au français, une seule époque vient immédiatement à l'esprit et repousse dans l'ombre toutes les autres, celle de la Renaissance italienne, qui, dès le xvᵉ siècle, a ouvert la voie à la Renaissance française dans le domaine des arts. La langue italienne a alors donné au français un fort contingent de mots qui se sont très vite et très harmonieusement fondus dans la masse lexicale déjà héritée du latin, ce qui peut s'expliquer à la fois par la parenté linguistique et par l'histoire des peuples.

Ces deux langues nées du latin avaient des affinités naturelles dues à leur origine commune, et elles avaient aussi côtoyé au cours de leur histoire les mêmes autres langues (le germanique ancien, l'arabe, etc.). Sur un plan plus général, l'interpénétration des deux peuples avait été facilitée d'une part à l'occasion des guerres d'Italie, d'autre part à la faveur de la présence successive de deux reines italiennes à la cour de France. Il y avait eu, dès 1533, le mariage de Catherine de Médicis, descendante de Laurent le Magnifique, avec le duc d'Orléans, fils de François Iᵉʳ et futur Henri II et, à la mort de ce dernier, la longue régence de Catherine de Médicis pendant près de vingt ans (1560-1580). Cette influence italienne à la cour de France s'était poursuivie avec le mariage en 1600 de Marie de Médicis avec Henri IV, et une nouvelle période de régence à la mort du roi jusqu'à l'avènement de Louis XIII. De plus, c'est pendant près de vingt ans (1641-1661) que le cardinal italien Mazarin exercera ses fonctions de ministre de la France. Au total, c'est donc pendant plus d'un siècle que la cour de France a subi l'influence directe de grands personnages italiens et de leur entourage.

Des écrivains français ont aussi voyagé et vécu en Italie, ils se sont imprégnés de ce pays, qu'ils ont fait revivre dans leurs œuvres, comme cela a été le cas pour Montaigne et du Bellay au xvie siècle, ou encore pour Stendhal au xixe siècle.

STENDHAL VOULAIT
« TO MAKE OF THIS SKETCH A *ROMANZETTO* » *(sic)*

En 1833, Stendhal, alors consul à Civitavecchia, avait acquis des manuscrits relatant en patois romain des chroniques du xvie et du xviie siècle, dont l'une était intitulée *Origini delle grandezze della famiglia Farnese.* Elle allait servir de point de départ à *La Chartreuse de Parme,* comme cela est attesté par ces quelques mots écrits dans ce mélange anglo-italien qu'il affectionnait particulièrement : « to make of this sketch a *romanzetto* » (16 août 1835), que l'on trouve, tracés de la main de Stendhal, à la première page d'un des gros volumes où ont été recopiés les textes d'où ont été tirées ses *Chroniques italiennes.*

(Stendhal, *Romans et nouvelles,*
Paris, Gallimard, La Pléiade, 1952, p. 1437-1438.)

Mais c'est bien plus tôt, dès le xive siècle, que l'italien avait pénétré dans la langue française, surtout en raison de l'importance des activités commerciales de l'Italie, qui se manifestaient avec succès dans l'ensemble du monde méditerranéen.

En Italie, l'Orient rencontrait l'Occident

Pendant tout le Moyen Âge, les ports de Venise, de Gênes et ceux de Toscane avaient en effet joué un rôle de relais naturel sur la route des épices et de la soie qui, du lointain Orient, aboutissait aux foires de Champagne, rendez-vous périodique d'un commerce déjà international (cf. ch. 9, LE TEMPS DES FOIRES, p. 99).

L'un des avantages que les négociants italiens avaient alors acquis était la création d'établissements portuaires qu'on appelait des *échelles*, dont les plus connues étaient les *Échelles du Levant*, sur les côtes orientales de la Méditerranée, et les *Échelles de Barbarie*, sur les côtes d'Afrique du Nord. C'est par ces ports, où les commerçants italiens avaient obtenu que certains quartiers soient soumis à leur propre administration, que se faisait l'essentiel du commerce entre l'Orient et l'Occident.

DES ÉCHELLES ET DES PORTS

Pourquoi a-t-on donné le nom d'**échelles** à certains ports commerciaux de la Méditerranée ? C'est qu'il s'agissait simplement à l'origine de véritables échelles, qui permettaient de débarquer les marchandises dans ces ports.

Voilà un bon exemple de ce qu'on appelle une *métonymie*, figure de style par laquelle le nom d'un objet en vient à désigner le lieu dans lequel il se trouve.

Ils y avaient leur *arsenal* et leur *douane*, ils y fixaient leurs *tarifs* et y constataient éventuellement les *avaries* de leurs marchandises. Tous ces mots, d'origine arabe, ont d'abord transité par l'italien avant d'aboutir en français. Il en est de même pour le nom de la *nacre* et de quelques tissus de soie, comme celui du *taffetas*, venu du persan en passant par l'arabe, ou encore pour le mot *baldaquin*, qui désignait à l'origine une étoffe en soie de Bagdad (qu'on appelait *Baldacco*, en ancien italien).

La rue des Lombards

Il existe encore à Paris une *rue des Lombards* qui perpétue le souvenir de ces riches commerçants italiens, qui étaient aussi de puissants banquiers, venus s'installer en France depuis l'époque de Philippe Auguste. Curieusement, ces « Lombards » n'étaient pas tous originaires de Lombardie, mais venaient surtout de Venise, de Gênes et de Toscane (Pise, Sienne, Lucques, Florence).

On leur doit la plupart des termes de la finance, à commencer par le mot *banque*, de l'italien *banca*, qui désignait le comptoir où se faisaient les transactions du changeur, ainsi que celui de *banqueroute*, qui correspond à l'italien *banca rotta* « comptoir rompu », car on brisait symboliquement l'instrument de travail d'un changeur lorsqu'il faisait faillite.

BOCCACE EST PEUT-ÊTRE NÉ À PARIS

Selon certains de ses biographes, Boccace serait né à Paris, rue des Lombards [134], en 1313, d'une mère parisienne et d'un « Lombard » de Florence : au Moyen Âge, les marchands, les banquiers et prêteurs sur gages originaires d'Italie étaient tous appelés des **Lombards** [135].

Plus tard, on retrouve Boccace à Naples, à la cour somptueuse de Robert d'Anjou, devenue un centre intellectuel où se rencontraient harmonieusement les civilisations française, italienne, arabe et byzantine.

De la monnaie à la presse écrite

La puissance et l'efficacité des banquiers italiens étaient telles que plusieurs noms de pièces de monnaie d'Italie ont essaimé hors de la Péninsule et ont eu cours dans d'autres pays d'Europe :

le *ducat*, qui était la monnaie des Doges de Venise,

le *carlin*, de l'italien *carlino*, ancienne monnaie du royaume de Naples, à l'effigie de Charles d'Anjou,

le *florin*, qui a également eu cours en France et qui est encore le nom de la monnaie des Pays-Bas (en concurrence avec *gulden*),

la *piastre*, de l'italien *piastra* « lame de métal ». Le terme s'emploie encore familièrement, au Canada, pour désigner le dollar,

la *gazette*, du vénitien *gazeta* (italien *gazzetta*) « pie », piécette sur laquelle se trouvait représentée une petite pie.

C'est la *gazette* qui a connu la destinée la plus... « littéraire ». À Venise, cette petite pièce de monnaie permettait d'acheter une feuille d'annonces, chroniques mondaines et cancans, elle-même appelée *gazzetta*. Lorsque cette publication était devenue régulière, son nom avait pris le sens plus général de « journal », sens qui est passé en français avec le mot, et qui s'est imposé dans cette langue en 1631 avec la *Gazette de France* de Théophraste Renaudot, premier périodique français ayant contribué à mieux faire comprendre la langue du roi auprès de la population française, encore majoritairement patoisante à cette époque [136].

Des liens culturels anciens

Le commerce et la finance n'avaient pas été les seuls points de rencontre entre la France et l'Italie. La littérature en avait été un autre, qui avait tissé des liens très étroits entre les langues des deux pays, car des écrivains italiens avaient librement choisi d'écrire en français et des auteurs français avaient été irrésistiblement attirés par l'italien.

Le cas le plus remarquable est peut-être celui de Brunetto Latini, qui, après avoir vécu six ans d'exil en France entre 1260 et 1266, avait tenu à écrire en français, et sous le nom de Brunet Latin, son *Livres dou Tresor*. Cet ouvrage peut être considéré comme la première encyclopédie réunissant toutes les connaissances de l'époque, et s'il l'avait écrit en français, c'était, selon ses propres paroles, parce qu'il considérait cette langue comme « plus delitable [c'est-à-dire plus délicieuse] et plus commune à toutes gens [137] ».

Brunet Latin avait été le maître à penser de Dante, qui lui-même avait peut-être passé deux ans d'exil en France, entre 1309 et 1310 [138]. Mais si son séjour à Paris reste à prouver, bien que, dans *La Divine Comédie*, Dante fasse allusion à la rue du *Fouarre* [139], qui existe toujours dans le Quartier latin et qui rappelle l'époque où les étudiants recevaient autrefois leur enseignement assis sur des bottes de foin – c'est le sens du mot *fouarre* (*feurre*) en vieux français –, on sait en tout cas que Dante connaissait très bien le français et le provençal [140]. Toujours dans *La Divine Comédie*, il va d'ailleurs jusqu'à composer quelques vers en langue d'oc, qu'il met dans la bouche du troubadour Arnaut Daniel, considéré par lui comme le plus grand des poètes ayant chanté l'amour :

> « *jeu sui Arnaut, que plor e vau cantan*
> *cosiros vei la passada folor,*
> *e vei jauzen lo jorn qu'esper, denan.* »
> « Je suis Arnaut, qui pleure et vais chantant ;
> Je contemple avec peine ma folie passée,
et je regarde avec joie devant moi le jour auquel j'aspire [141]. »

Un autre cas célèbre est celui du Vénitien Marco Polo, qui, en 1298, avait dicté en français, dans sa prison, à son compagnon de cellule [142] Rusticien de Pise, le récit de son voyage émerveillé en Orient, où il nomme affectueusement le chef Hassan

As-Sabbah « le vieux de la montagne » et où il décrit pour la première fois la secte des Assassins (cf. ch. 10, § Assassins : fumeurs de haschisch ?, p. 126).

Enfin, si Boccace avait pu baigner pendant un court séjour dans une atmosphère française à la cour angevine de Naples, Pétrarque avait passé près de vingt ans de sa vie en France : il avait fait ses études à Montpellier, et c'est dans une église d'Avignon qu'il avait rencontré Laure, le 6 avril 1327 [143].

Les contacts entre l'italien et le français étaient donc loin d'être une nouveauté quand le XVIe siècle apporta aux Français une vraie passion pour l'Italie, pour son art de vivre et pour son art tout court, avec les mots pour le dire.

Les mots de la guerre

Le XVIe siècle, c'est, dans le domaine de la littérature, l'époque où les œuvres de Boccace et de Pétrarque sont traduites en français, mais c'est aussi celle des guerres d'Italie, et le vocabulaire des armes avait d'abord recouvert celui des artistes et des poètes.

À l'imitation du cri de guerre italien *all'arme !* « aux armes ! », un substantif, *alarme*, prend naissance en français, tandis que le cri d'avertissement *all'erta !* « sur la hauteur ! », que poussaient les sentinelles italiennes pour prévenir d'un danger, devient en français l'adjectif *alerte*. Cet adjectif signifie alors « vigilant » et non pas « vif, agile », comme aujourd'hui (le substantif féminin *une alerte* ne fera son apparition que deux siècles plus tard).

Un autre mot, venu du dialecte piémontais, évoque encore un appel militaire : le mot *chamade*, du piémontais *ciamata* (cf. l'italien *chiamata* « appel »), un mot français que l'on n'emploie plus aujourd'hui que pour exprimer une intense émotion, mais rappelons que c'est toujours le cœur qui *bat la chamade* alors que la *chamade* était à l'origine le roulement de tambour ou la sonnerie de trompette qui annonçait aux assiégeants qu'on était prêt à capituler.

Les armes à la main

Parmi les armes dont les noms viennent de l'italien, certaines ne sont plus aujourd'hui que des souvenirs littéraires :

l'*escopette*, arme à feu dont la forme phonique est peut-être une onomatopée,

le *mousquet*, arme à feu portative mais encombrante, maniée par les mousquetaires,

la *pertuisane*, arme à feu montée sur une longue hampe,

le *tromblon*, arme à feu portative dont le canon est évasé.

D'autres termes, comme le *canon* ou la *bombe*, ne sont, hélas, pas sortis de l'usage, et les noms des métiers de la guerre sont restés bien vivants, à commencer par celui du *soldat*, mot à mot « celui qui touche une solde », qui a détrôné le mot français *soudard* – de même racine que *soldat* – pour le reléguer dans une acception péjorative, tout comme il a fait tomber dans l'oubli le mot *spadassin*, qui, en italien, se référait seulement au tireur d'épée *(spada)*.

En revanche, le terme *sentinelle* (de l'italien *sentire* « entendre ») désigne toujours « celui qui veille » (parce qu'il prête l'oreille) et l'*estafette* (de *staffa* « étrier »), « l'agent de liaison militaire », même s'il ne se déplace plus à cheval.

Enfin, aux deux extrémités de la hiérarchie militaire, il y a le *caporal* d'une part, le *colonel* et le *généralissime* de l'autre. On remarquera aussi le retour du suffixe *-issime*, délaissé jusqu'alors en français et qui, à cette occasion, reprend vie au contact de l'italien.

Une coloration péjorative

Il faut encore ajouter l'arrivée – justifiée par ces temps belliqueux du XVIᵉ siècle – de plusieurs termes pour désigner des disputes plus ou moins brutales, en paroles ou en gestes, comme *bisbille*, *rebuffade*, *barouf* ou encore *carnage*.

Ils ont été suivis par une série de termes très péjoratifs, qui sont même souvent devenus des insultes en français :

bandit, de *bandito* « banni, hors la loi ». Ce terme est devenu une insulte sous la Révolution ;

birbe, de *birbo* « coquin », terme familier pour qualifier en français un vieillard ennuyeux ;

barbon, de *barbone* « grande barbe » ;

brigand, qui n'était à l'origine qu'un soldat appartenant à une brigade ;

UN *BRIGAND INGAMBE*

Tous les mots en gras ont été empruntés à l'italien.

Au beau milieu de *l'autostrade* qui menait à la **lagune**, j'aperçus un **brigand ingambe** au noir **dessein**. Ah ! si vous saviez avec quelle **prestesse** **j'accaparai** la **bombe** avec laquelle il tentait de m'**estropier** ! J'avais complètement perdu la **boussole** et mon cœur battait la **chamade**, mais je réussis, dans une **cavalcade burlesque**, à déjouer cette **embuscade**. Le **bilan** de cet **intermède** ? Je dus **camoufler** à mes proches mon **pantalon** déchiré.

ruffian, de l'italien *ruffiano*, lui-même d'origine germanique ;
canaille : le mot italien était *cane* « chien », avec un suffixe
    péjoratif. Ce mot a remplacé l'ancien français *chiennaille* ;
faquin, qui avait jusqu'au XVIIᵉ siècle le sens qu'il a gardé en
    italien : « portefaix » ;
sbire, qui désignait à l'origine en italien un simple agent de
    police ;
sacripant, nom d'un personnage des romans chevaleresques
    italiens [144].

Les mots de la mer

La navigation a également gardé de l'italien :

des noms de bateaux
brigantin, ancien navire à deux mâts ;
frégate, qui était autrefois un simple bateau à rames ;
gondole, à Venise.

du vocabulaire maritime
carène, partie inférieure de la coque, qu'il faut *colmater* (ce
    verbe aussi vient de l'italien) ;
drisse, cordage permettant de hisser les voiles ;
misaine, voile de l'avant du navire, mais qui était autrefois
    celle du milieu, comme on peut le voir par la forme ita-
    lienne *mezzana* « située au milieu » ;
coursive, couloir étroit à l'intérieur d'un navire ;
corsaire, capitaine de navire habilité par son gouvernement à
    capturer des navires de commerce ennemis.

À propos de *coursive* et *corsaire*

Lorsqu'on sait que *coursive* et *corsaire* viennent de mots italiens de la même famille (*corsia* et *corsaro*), on peut s'étonner que le *o* de l'italien ait été rendu par *ou* dans *coursive*, et par *o* dans *corsaire*. Pour faire comprendre cette anomalie, il faudrait rappeler qu'à l'époque où ces mots ont été empruntés (XVIᵉ siècle), les grammairiens et les gens de lettres en France étaient en pleine querelle des « ouistes » et des « non-ouistes ». Les discussions portaient sur la prononciation d'un certain nombre de mots, pour lesquels l'usage hésitait alors effectivement entre les deux voyelles *ou* et *o*. Après avoir balancé entre *arroser* et *arrouser*, entre *fromage* et *froumage*, entre *cossin* et *coussin*, entre *formi* et *fourmi*, la norme a été finalement fixée de façon arbitraire : on a choisi *arroser, fromage* contre *arrouser, froumage*, mais *coussin* et non pas *cossin, fourmi* et non pas *formi* [145], et on a préféré *coursive* d'un côté, et *corsaire* de l'autre.

On aime l'italien, passionnément

Le XVIᵉ siècle français se caractérise vraiment par l'attirance envers tout ce qui venait d'Italie, et par le prestige qui entourait les artistes italiens de la Renaissance, dont certains passeront une partie de leur vie en France : en 1515, François Iᵉʳ invite Léonard de Vinci à séjourner dans les châteaux de la Loire ; en 1531, il fait venir le Primatice pour décorer le château de Fontainebleau et, en 1540, il appelle auprès de lui le sculpteur Benvenuto Cellini, qui résidera en France pendant cinq ans.

Les voyages en Italie

De leur côté, tous les grands de la littérature française ont été attirés par l'Italie et, pratiquement, tous y ont séjourné : Rabelais a passé un an à Rome, du Bellay y a vécu pendant près de trois ans, et Montaigne, au cours de son long périple hors de France, a séjourné plusieurs mois en Toscane puis à Rome.

LES ITALIANISMES CHEZ RABELAIS

Tout comme Montaigne, Rabelais n'hésitait pas à faire des emprunts à l'italien. Il a été parmi les premiers à employer les mots **ballon, gondole, soutane** ou **citrouille** et à donner à *forestier* le sens de « exilé », qu'il avait en italien.

La langue italienne devient aussi l'objet d'un intérêt, voire d'un engouement qui ne fera que s'intensifier sous la régence de Catherine de Médicis.

MONTAIGNE ET L'ITALIEN

Montaigne, qui avait fait un très long voyage en Italie en 1580, avait même rédigé une partie de son récit en italien. C'est dans ses écrits qu'apparaissent pour la première fois de nombreux mots empruntés à l'italien et qui n'ont jamais cessé d'être employés depuis :

baguette	ombrelle	contraste	douche
posture	fleuret	soldatesque	fougue
villanelle	travestir	fracasser...	

Mais on y trouve aussi des italianismes sans lendemain, comme :
strette « élancement (de douleur) » (le mot avait aussi le sens militaire de « attaque surprise »), ou encore
longuerie « discours un peu longuet [146] ».

Une véritable italomanie s'empare alors des Français. Cette reine venue de Toscane installera la Comédie italienne à Paris, et le français parlé à la cour va tellement s'italianiser que certains craindront pour sa survie.

RONSARD ET LA BELLE ITALIENNE

Elle s'appelait **Cassandre** Salviati. Elle était la fille d'un banquier florentin – un « Lombard », comme on disait alors – et il l'avait rencontrée à Blois en 1545. Elle avait seize ans et Ronsard vingt et un, et les quelque 230 poèmes qu'elle lui a inspirés sont un témoignage incomparable de l'influence que Pétrarque et sa « complication dans l'élégance » ont pu exercer sur la littérature française.

Des moqueries et des mouvements de résistance

Parce que cet envahissement de l'italien risquait de devenir dangereux pour la langue française, des mouvements de résistance allaient s'organiser, à la fois du côté des écrivains et de la part du pouvoir politique.

DU BELLAY, OU LA NOSTALGIE

Après un séjour de près de trois ans en Italie, l'enthousiasme des premiers temps faisait place à la nostalgie :

« ... Plus me plaît le séjour qu'ont bâty mes aieux
Que des palais romains le front audacieux,
Plus que le marbre dur me plaît l'ardoise fine,

Plus mon Loyre gaulois que le Tibre latin,
Plus mon petit Liré que le mont Palatin,
Et plus que l'air marin la douceur angevine. »

(Du Bellay, *Les Regrets*.)

Tandis que du Bellay critiquait *bravade* ou *soldat*, Ronsard, qui employait sans sourciller *camisole*, ironisait sur *sentinelle*, *escarmouche* ou *embuscade*. Tous deux regrettaient que *cargue* ait remplacé *charge* (dans *donner la cargue* « attaquer »), et ils rejetaient d'un commun accord la *camisade* (de *camiciata*, formé sur *camicia* « chemise »), qui désignait une attaque armée de nuit au cours de laquelle les soldats portaient, en signe de reconnaissance, leur chemise par-dessus leur armure [147].

Le français italianisé

Pour mesurer l'ampleur de cet engouement pour l'italien au XVIᵉ siècle et les réactions qu'il avait suscitées, il suffit de lire les ouvrages d'Henri Estienne, qui prenait avec passion la défense du français, et dont il montrait avec une insistance un peu naïve la « précellence » évidente au regard de l'espagnol ou de l'italien. Il s'insurgera contre ceux qui employaient l'expression *à l'improviste* (qui est un emprunt à l'italien) alors que le français avait déjà *au dépourvu*. Pourquoi, disait-il, utiliser des italianismes comme *manquer* au lieu de *défaillir*, *baster* au lieu de *suffire*, *la première volte* au lieu de *la première fois* ?

Sans craindre de pousser le trait un peu trop loin, Estienne exercera aussi son ironie dans les *Dialogues du nouveau langage françois italianizé et autrement desguizé* (1578), où il se met en scène lui-même, comme le défenseur de la langue française pure et dure, face à un courtisan qui argumente en faveur de cette langue moderne, à la mode, bourrée d'italianismes [148]. « Je m'esbahi, dit l'auteur, comment vous *imbrattez* notre langue d'une telle *spurquesse* de paroles [149]. » On peut reconnaître dans cette phrase deux italianismes aujourd'hui disparus, l'un formé à partir du verbe *imbrattare* « souiller », l'autre à partir du substantif *sporchezza* « saleté ».

Dans ce même ouvrage, il fait dire à l'un de ses personnages qu'il est un peu *straque* (d'un mot italien signifiant « fatigué »), parce qu'il a *battu la strade* (« il a parcouru les rues ») depuis le matin et qu'il ne pourra donc pas se rendre dans *une case un peu discoste* (« une maison un peu éloignée »).

Au fil des pages, on apprend aussi avec surprise que *risque* et *réussir*, ainsi que *parapet* ou *caprice* [150], copiés sur l'italien, sont alors des néologismes insupportables.

Quatre siècles avant la véhémente satire d'Étiemble contre notre goût immodéré pour l'anglais (*Parlez-vous franglais?*, 1964), nous avons là le témoignage du danger qu'avait pu représenter l'italien aux yeux des puristes au xvie siècle.

Les modes éphémères

Mais les craintes d'Henri Estienne n'étaient pas justifiées : certains mots, employés alors tout naturellement, sonnent aujourd'hui assez bizarrement, parce que les mots à la mode finissent aussi par se démoder, s'ils ne sont pas vraiment utiles :

escarpe « chaussure »	*burler* « se moquer »
estivallet « bottine »	*discoste* « éloigné »
pianelle « chaussure de daim »	*avoir martel* « être jaloux [151] »

Ceux-là n'ont donc connu qu'une mode passagère, mais beaucoup d'autres ont traversé les siècles :

courtiser	figurine	mascarade	bilan
douche	accaparer	récolte	politesse
travestir	mont-de-piété (« établissement de prêt sur gage »).		

Ces mots ne resteront pas toujours des étrangers

Une fois oubliés les excès de cette mode, la langue française a tout de même jugé bon de garder une grande partie des centaines de mots apportés par l'italien à cette époque, et elle a encore récidivé au XVIIIᵉ siècle. Si bien qu'on considère aujourd'hui comme des mots français « bon teint » des quantités de termes, parmi lesquels on peut détacher :

les mots de la table : *banquet* et *festin, bocal* et *carafon,* ainsi que *gélatine, saucisson* et *vermicelle,* ou encore *biscotte, chou-fleur, citrouille, radis* ou *scarole* ;

ceux des vêtements : *caleçon, costume, escarpin, pantalon, pantoufle* et *veste* ;

ceux de l'architecture, des arts plastiques et de la musique : *balcon, coupole* et *gradin ; appartement* et *bicoque, aquarelle, caricature, dessin* et *esquisse ; arpège, solfège, sérénade* et *virtuose.*

MONTAIGNE DÉCOUVRE LA DOUCHE

Dans les environs de Lucques, Montaigne séjourne aux Bagni della Villa :

« Il y a ici de quoi boire et aussi de quoi se baigner. Un bain couvert voûté et assez obscur, large comme la moitié de ma salle de Montaigne. Il y a aussi certain égout qu'ils nomment la doccia. Ce sont des tuyaux par lesquels on reçoit l'eau chaude en diverses parties du corps et notamment à la tête, par des canaux qui descendent sur vous sans cesse et vous viennent battre la partie, l'échauffent ; et puis l'eau se reçoit par un canal de bois, comme celui des buandières, le long duquel elle s'écoule. »

(Extrait de Montaigne, *Le Voyage en Italie* [152].)

Il faudrait encore ajouter *lavande* et *pommade, colis* et *valise, ombrelle* et *parasol,* ainsi que *bouffon, burlesque, fantasque, jovial* et *polichinelle,* mais également *balourd,* ou au contraire *ingambe,* ou encore les verbes *réussir* et *risquer, caresser* et *batifoler.*

Tous ces mots, et bien d'autres, nous ont été donnés par l'italien à diverses époques, mais ils ont si bien trouvé leur place dans la langue française qu'on ne pense plus à *scarpino* « petite chaussure » sous le mot français *escarpin* et qu'on n'imagine pas que *réussir,* c'est, à l'origine, le verbe italien *riuscire* (étymologiquement « ressortir »). Enfin, on emploierait peut-être l'adjectif *ingambe* sans faire de contresens si on y voyait encore la forme italienne *ingamba*, mot à mot « en jambe ».

La naturalisation française des mots qui nous viennent de l'italien a finalement été une grande réussite, si bien que certains d'entre eux ont même été proposés pour remplacer une partie des anglicismes actuels, notre nouvelle bête noire. En substituant *vol nolisé* à *charter*, on remplace en fait un emprunt à l'anglais par un emprunt à l'italien : l'épouvantail d'autrefois est devenu un remède.

Si l'histoire des emprunts connaît de tels retournements, devons-nous alors être vraiment inquiets aujourd'hui devant le déferlement de tous ces mots qui nous viennent de l'anglais ?

12

LES APPORTS DES SŒURS LATINES
(espagnol et portugais)

L'espagnol

« El camino francés » au xıᵉ siècle

Les premiers contacts entre la langue française et la langue espagnole remontent au début du xıᵉ siècle, à l'époque du roi de Castille Sancho le Grand, et ils se sont développés de façon plus considérable à l'occasion des pèlerinages à Saint-Jacques-de-Compostelle. Jusque-là, le voyage devenait très pénible à partir du col de Roncevaux car les chemins de montagne étaient escarpés et dangereux. Grâce au roi Sancho, qui avait fait tracer une nouvelle route par la plaine, les étrangers pouvaient dès lors affluer en masse. Parmi eux, les Français étaient les plus nombreux, d'où le nom donné à ce nouvel itinéraire : *el camino francés* « le chemin français », le long duquel vont se créer de nombreux petits villages de « francos ».

À la faveur de la reprise de Tolède aux Arabes en 1088, l'implantation française en Espagne s'est consolidée au cours des siècles suivants par l'installation d'abbayes des ordres de Cluny, de Cîteaux et de Clairvaux, puis en quelque sorte officialisée par les mariages de deux des filles d'Alphonse VI de Castille avec deux fils de la noblesse de Bourgogne.

Des mots français traversent les Pyrénées

Toutes ces circonstances expliquent que l'on trouve dès cette époque des mots originaires des provinces de France dans la langue qui allait devenir l'espagnol, des mots dont le sens n'a pas toujours évolué de la même façon de part et d'autre des Pyrénées.

espagnol		<	français
mensaje		<	*message*
homenaje		<	*hommage*
pitanza		<	*pitance*
monje		<	*moine*
mesón	« auberge »	<	*maison*
viandas	« mets »	<	*viande* [153]

À son tour, le français puise dans l'espagnol

Mais il faudra attendre le milieu du XVIᵉ siècle pour qu'à son tour le français emprunte du vocabulaire à l'espagnol : le mot *camarade*, par exemple, est dérivé de l'espagnol *camarada* « la chambrée », ce qui rappelle qu'à l'origine les camarades étaient ceux qui partageaient la même chambre, et le mot *mousse* « jeune matelot » vient de l'espagnol *mozo* « jeune garçon ».

D'autres termes marins ont déferlé en français, parmi lesquels *flottille, cabotage, embarcation, pinasse, lagon* ou encore *baie*.

Le mot *baie* « petit golfe » pose en fait un problème que l'on retrouve souvent dans des langues à la fois apparentées et voisines dans l'espace, car on peut se demander si ce n'est pas le français qui aurait donné *bahía* à l'espagnol, et non pas l'inverse. En faveur de cette hypothèse, il y a le vieux verbe français *bayer, béer* « être grand ouvert », qui pourrait rendre compte du sémantisme du mot *baie*, puisque ce mot désigne effectivement une grande échancrure du littoral.

Comment identifier les emprunts à l'espagnol

Grâce à leur terminaison en *-o*, en *-or* ou en *-a*, certains des mots empruntés à l'espagnol montrent tout de suite leur origine, comme cela apparaît clairement dans *aficionado, guérillero, matador, picador, conquistador, macho* ou *pasionaria*.

On reconnaît également sans peine les mots *paella, gaspacho, chorizo, gambas* comme ibériques, mais il faut préciser que *gambas* et *paella* ne sont pas des mots castillans, mais des mots catalans. Et *paella* réserve une autre surprise : le mot avait été primitivement emprunté à l'ancien français *paele* « plat métallique peu profond » par le catalan, puis, devenu *paella*, par le castillan, qui à son tour l'a retransmis au français.

UNE PASIONARIA EST UNE FLEUR

En espagnol, **pasionaria** est un nom de fleur et désigne la *passiflore* ou *fleur de la Passion*.

C'est aussi le surnom qui avait été donné en 1936 à Dolores Ibarruri, député communiste aux Cortes. Cette femme pleine de fougue avait impressionné par son éloquence et joué un rôle important durant la guerre civile espagnole, et c'est pour cette raison que le mot est passé en français pour qualifier une femme convaincue, passionnée et prête à tout pour faire triompher ses idées [154].

D'autres mots espagnols sont plus difficiles à identifier comme tels, par exemple *bourrique*, qui aurait très bien pu venir directement du bas-latin, ou *sieste*, qui est une forme évoluée du latin *sexta hora* « la sixième heure », ou encore *moustique*, venu de l'espagnol *mosquito*, diminutif de *mosca* « mouche ».

Apparemment plus faciles à reconnaître à cause de leur terminaison, d'autres mots encore peuvent se grouper sous la forme d'un bouquet de rimes en *-ille*. En effet, ce suffixe diminutif d'origine latine, qui existe aussi dans les autres langues romanes, a été particulièrement productif en espagnol :

mot français	étymologie	
banderille, formé sur *bandera,* donc, à l'origine, « petit drapeau »		
jonquille	*junco*	« petit jonc »
peccadille	*pecado*	« petit péché »
vanille	*vaina*	« petite gousse »
mantille	*manta*	« petite couverture »
pastille	*pasta*	« petite pâte »
résille	*rede*	« petit filet »
cédille	*zeda*	« petit z »

LA CÉDILLE

C'est de l'orthographe espagnole que provient la cédille que l'on met en français au-dessous du *c* (**zedilla**, ou **cedilla** « petit z ») [155].

Ce signe diacritique est sorti de l'usage espagnol, mais il est resté indispensable en français, où son omission risque même d'être inconvenante, par exemple dans **leçon**.

Chaque mot a son histoire

Enfin, il est des mots qui méritent des commentaires spécifiques, tels que : *canari, gitan* ou *casque*.

Le petit serin au plumage jaune vif que l'on nomme *canari* doit son nom à celui des îles Canaries, qui étaient déjà connues dans l'Antiquité. Cependant, ce n'est pas pour leurs oiseaux qu'elles étaient célèbres à cette époque, mais pour leurs grands chiens. Pline l'Ancien y faisait déjà allusion dans son *Histoire naturelle*, et c'est ainsi que s'explique le nom latin de l'île : *insula Canaria* « l'île aux chiens ».

Le mot *gitan* est l'adaptation en français d'une abréviation espagnole.

LES GENS DU VOYAGE

Parties du nord-ouest de l'Inde au Moyen Âge, des populations de langue indo-iranienne (cf. tableau, p. 130) se déplacent vers l'Europe à partir du IXe siècle, date à laquelle leur présence est signalée en Grèce.

Suivant les pays, on les a appelés **Gitans, Tsiganes, Romanichels, Gypsies,** mais ils se désignent eux-mêmes par d'autres noms : **Roms, Manouches, Sinti, Kalé** (ou **Caló** [156])...

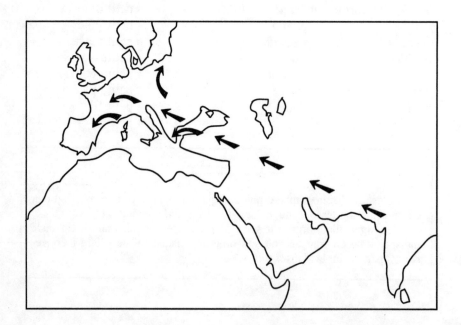

Il s'agit d'un mot dérivé du latin EGYPTANUS « égyptien », et devenu *gitano* en espagnol, par un phénomène que les linguistes appellent une *aphérèse*, comme c'est le cas en français pour *bus* au lieu de *autobus*. Ajoutons que l'espagnol *gitano* et l'anglais *gypsy* ont la même étymologie, un peu trompeuse cependant, car il ne s'agit pas d'un peuple venu d'Égypte mais de populations parties du nord-ouest de l'Inde au Moyen Âge et qui ont déferlé sur toute l'Europe à partir du XIVᵉ siècle. Elles avaient d'abord séjourné en Grèce, et en particulier dans un quartier de la ville de Modon, dans le Péloponnèse, appelé *Petite-Égypte*.

Le mot *casque* apporte à cet ensemble de vocabulaire d'origine espagnole une note plus ludique : le sens premier en espagnol est « tesson (de bouteille) » et c'est par plaisanterie que ce mot a ensuite désigné « le crâne, la tête », pour passer enfin à ce qui recouvre la tête, le casque. On sait que le mot français *tête* a connu le même destin : il vient du latin vulgaire TESTA qui signifiait en effet « tesson de bouteille, vieux pot, vieille marmite » avant de désigner aussi, de façon plaisante, la « tête ». Aujourd'hui on dit bien « il a reçu un coup sur la cafetière » ou « ramène ta fiole ».

C'est que depuis des siècles, sous toutes les latitudes et dans toutes les langues, on ne se lasse pas de faire toujours les mêmes jeux de mots.

L'espagnol entre deux mondes

Avec la découverte de l'Amérique et l'installation des Espagnols dans le Nouveau Monde, leur langue a été le véhicule d'une masse de vocabulaire exotique, devenu aujourd'hui usuel dans la plupart des langues d'Europe, de la *tomate* à la *patate*, du *maïs* au *chocolat* et à la *cacahuète*, ou du *caoutchouc* au *tabac*.

Les seules langues amérindiennes qui aient donné quelques mots à la langue française par l'intermédiaire de l'espagnol, sont :
– le *nahuatl* (Mexique),
– le *quechua* (Pérou, Bolivie, Équateur),
– le *tupi-guarani* (Paraguay),
– le *caraïbe* (Antilles, nord de l'Amérique du Sud),
– l'*arawak* (dont le taïno) (Antilles, nord de l'Amérique du Sud).

QUELQUES LANGUES INDIGÈNES DE L'AMÉRIQUE LATINE

Plusieurs centaines de langues amérindiennes sont encore parlées en Amérique latine. Seules figurent sur cette carte celles qui ont fourni des mots à la langue française.

LA VITALITÉ DE QUELQUES LANGUES AMÉRINDIENNES

À l'arrivée des Européens en Amérique, des centaines de langues indiennes étaient parlées par les indigènes. Sous la pression des envahisseurs, la plupart d'entre elles n'ont pas pu résister. Néanmoins, aujourd'hui, certaines d'entre elles connaissent encore une vitalité exceptionnelle, comme, par exemple :
  – l'**aymara**, en Bolivie,
  – le **tupi-guarani**, au Paraguay (langue nationale, avec l'espagnol),
  – le **quechua**, surtout au Pérou (langue officielle, avec l'espagnol).
  D'autres, comme l'**arawak** (taïno) ou le **caraïbe** ont pratiquement disparu des Antilles mais existent encore au Venezuela, en Colombie, en Bolivie et au Brésil [157].

L'espagnol, introducteur de vocabulaire exotique

La *tomate*, qui de nos jours semble indissolublement liée aux rivages ensoleillés de la Méditerranée, est aussi originaire d'Amérique, où les Incas et les Aztèques la cultivaient dans les vallées des Andes bien avant l'arrivée de Christophe Colomb. Le mot vient de la langue des Aztèques, le nahuatl, et aurait dû s'écrire *tomatl*, tout comme *chocolatl* et *cacaotl* auraient dû être les formes de *chocolat* et de *cacao*, car le nahuatl possédait une consonne bien particulière, qui ressemblait un peu à la succession *tl* (comme dans *atlas*). Les phonéticiens donnent le nom savant « d'affriquée à relâchement latéral » à cette consonne, que les Espagnols ne savaient pas prononcer, surtout en fin de mot, ce qui explique sa simplification ou son élimination totale dans *tomate, cacao, chocolat, avocat* (le fruit), *ocelot, coyote* ou encore *cacahuète*.

CACAHUÈTE

Pourquoi cette bizarre orthographe du mot *cacahuète* ?
Tout simplement parce qu'en français on a copié la forme écrite espagnole de ce mot : *cacahuete*.

Seuls trois mots savants ont gardé cette succession *-tl* : *nahuatl*, qui est le nom même de la langue des Aztèques, *peyotl*, celui d'un gros cactus aux effets hallucinogènes qui entre dans la composition de la mescaline, et *axolotl*, nom d'un petit batracien du lac de Mexico mais qui s'est facilement acclimaté en Europe.

L'espagnol a aussi servi d'intermédiaire à des mots venus d'autres langues amérindiennes, en particulier dans le domaine de la flore et de la faune :

du **quechua** :   *coca, hévéa, maté*
                alpaga, condor, lama, puma, vigogne

de l'**arawak** :   *goyave, maïs, papaye, patate (douce)*
                iguane, curare, ouragan

du **caraïbe** :   *caïman, agami* (ou *oiseau trompette*)
                pirogue, cannibale.

Le tabac a eu plusieurs noms

Bien que l'origine du terme soit controversée [158], on peut soutenir l'hypothèse que le *tabac* a bien été introduit en Europe par les Espagnols au milieu du xvie siècle. Ils l'avaient rapporté de Haïti, où le mot d'origine désignait, chez les Arawaks, soit le tuyau de bambou servant à l'inhalation de la fumée, soit une sorte de cigare.

En français, le mot *tabac* a supplanté au xviie siècle l'ancien *pétun*, nom tupi du tabac chez les Indiens du Brésil, dont quelques plants avaient été rapportés dès 1550 et cultivés en Angoumois.

Mais le tabac a encore eu d'autres noms : parce que Jean Nicot, ambassadeur de France au Portugal, en avait envoyé un plant à Catherine de Médicis, on l'avait appelé *herbe à Nicot*, *herbe à l'ambassadeur*, *herbe à la reine*, *catherinaire* et même *médicée*, car Catherine de Médicis l'avait alors adopté comme remède à toutes sortes de maux.

Finalement, tous les anciens noms sont tombés en désuétude à l'exception de celui qui avait été introduit par les Espagnols : *tabac*.

La patate et la pomme de terre

Patate est en français un mot dont il faut se méfier car il peut renvoyer à deux légumes complètement différents. Venu de l'espagnol *batata* (avec un *b*), attesté dans cette langue dès 1519 et emprunté au taïno, langue indienne des Antilles de la famille arawak, il a d'abord désigné la patate douce, une convolvulacée rapportée de Haïti par les Espagnols.

Mais ces derniers avaient aussi rapporté d'Amérique, et plus précisément du Chili, un autre légume, un tubercule de la famille des solanacées, qu'ils appelaient *patata* (avec un *p*), mot formé à partir du quechua *pápa*, qui lui-même est encore le seul mot employé pour désigner ce tubercule dans tous les pays hispanophones d'Amérique.

À son arrivée en Europe, ce tubercule de la famille des solanacées a d'abord été cultivé avec succès en Allemagne, aux Pays-Bas et en Grande-Bretagne bien avant de l'être en France, ce qui explique les deux noms qu'il a en français : le terme familier *patate*, venu d'Amérique par l'espagnol, a dû transiter par l'anglais *potato* avant d'être adopté par le français, tandis que *pomme de terre* est sans doute un calque du néerlandais *aardappel* (de *aard* « terre » et *appel* « pomme »).

C'est ce que confirme Parmentier, ce pharmacien savant qui avait eu tant de mal à implanter la culture de la pomme de terre en France à l'époque de la Révolution, lorsqu'il précise dans ses écrits qu'on l'appelait alors *patate* dans quelques-unes des provinces françaises, « la confondant journellement avec la *patate* (douce) et même avec le *topinambour* [159] ».

Malgré les obstacles qu'elle avait rencontrés à ses débuts [160] parce qu'elle avait la réputation d'être toxique, la pomme de terre a néanmoins fini par si bien s'imposer en France qu'elle y est aujourd'hui le légume le plus consommé, très loin devant la *tomate* [161].

Une « démarcation » historique

Enfin, et pour revenir à des termes moins exotiques, il faut s'arrêter plus longuement sur le mot *démarcation*, qui aurait pu voir le jour en français puisqu'il est d'origine latine, mais qui provient de l'espagnol *demarcación*. Il désignait très exactement, à partir de 1493, la ligne théorique qui, selon la bulle du pape Alexandre VI, répartissait les terres à découvrir entre les royaumes de Castille et du Portugal. Passant en plein milieu de l'Atlantique, cette ligne de démarcation reconnaissait comme possession du Portugal tout ce qui trouvait à l'est de cette ligne et accordait à l'Espagne tout ce qui se trouvait à l'ouest.

UNE LIGNE DE DÉMARCATION QUI SE DÉPLACE

À l'époque des grandes explorations, les terres découvertes ou à découvrir avaient fait l'objet de deux bulles du pape Alexandre VI (1493) qui avaient d'abord déterminé une ligne de démarcation (*en trait discontinu*) passant au milieu de l'Atlantique et séparant les domaines d'expansion de la Castille et du Portugal. Ces deux pays, un an plus tard, s'accordent, par le traité de Tordesillas (1494) pour repousser cette ligne plus à l'ouest (*en trait continu*), ce qui attribue au Portugal une grande partie de ce qui est aujourd'hui le Brésil. (Carte établie d'après l'*Atlas historique Larousse*, G. Duby, Paris, 1978, p. 57 et 74.)

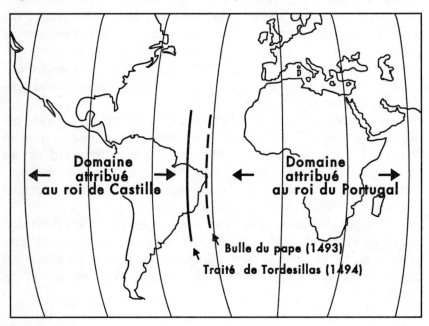

L'année suivante, cette ligne, qui correspondait à 35° de longitude ouest, a pu être déplacée d'une quinzaine de degrés vers l'ouest, selon un accord rectificatif des deux parties, connu sous le nom de traité de Tordesillas (1494). Elle entamait cette fois très profondément la pointe nord-est du continent, plus précisément la région qu'Álvares Cabral allait très officiellement découvrir au nom du roi du Portugal en 1500. Voilà pourquoi on parle aujourd'hui le portugais au Brésil. Et voilà aussi pourquoi toute une partie du vocabulaire indien d'Amérique latine n'a pas transité par l'espagnol mais par le portugais pour parvenir dans la langue française.

MOTS VENUS PAR L'ESPAGNOL ET PAR LE PORTUGAIS

D'abord empruntés par les colons espagnols (flèches noires ➡) ou portugais (flèche blanche ⇨) des mots indigènes venus d'Amérique centrale et d'Amérique du Sud ont ensuite pénétré dans la langue française.

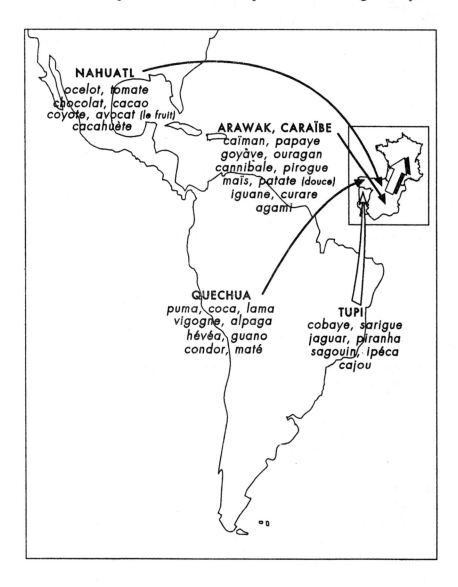

NAHUATL
*ocelot, tomate
chocolat, cacao
coyote, avocat (le fruit)
cacahuète*

ARAWAK, CARAÏBE
*caïman, papaye
goyàve, ouragan
cannibale, pirogue
maïs, patate (douce)
iguane, curare
agami*

QUECHUA
*puma, coca, lama
vigogne, alpaga
hévéa, guano
condor, maté*

TUPI
*cobaye, sarigue
jaguar, piranha
sagouin, ipéca
cajou*

Le portugais

Le triple apport du portugais

Les apports du portugais sont de trois sortes : les mots qui viennent de l'Amérique latine par le tupi, langue indienne du Brésil, ceux qui viennent des langues d'Asie et d'Indonésie, et ceux qui viennent directement du portugais.

Les plus nombreux sont ceux qui ont été empruntés au tupi : ils relèvent surtout des domaines de la zoologie et de la botanique.

zoologie

cobaye, petit rongeur mammifère ;

sarigue, petit mammifère à longue queue à laquelle s'accrochent ses petits ;

piranha, petit poisson carnassier capable de dévorer un bœuf au passage d'un gué ;

jaguar, grand mammifère carnassier ;

couguar, autre nom du *puma* (mot quechua) ;

sapajou et *sagouin*, petits singes très espiègles.

botanique

acajou, bois précieux ;

ipéca, racine aux propriétés vomitives ;

cajou, fruit de l'anacardier, ou faux acajou ;

manioc, dont la racine fournit le *tapioca* ;

ananas, que les indigènes nomment *ana-ana* « parfum des parfums ».

En ce qui concerne *cacatois* : le malais *kakatuwa* a donné, d'une part *cacatoès* (pour l'oiseau), probablement par l'intermédiaire du néerlandais, et d'autre part *cacatois* (pour la voile), passé plus vraisemblablement par le portugais car ce terme est inconnu du langage maritime néerlandais, qui nomme cette voile *bovembramzell*[162].

Pour *sarbacane* : l'emprunt a été fait par le persan, l'arabe puis l'espagnol et enfin le portugais.

MOTS VENUS D'ASIE PAR LE PORTUGAIS

Les mots de la lointaine Asie passés en Europe par l'intermédiaire du portugais ont été replacés dans leur lieu d'origine sur la carte ci-dessous. Le **malayalam** au sud-ouest de l'Inde, le **tamoul** au sud-est de l'Inde et au nord de Ceylan, sont toutes deux des langues dravidiennes ; le **cinghalais**, au sud de Ceylan, est une langue indo-européenne, et le **malais**, une langue indonésienne.

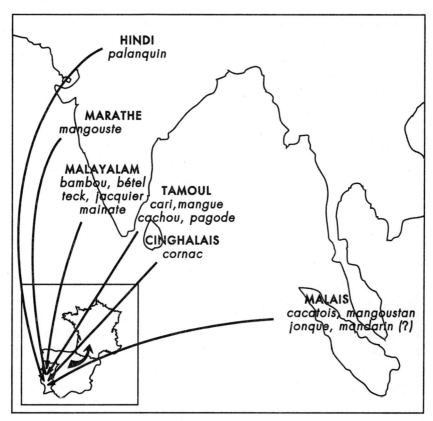

Le malais, langue de passage

Un parallèle peut être établi entre le malais en Extrême-Orient et l'arabe dans la Méditerranée médiévale : les Malais, à la fois habiles marins et commerçants actifs, se chargeaient de transporter des marchandises entre les divers pays d'Asie, et c'est souvent par leur intermédiaire que sont passés les mots venus des régions lointaines [163].

Les mots africains et portugais

Enfin, les rares mots français venus de langues africaines par le portugais appartiennent au domaine bantou : *banane, igname, macaque*.

Parmi les mots venus du portugais d'Europe, certains sont tout à fait descriptifs, imagés et sans mystère :

bayadère, de *bailadeira* « danseuse », dérivé normal de *baile* « bal » ;

cachalot, de *cachalote* « poisson à grosse tête », créé à partir du portugais populaire *cachalo* « tête, caboche » ;

cobra, qui est en français une forme tronquée de *cobra de capelo* « couleuvre à chapeau » ;

pintade « (poule) peinte » ;

paillote, formé sur un mot portugais dérivé de *paja* « paille » ;

fétiche, d'une forme ancienne du portugais *feitiço* « sortilège ».

Un seul terme pose une énigme : celui de *marmelade*. En effet, ce mot, qui désigne en français une préparation sucrée à base de n'importe quel fruit, ne peut s'appliquer en anglais qu'à de la confiture d'oranges, mais il faut savoir qu'en portugais c'était, à l'origine – et c'est toujours – de la confiture de coings (d'après *marmelo* « coing »). Par quel prodige le mot latin MELIMELUM, qui désignait une sorte de pomme douce, a-t-il pu passer de la douceur de la pomme à l'acidité de l'orange ou à l'âpreté du coing ? La connaissance des circonstances historiques du passage d'une langue à l'autre permettra peut-être de le comprendre un jour.

Les créoles

Que sont les créoles ?

Après l'arrivée des Européens, les habitants des Antilles, qui parlaient l'arawak ou le caraïbe, avaient rapidement disparu, du fait des massacres systématiques ou de l'épuisement dû au travail forcé. Les colonisateurs avaient alors eu recours à une main-d'œuvre constituée d'esclaves enlevés sur les terres d'Afrique.

Transplantés en Amérique et répartis dans diverses plantations, ces Africains ont progressivement appris des rudiments de la langue de leurs maîtres, et les créoles sont nés de l'amalgame de leurs langues africaines avec les langues européennes. C'est ainsi qu'on peut parler de créoles à base lexicale française, anglaise, néerlandaise, portugaise.

L'espagnol toutefois pose un véritable problème, jusqu'ici resté insoluble : pourquoi n'y a-t-il pas eu de création de créole à base espagnole en République dominicaine ? Elle constitue pourtant la partie orientale de l'ancienne *Hispaniola*, découverte dès 1492 par Christophe Colomb et qui a constitué le premier élément de l'empire colonial espagnol, alors qu'il existe un créole à base française très vivant dans la partie occidentale, en Haïti [164].

Récréation

DES MOTS VENUS DE LOIN

Composé à partir d'une fable que vous avez tous en mémoire, voici un pastiche avec, en **gras**, des mots empruntés à une famille de langues lointaines. De quelle région du monde viennent-ils ?

Maître *jaguar* en *pirogue* monté
Tenait en sa gueule un *lama*.
Maître *coyote*, par l'*ouragan* chassé
Lui tint à peu près ce charabia :
« Hé, bonjour, Monsieur du *canot* !
Que vous êtes *sagouin* avec vos *mocassins* !
Sans mentir, si vous me donnez
Un bout de *chocolat*
Vous serez le *cacique* des bois de *séquoias*. »

Réponse : des langues amérindiennes (par l'anglais, le portugais ou l'espagnol).

L'apport des créoles

Il reste généralement peu de mots des langues africaines dans les créoles, mais tous les créoles en ont conservé une petite partie, presque toujours dans le domaine des croyances religieuses : témoin *zombie* « revenant », par exemple, qui a été emprunté au créole de Haïti. Mais les mots que le français a pris aux différents créoles sont rares : *biguine* (danse des Antilles), *zouk* « fête », *ouassou* (sorte de grosse crevette) ou *béké* (Blanc des îles depuis plusieurs générations) font seulement de timides apparitions dans le français. Signalons aussi que c'est l'espagnol qui a fourni au français le mot *marron* (de *cimarrón*) dans le sens de « fugitif » en parlant d'un esclave qui s'est enfui et se cache dans les fourrés (*cimarra*).

Enfin, venu d'un créole de l'océan Indien, le mot *tam-tam* a d'abord désigné un tambour, puis une plaque de métal sur laquelle on frappait avec un maillet, ce qu'on a ensuite appelé un *gong*, mot d'origine malaise (cf. ch. 14, *carte* MOTS VENUS D'ASIE PAR L'ANGLAIS, p. 189).

LES CRÉOLES DANS LE MONDE

à base française	Haïti
	Guyane
	Martinique, Guadeloupe, Dominique
	Louisiane : *Negro-French*, à distinguer du *Louisiana French,* qui est une variété de français
	La Réunion, Maurice, Seychelles
anglaise	Jamaïque, Guyane (*taki-taki*, avec une forte proportion de vocabulaire néerlandais et de langues romanes)
	Honduras britannique
	Colombie *(bendê)*
	Virginie (États-Unis)
portugaise	Curaçao (*papiamento*, avec de nombreux éléments néerlandais)
	Guinée
	Cap-Vert
	Casamance [165]
néerlandaise	îles Vierges (*negerhollands*, aujourd'hui probablement disparu)
espagnole	Colombie (*palenquero*, parlé par des descendants d'esclaves marrons [166])

13

LES AUTRES APPORTS EUROPÉENS
(germains, scandinaves, slaves, finno-ougriens)

L'allemand

Les emprunts les plus récents

On a déjà vu l'importance de l'héritage germanique à date ancienne (cf. ch. 8, L'HÉRITAGE GERMANIQUE, p. 83) et la modicité des apports scandinaves des Vikings (cf. ch. 8, § Venus de Scandinavie, d'autres Germains, p. 94) ainsi que l'apport substantiel du néerlandais au Moyen Âge (cf. ch. 9, § Des mots venus du néerlandais, p. 100).

À nouveau, les emprunts aux langues germaniques se sont manifestés à partir du xve siècle, en apportant au français d'une part du vocabulaire familier, parfois même argotique, d'autre part du vocabulaire d'usage général, et qui allait plus tard bien souvent s'imposer à toute l'Europe, presque au monde entier, dans les domaines de la philosophie et de la science.

Le vocabulaire des mercenaires

Il faut accorder toute l'importance qui lui revient à ce vocabulaire légué par les mercenaires suisses et allemands qui, jusqu'au xviie siècle, vont combattre dans les armées du roi ou des princes.

Le mot *bivouac,* par exemple, qui désigne à l'origine une patrouille supplémentaire de nuit, est probablement venu d'un dialecte de Suisse. On peut y reconnaître une forme germanique où *bi* est une particule signifiant « auprès de » et *wacht* « la garde, la veillée ». De même, il faut savoir que sous *chenapan* il y a l'allemand *Schnapphahn* « maraudeur », sous *reître,* l'allemand *Reiter*

« cavalier », sous *rosse*, l'allemand *Ross* « cheval » et sous *trinquer*, le verbe *trinken* « boire ».

D'autres mots et expressions sont plus nettement argotiques :

mouise, d'une forme dialectale *mues* qui, de « bouillie pour les pauvres », a pris, en passant en français, le sens plus dramatique de « misère » ;

loustic, forme presque phonétique de l'adjectif *lustig* « joyeux » ;

faire la bringue, adaptation d'une formule dialectale de Suisse alémanique, utilisée à l'origine pour porter un toast.

Toutes ces expressions semblent s'être propagées au cours de conversations détendues, entre soldats en veine de plaisanteries.

Des mots savants et des mots guerriers

Au XVIIIe siècle, c'est un lexique beaucoup plus savant qui pénètre en français, et c'est surtout la minéralogie qui s'enrichit de termes empruntés à l'allemand, par exemple, *gangue*, de l'allemand *Gang* « chemin, filon », ou encore *cobalt* et *nickel* (cf. ci-dessous, *encadré* DES LUTINS DANS LES MINES).

DES LUTINS DANS LES MINES

Avec le **cobalt** et le **nickel**, nous nous trouvons plongés dans le monde un peu surnaturel des légendes germaniques.

Cobalt est la forme française de l'allemand **Kobalt**, lui-même variante de **Kobold**, nom d'un petit lutin espiègle des mines, qui avait pour mission de voler le minerai d'argent pour le remplacer par du minerai de cobalt.

Nickel représente l'abréviation de **Nicolaus**, qui est le nom donné à un autre lutin malicieux de la mythologie germanique. À l'origine, les mineurs allemands avaient nommé ce minerai **kupfernickel** « lutin du cuivre » car ils l'avaient pris pour un minerai de cuivre. Le terme **nickel** a été créé en 1751 par le minéralogiste von Cronstadt pour le minerai qu'il venait de découvrir [167].

La médecine et la chimie sont aussi redevables à l'allemand d'une partie de leur lexique. Le mot *aspirine*, par exemple, qui date du XIXe siècle, a été créé par un savant allemand à partir du préfixe grec *a-* privatif « sans » et *spirin* « spirée » : il s'agissait en effet de donner un nom à un nouveau produit fabriqué par synthèse alors que jusque-là c'était un produit naturel, extrait des plantes de la famille des spirées. À la même époque prend naissance le nom de la *fuchsine*, pour désigner une matière colorante rouge-violet. Cette fois, c'est le mot allemand *Fuchs* « renard » qui est adopté, pour une raison inattendue mais qui trouve sa justification lorsqu'on sait que l'entreprise française des frères Renard, qui fabriquait ce produit, a voulu ainsi honorer le chimiste allemand Hofmann qui l'avait inventé [168].

Avec le XXᵉ siècle affluent en grand nombre des éléments d'un tout autre domaine, celui du vocabulaire de la guerre (*bunker, ersatz, parabellum, putsch*), mais aussi des termes de biologie, (*gène, plasma*), de chimie (*propergol*) ou de physique (*quanta*).

Certains termes sont arrivés sous une forme abrégée : *nazi* et *stalag* sont des abréviations, respectivement de *National Sozialist* et de *Sta(mm)lag(er),* mot à mot « camp de base », tandis que *LSD* est un sigle représentant *Lyserg Säure Diäthylamid* « di-éthyl-amide de l'acide lysergique ».

Des mots inventés

Il faut insister sur le fait qu'une grande partie de ce vocabulaire emprunté à l'allemand n'appartient pas au vocabulaire traditionnel d'origine germanique, mais qu'il a été, en allemand, l'objet de créations modernes sur des bases gréco-latines, et qui ont été le plus souvent adoptées par la plupart des langues européennes :

à partir du latin	à partir du grec
album	*aspirine*
culturel	*écologie*
déterminisme	*entropie*
diktat	*gène*
harmonica	*leucémie*
introversion	*noumène* (Kant)
kaiser	*paranoïa*
lanoline	*plancton*
libido (Freud)	*plasma* (Dr Schultz)
mutant	*politologie*
parabellum	*pragmatisme*
primat (en philo)	*proclitique*
quanta	*propergol*
quartier-maître	*protoplasme*
statistique	*taximètre*

autres origines

ester, créé par le chimiste Gmelin vers 1850 en combinant la forme *Essig* « vinaigre » et le mot latin, d'origine grecque, *æther* « air ».

zinc, de l'allemand *Zinke(n)* « fourche, excroissance », mot inspiré par la forme dentelée des cristaux de zinc laminé.

croissant, traduction de l'allemand *Hörnchen* « petite corne », nom d'une pâtisserie fabriquée d'abord à Vienne, en 1689, pour fêter la victoire des Autrichiens sur les Turcs, dont l'emblème était un croissant.

Créations particulières

L'évolution des formes latines et des acceptions nouvelles qui se sont imposées sont en général assez faciles à suivre, mais des explications complémentaires sont parfois nécessaires. Par exemple, *album*, qui signifiait « blanc » en latin, ne peut se comprendre dans son nouveau sens que si l'on sait qu'il s'agit d'un raccourci de *album amicorum* « (le livre) blanc des amis », dont les pages blanches sont prêtes à accueillir leurs messages de sympathie à certaines occasions. Pour *parabellum*, première « mitraillette », l'explication se trouve dans le proverbe latin *si vis pacem, para bellum* « si tu veux la paix, prépare la guerre », tandis que pour *statistique* l'étymologie renvoie directement à « ce qui a rapport à l'État », du latin *status* « État ». Quant à *Kaiser*, c'est une adaptation du latin *Caesar*, mot emprunté très tôt par les mercenaires germaniques engagés par Rome, ce qui justifie le *K* de l'allemand *Kaiser*, qui reproduit fidèlement la prononciation du *C* latin (cf. *encadré* TSAR = KAISER = CAESAR, p. 174).

Altérations et interprétations erronées

Le mot *ballon*, dans le sens de « sommet arrondi, montagne érodée », est le résultat d'une méprise : le mot allemand d'origine était *Belchen* « (petite) montagne », qui a été confondu avec *Bällchen* « petite balle », d'où la forme française *ballon* (*ballon de Guebwiller*).

Un autre mot, *bock,* résulte, de son côté, d'erreurs en cascade : les Allemands eux-mêmes s'étaient d'abord trompés sur

Einbeckbier, à l'origine « bière (de la ville) de Einbeck », prononcé parfois *Einbockbier* d'où, avec un découpage erroné, *ein
Bock Bier*. C'est ainsi que le français a adopté le *bock* de bière, qui
en fait n'aurait jamais dû exister.

L'allemand, langue de passage

Situé au centre de l'Europe, à la croisée des grands chemins
commerciaux, au contact avec les langues slaves, finno-
ougriennes et romanes, l'allemand a souvent servi d'intermédiaire
pour transporter du vocabulaire venu, par exemple :
du hongrois : *sabre, goulache, hussard* ;
du tchèque : *calèche* (du tchèque *kolesa*, par l'allemand
Kalesche) ;
et peut-être du serbe : *vampire*.

À LA HUSSARDE

Cette expression, qui indique des manières un peu « cavalières », a
pour origine un mot hongrois désignant la « vingtième personne » qui est
passé en français sous la forme **hussard** avec le sens de « cavalier de
l'armée hongroise ».
Pourquoi ce passage de « 20 » à « cavalier » ? Parce que, en 1458,
pour lutter contre l'invasion turque, les Hongrois avaient levé une cavalerie
légère en enrôlant dans cette troupe un homme sur vingt.

Les langues scandinaves modernes

On a déjà vu que la langue des Vikings avait laissé peu de
traces dans le vocabulaire français (cf. ch. 8, encadré MOTS VENUS
DU VIEUX SCANDINAVE, p. 95), qui a intégré l'essentiel de ces
emprunts anciens sous la forme de mots aujourd'hui parfaitement
fondus dans le reste du lexique. Tel est le cas de *banquise, édredon, narval* ou *renne*.
On ne peut pas en dire autant des emprunts plus récents, qui,
eux, ont pratiquement tous gardé des allures étrangères, comme on
peut le constater dans les quelques mots suivants, d'origine norvé-
gienne : *christiania, fart, fjord, iceberg, rorqual, ski* ou *slalom*,

ainsi que dans *geyser*, qui est à l'origine le nom d'une source
d'eau chaude située dans le sud de l'Islande, ou dans (papier) *kraft*
« fort », d'origine suédoise. Tous ces emprunts sont assez récents
(xviiie ou xixe siècle), à l'exception d'*édredon*, qui est déjà attesté
sous la forme *ederdon* en ancien français, mais qui ne reparaît
dans les textes écrits, sous sa nouvelle forme, qu'au xviiie siècle.

Les langues slaves

En dehors du russe, qui a donné au français une bonne cinquan-
taine de mots, l'apport des langues slaves n'est pas considérable.

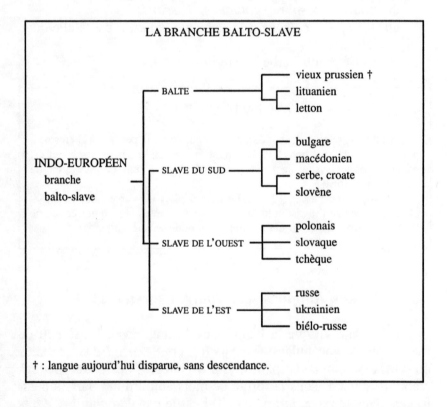

LA BRANCHE BALTO-SLAVE

- BALTE
  - vieux prussien †
  - lituanien
  - letton

INDO-EUROPÉEN
branche
balto-slave

- SLAVE DU SUD
  - bulgare
  - macédonien
  - serbe, croate
  - slovène

- SLAVE DE L'OUEST
  - polonais
  - slovaque
  - tchèque

- SLAVE DE L'EST
  - russe
  - ukrainien
  - biélo-russe

† : langue aujourd'hui disparue, sans descendance.

Un peu de russe en français

Les premiers emprunts au russe semblent avoir été les mots
boyard (xve siècle) et *cosaque* (en 1609). Mais il faut attendre le
xixe siècle pour voir du vocabulaire russe entrer dans la littérature

LA VERSTE ET LE VERS

Aussi étonnant que cela puisse paraître, la **verste** russe et le **vers** (poétique) français ont la même étymologie. Le mot russe **verste** désigne en effet d'abord le tournant que la charrue effectue au bout du champ et, à partir de là, la distance que parcourt une charrue avant de faire demi-tour à l'extrémité du sillon. Le mot français **vers** vient du latin VERSUS qui désignait également le tournant que le laboureur fait exécuter à sa charrue au bout du champ (du verbe latin VERTERE « tourner »).

Rapprocher ces deux mots, c'est donc confirmer, par-delà les siècles, la parenté génétique des langues slaves et des langues issues du latin, qui constituent deux branches importantes de la famille indo-européenne [169].

française : chez Madame de Staël on lit, par exemple, *moujik, ukase* ou *verste.*

Chez Alexandre Dumas père, on peut trouver des attestations fréquentes de *tzar, tzarévitch, tzarine* (avec cette graphie), *rouble, kopeck, troïka, samovar, vodka, isba* ou *knout* et, chez Prosper Mérimée, *kourgane* (qui désigne en russe un tumulus) et *zibeline* (ce dernier mot est d'abord passé par l'italien). De plus, à partir de 1917, les mots *soviet* et *bolchevik* commencent une carrière qui sera longue [170].

C'est d'une langue de Sibérie que vient le mot *mammouth,* qui désigne un gigantesque éléphant fossile. D'abord passé par le russe, il semble avoir transité par l'anglais *mammuth* avant de devenir un mot français.

Manger et boire à la mode russe

Zakouskis, koulibiac, blinis et *belouga* sont arrivés sur les tables françaises, souvent accompagnés de *vodka,* et la forme de leurs noms russes devenus français mérite quelques commentaires, et tout d'abord une remarque grammaticale : quand le mot est passé en français, on n'a pas vu que *blini* était déjà un pluriel en russe (dont le singulier est *blin)* et la même méprise s'est produite pour *zakouski* (singulier *zakouska).* Autre précision intéressante, qui rapproche *vodka* du mot d'origine celtique *whisky* (de *uisgebeatha* « eau-de-vie »), la *vodka,* c'est la « petite eau », diminutif de *voda* « eau ». Le mot *belouga,* que l'on découvre sur certaines boîtes de caviar, est un mot russe désignant une espèce de marsouin blanc (mot de la même racine que *biélo-russe* « russe blanc »).

TSAR = KAISER = CAESAR

Le mot **tsar,** qui désigne le monarque en russe, est lui-même un très ancien emprunt au latin **Caesar**, qui a aussi été emprunté par les langues germaniques sous la forme **Kaiser** (cf. ch. 13, § Créations particulières, p. 170).

Le polonais : une danse, une pâtisserie, une graphie

Le polonais n'a transmis au français que peu de mots, mais ils accompagnent des événements agréables : par exemple, le nom d'une danse populaire, la *mazurka*, introduite en France au XIXᵉ siècle, et celui d'un gâteau, le *baba*. On pense que ce dernier a fait son entrée en français vers le milieu du XVIIIᵉ siècle, à l'occasion du mariage de Marie Leczinska, fille du roi de Pologne, avec Louis XV.

Par ailleurs, on a des doutes sur l'origine (polonaise ou russe ?) de la *chapka* (ou *chapska*) « bonnet de fourrure », et également de la *meringue*, qui pourrait venir tout simplement du latin MERENDA « petit repas [171] ».

En revanche, il est sûr que la graphie *czar* pour désigner le *tsar* est polonaise, mais seule la graphie est différente car le mot se prononce également [tsar] en polonais.

Le tchèque

Contrairement à l'incertitude qu'on peut avoir sur l'origine polonaise de certains mots français, on a l'assurance de l'origine tchèque de *calèche, obus, pistolet* et *robot*. *Calèche* et *obus* ont probablement été introduits en français par l'intermédiaire de l'allemand. On sait d'autre part que *robot*, qui vient d'un mot tchèque désignant le travail forcé, a été créé par le dramaturge Kariel Čapek pour sa pièce *Les Robots universels de Rossum* (1924) [172].

Les autres langues de l'Europe

On ne peut pas terminer ce chapitre sans dire quelques mots de ces langues de l'Europe qui ne font pas partie de la famille indo-européenne et qu'on nomme **finno-ougriennes** : le **hongrois**, le **lapon** et le **finnois**, bien que leurs apports aient été bien modestes. Pourtant, *sabre, soutache* et *shako* ont été empruntés au hongrois ainsi que *goulache* et *paprika*.

En outre, le nom du mammifère marin qu'on nomme le *morse* doit son nom au lapon, tandis que c'est du finnois que vient la mode du *sauna* et tout naturellement le mot pour le dire.

Enfin, le mot *coche* (pour désigner une voiture couverte) a une origine contestée, mais il pourrait venir du nom d'un relais de poste situé entre Vienne (Autriche) et Pest, la ville basse de Budapest, sur la rive gauche du Danube.

14

L'ANGLAIS

L'anglais, vieux compagnon de route

Comme on l'a vu, tout au long de son histoire la langue française a côtoyé de nombreuses autres langues, auxquelles elle a le plus souvent beaucoup donné, et auxquelles elle n'a pas hésité à emprunter, parfois seulement quelques mots correspondant à des produits, des fruits ou des fleurs venus d'ailleurs, parfois des masses considérables de mots usuels ou recherchés, comme cela a été le cas pour l'italien.

Récréation

LE CLOWN ET LE BOUFFON

1. Les mots en **gras** proviennent des deux langues auxquelles le français a le plus emprunté. Quelles sont ces deux langues ?

2. Rendez à chacune les mots qui lui reviennent.

3. De très loin, ces quelques lignes rappellent les premiers vers d'une fable de La Fontaine. Laquelle ?

> Le **clown** un jour dit au **bouffon** :
> « Vous avez bien sujet d'accuser la **diva**.
> Un **partenaire** pour vous est un lourd **parangon**,
> La moindre **vamp** qui vous charma
> En roucoulant des **trémolos**
> Vous fait perdre vos airs de parfait **maestro**,
> Cependant que mon nez de **paillasse en carton**
> M'apporte des **oscars** et des tas de **bravos**. »

Réponses : 1. l'italien et l'anglais – 2. italien : *bouffon, bravo, carton, diva, maestro, parangon, paillasse, trémolo* ; anglais : *clown, oscar, partenaire, vamp.* 3. « Le chêne et le roseau » : « Le chêne un jour dit au roseau / Vous avez bien sujet d'accuser la nature / Un roitelet pour vous est un pesant fardeau / Le moindre vent qui d'aventure / Fait rider la face de l'eau / Vous oblige à baisser la tête / Cependant que mon front, au Caucase pareil / Brave l'effort de la tempête. »

Avec l'anglais, depuis neuf siècles, les rapports ont toujours été très intimes, mais l'échange entre les deux langues n'a jamais cessé d'être déséquilibré : entre le milieu du xɪᵉ siècle et le xvɪɪᵉ siècle, le français a fourni à l'anglais des milliers de mots nés en son giron, mais ce n'est qu'à partir du milieu du xvɪɪɪᵉ siècle que le processus s'est inversé et que les mots anglais ont traversé la Manche pour nourrir la langue française. Depuis le milieu du xxᵉ siècle, le phénomène s'est considérablement accéléré – certains disent : dangereusement – tout en changeant d'itinéraire, car c'est aujourd'hui d'outre-Atlantique que viennent les emprunts les plus spectaculaires.

D'abord du français vers l'anglais...

Les débuts de ces échanges remontent à la conquête de l'Angleterre par Guillaume de Normandie avec, pour conséquence, du xɪɪɪᵉ au xvᵉ siècle, une présence constante de la culture française et de la langue qui la véhiculait. Des mots appartenant à des domaines aussi divers que *tower* (du français *tour*), *butler* (de *bouteiller* « échanson »), *table, lamp, gentle* (d'abord « bien né », puis « généreux », enfin « de bonne famille », d'où *gentleman*), *pilgrim* (de l'ancien français *pelegrin*) ou *forest* (français moderne *forêt*) sont entrés dans le vocabulaire anglais avant le xɪvᵉ siècle. Le verbe si typiquement anglais *to wait* a pour origine un verbe de l'ancien français, *guaitier* « guetter », et c'est ce sens que *to wait* avait aussi en anglais au xɪɪᵉ siècle. L'évolution sémantique vers « attendre » s'explique aisément et, au xɪvᵉ siècle, un sens dérivé, plus inattendu, mais compréhensible, est apparu en anglais, celui de « servir à table », d'où *waiter* « garçon, serviteur [173] ».

C'est surtout pendant ce xɪvᵉ siècle que s'est produite une véritable invasion de mots français. On compte, par exemple, chez Chaucer (1340-1400) près de 250 mots français qu'il est le premier à utiliser. À cette époque se multiplient en particulier les emprunts de termes abstraits (*influence, variation, virtue,* etc.) qui se poursuivront jusqu'à nos jours, et qui s'ajoutent à des termes de la vie quotidienne, comme *library* « bibliothèque » (ce mot avait encore ce sens en français chez Montaigne), *army, ticket* (du moyen français *estiquet,* qui désignait une marque fixée à un pieu), *sauce, toast* (de l'ancien français *toster* « rôtir ») ou *marmalade.* Ce dernier est un mot que le français avait lui-même auparavant emprunté au portugais (cf. ch. 12 § Les mots africains et portugais, p. 164).

Ce qui est le plus remarquable lorsqu'on examine les milliers de mots passés au cours des siècles du français à l'anglais [174], c'est qu'ils s'y sont si bien intégrés qu'ils ont la plupart du temps l'allure de mots nés en Angleterre. Si bien que, lorsqu'ils sont revenus en français plusieurs siècles plus tard sous leur nouvelle forme, on ne les reconnaissait plus. Il est banal de citer « l'aller et retour » de *flirter,* qui n'est autre que *fleureter* « conter fleurette », ou celui de *tennis*, de *tenetz* « tenez ! », exclamation entendue au jeu de paume au moment de lancer la balle.

QUELQUES MOTS ANGLAIS VENUS DU FRANÇAIS

apron « tablier », ancien français **naperon**, d'abord *a napron*, devenu ensuite, par fausse segmentation, *an apron.*

bacon, ancien français **bacon** « pièce de porc salé ». Le mot est d'origine germanique, mais passé en anglais par l'intermédiaire du français.

bargain « marché, affaire », ancien français **bargaignier** « commercer » (cf. le français moderne **barguigner**).

cabbage « chou ». Il s'agit d'une métaphore à partir de **caboche** « tête », mot d'origine normande.

cattle « bétail », sur une forme normande de **cheptel**.

country « campagne », puis « pays natal », de l'ancien français **cuntree** « parcelle de terre, pays natal » (cf. le français moderne **contrée**).

curtain « rideau », ancien français **cortine** « rideau de lit ».

journey « voyage ». C'était, à l'origine, un voyage d'une journée.

match « allumette », ancien français **meiche**, français moderne **mèche**.

mushroom « champignon », du français **mousseron**.

noise « bruit », ancien français **noise** « querelle » (bruyante). Le mot n'a survécu en français que dans l'expression **chercher noise**.

plenty « beaucoup », ancien français **plentee** « grande quantité ».

porridge « bouillie », altération de l'ancien français **potage** « ce qui est cuit dans un pot ».

to purchase « acheter », ancien français **pourchasier** « tenter d'obtenir ».

to toast « faire griller », ancien français **toster** « rôtir ».

Mais qui se douterait que l'adjectif anglais *nice* est d'origine française ? C'est pourtant bien un mot français, qui signifiait « stupide, simple d'esprit », du latin NESCIUS « ignorant [175] ». Passé en anglais au XIIIe siècle, avec le sens de « sot », l'adjectif a ensuite pris le sens peu prévisible de « précis » au XVIe siècle, pour finalement signifier « agréable » à partir du XVIIIe siècle. De même, l'adjectif anglais *very*, dans le sens de « véritable » (*this very person* « cette personne même ») a pour origine l'adjectif français *vrai*.

La liste de l'encadré ci-dessus, p. 179, réserve quelques autres surprises.

... puis de l'anglais vers le français

Le processus d'emprunt en sens inverse a mis du temps à se mettre en place, mais, depuis deux siècles, quelle profusion !

C'est approximativement de l'époque de la Révolution française que l'on peut dater les premiers emprunts massifs du français à l'anglais. Les Français venaient de découvrir le système parlementaire britannique et ils en avaient conçu une telle admiration que la plus grande partie du vocabulaire de la vie politique en avait été envahie. Voltaire avait passé trois ans en Grande-Bretagne et il avait fait connaître en France à la fois les philosophes d'outre-Manche et les jardins à l'anglaise. C'est alors que tout un vocabulaire institutionnel venu d'Angleterre a déferlé dans les milieux révolutionnaires.

L'anglais avait puisé dans le latin

Mais il ne faudrait pas croire que le français se soit alors dangereusement anglicisé, car tout ce vocabulaire de la vie politique est tellement imprégné de latin qu'il aurait aussi bien pu prendre naissance en français, comme le montrent, parmi des centaines d'autres, les quelques exemples ci-dessous :

amendement	*inconstitutionnel*
pétition [176]	*officiel*
convention	*respectabilité*
législature	*sélection*
majorité	*vote*
minorité	*impopulaire*
session	*verdict* (du latin VERE DICTUM)

Outre la vie politique, il y avait aussi les arts et les lettres : le terme *romantique*, par exemple, a d'abord vu le jour dans des écrits anglais pour qualifier un paysage, un jardin, puis un tableau. Il a ensuite été étendu au domaine littéraire.

VOYAGE SENTIMENTAL

Le mot *sentimental* n'existe en français qu'à partir du milieu du xviiie siècle.

Il a été forgé d'abord en anglais à partir de *sentiment* (mot emprunté au français dès le xive siècle) et s'est répandu en France à la suite de la traduction parue en 1769 du roman de Laurence Sterne *The Sentimental Journey* (1768). Le traducteur de cet ouvrage, Fresnais, confirme ainsi la nouveauté du mot en français au milieu du xviiie siècle :

« Le mot anglais *sentimental* n'a pu se rendre en français par aucune expression qui pût y répondre et on l'a laissé subsister. Peut-être trouvera-t-on en lisant qu'il méritait de passer dans notre langue [177]. »

C'est aussi en anglais qu'a été créé l'adjectif français *confortable* (mais l'adjectif anglais *comfortable* avait été formé à partir du français *confort*). Signalons aussi l'adjectif *populaire*, qui prend le nouveau sens de « qui plaît au peuple », alors que précédemment il signifiait seulement : « relatif au peuple ».

De nouveaux verbes commencent aussi à s'employer, malgré des réticences, comme, par exemple, *disqualifier, libéraliser, influencer* ou *utiliser* [178].

Les « allers et retours »

Ces quelques rappels ne font que confirmer le retour au pays natal de quantités de mots français, parfois sous une nouvelle forme, souvent avec un nouveau sens, comme on peut le constater dans les quelques exemples suivants, empruntés à différentes époques :

> *auburn*, de l'ancien français *alborne* « blond », où l'adjectif latin ALBUS « blanc » était plus facilement identifiable
> *cash*, de *caisse,* ce qui suggère l'idée qu'à l'époque de l'emprunt la prononciation de la consonne *s* en français était assez proche de celle du *s* castillan (un peu comme dans *cache*)

LES « CHUINTEMENTS » DE L'ANGLAIS

Si l'on compare certains mots anglais aux mots français dont ils sont issus, comme

mushroom	du français	*mousseron*
cash	– –	*caisse*
push	– –	*poussent*
finish	– –	*finissent*
perish	– –	*périssent*
nourish	– –	*nourrissent,*

on peut faire l'hypothèse qu'à l'époque où ces mots ont été empruntés les *s* de *mousseron, caisse, poussent*, etc. ne se prononçaient pas comme aujourd'hui, mais avec un léger chuintement, c'est-à-dire qu'ils se rapprochaient de *ch.*

---

comité, du participe passé de *commettre* « désigner »

computer : ce substantif est issu de la même racine que *compter*, du latin COMPUTARE. En français, il a été assez vite remplacé par *ordinateur*

interview, de *entrevue*. Mais l'*interview* est destinée à être rendue publique, tandis que l'*entrevue* désigne n'importe quel entretien et peut même être confidentielle

mess (des officiers), de même origine que *mets*

nurse, de *nourrice*. Le mot *nurse* a ensuite pris en anglais le sens de « infirmière », mais, revenu en français, il a gardé le sens de « gouvernante d'enfants »

pedigree, du français *pied de grue,* par allusion à la disposition des arbres généalogiques, en forme d'empreinte de patte d'oiseau

rail « barre », de l'ancien français *rail* « barre de fer »

redingote, où *-gote* représente l'ancien français *cotte* (devenu l'anglais *coat*)

rosbif, où l'on reconnaît l'ancien français *rostir*, plus tard *rôtir*, et l'ancien français *buef* « bœuf », sous une forme graphique altérée. La première attestation en français l'a été sous la forme *rôt de bif* (1740)

rush (to) « se ruer, se précipiter », de l'ancien français *reüser* « mettre en fuite, faire reculer », du latin RECUSARE « refuser »

sport, de l'ancien français *deport* « amusement ». En anglais,
ce terme a signifié « plaisanterie », puis « jeu en plein air »
test « essai », de l'ancien français *test* « pot servant à l'essai
de l'or ».

Après plusieurs siècles d'adaptation à l'anglais, ces vieux
mots français se sont fait une nouvelle jeunesse. Quelquefois ils
ont acquis une signification particulière, comme c'est le cas pour
interview, et d'autres fois ils ont miraculeusement retrouvé,
comme dans *rosbif*, la forme et le sens qu'ils avaient en ancien
français.

Des formes nouvelles

D'autres mots, cette fois vraiment d'origine anglaise,
pénètrent en masse en français au cours du XVIIIe, puis du
XIXe siècle. Tel est le cas de *club, jockey* ou *pickpocket,* qui ont
conservé leur forme graphique d'origine.

Mais, avec le temps, certains mots se sont progressivement
conformés aux habitudes de l'orthographe française :

bowl, encore graphié ainsi chez Brillat-Savarin [179] en 1826 ;
ce mot est devenu plus tard *bol*

partner, encore graphié ainsi par Balzac en 1836 (aujourd'hui
partenaire)

névrose, mot forgé par le médecin écossais William Cullen
(neurosis) et traduit en *névrose* par le docteur Philippe
Pinel.

Des significations nouvelles

En suivant chronologiquement la progression de certains
mots venus d'Angleterre, on perçoit mieux le cheminement des
emprunts lexicaux : dans un premier temps, une grande partie de
ce vocabulaire n'a été utilisée qu'en référence à la vie parlementaire anglaise. Et ce n'est le plus souvent que quelques décennies plus tard que ces mots ont pu être appliqués à des réalités
françaises.

	en référence à la Grande-Bretagne	en référence à la France
club	1702	1774
vote	1702	1789
pétition	1704	1789
majorité	1735	1760
opposition	1745	1772
motion	1775	1789
respectabilité	1784	1862
jury	1790	1793
verdict	1790	1796

Il faut en outre insister sur le fait que, à l'exception de *club*, tous ces mots existaient déjà en français, mais :

vote, uniquement avec le sens de « vœu », depuis le XVIᵉ siècle

pétition, employé jusque-là dans l'expression *pétition de principe* « lorsqu'on allègue pour preuve la chose même qui est en question » et non pas dans le sens restrictif, nouveau, de « demande adressée à une autorité supérieure [180] »

majorité, seulement en rapport avec l'âge auquel on devient majeur, et non pas dans le sens nouveau de « nombre excédant la moitié des votes [181] »

motion, depuis le XIIIᵉ siècle, dans le sens de « mise en mouvement ». La nouvelle acception désigne « l'action d'un orateur qui meut une assemblée par une proposition [182] »

jury, sous la forme *jurée*, et dans le sens ancien de « serment juré ». L'emprunt du mot *jury* à l'anglais correspond au sens actuel, pour désigner l'ensemble des personnes appelées à juger. Ce terme se distingue désormais de *juré*, qui désigne chacun des membres d'un *jury*

verdict : le mot avait été emprunté à l'ancien français *veir dit* « jugement », du latin VERE DICTUM.

Des calques encore en usage

C'est aussi à partir de la Révolution que pénètrent, pour s'installer définitivement dans la langue française, des calques de l'anglais, c'est-à-dire des expressions traduites mot à mot de l'anglais, comme celles-ci :

lune de miel	*liberté de la presse*
juge de paix	*ordre du jour*
machine à vapeur	*libre-penseur*
question préalable	*hors-la-loi*

ou encore *sélection naturelle.* Cette dernière expression figure dans la 7ᵉ édition (1878) du *Dictionnaire de l'Académie.*

Les anglicismes et l'Académie française

Le rythme d'entrée des anglicismes dans le *Dictionnaire de l'Académie* permet de mesurer les progrès de ce vocabulaire dans la norme. La première édition, en 1694, contenait seulement les 11 mots suivants :

boulingrin, de *bowling green,* supprimé en 1933
dériver, de *drive*
dogue
doguin « jeune dogue »
falot, de *fellow*
gigue
haquenée « petite jument »
moire, prononciation à la française de *mohair*
ramberge « embarcation », de l'anglais *rowbarge*
parlement, en référence au parlement anglais
puritain, de l'anglais *puritan.*

Parmi les 7 anglicismes entrés à l'occasion de la 2ᵉ édition (1718), on trouve *contredanse* (de *country-dance)* et *paquet-bot,* qui ne deviendra *paquebot* que dans la 5ᵉ édition (1798). Mais il serait fastidieux d'énumérer

les	8 anglicismes de	la 3ᵉ édition (1740)
les 54	– –	4ᵉ – (1762)
les 60	– –	5ᵉ – (1798)
les 97	– –	6ᵉ – (1835)
les 25	– –	des compléments de 1836 et 1866
les 114	– –	7ᵉ – (1878)
les 164	– –	8ᵉ – (1932-1935)

soit au total quelque 540 anglicismes (jusqu'en 1935).

La 9ᵉ édition étant en cours, on ne peut pas donner de chiffres, mais on peut aisément constater une progression constante depuis la première édition de 1694.

L'examen de ces listes montre aussi qu'auprès de mots encore parfaitement compris et utilisés comme :

punch, héler, yacht (4ᵉ éd. 1762)
interlope, stock (5ᵉ éd. 1798)
partenaire, plaid (6ᵉ éd. 1835)
reporter (n. m.), *confortable, meeting* (7ᵉ éd. 1878)
docker, vaseline, poker, raid (8ᵉ éd. 1932-1935)

on trouve, dans ces anciennes éditions du *Dictionnaire de l'Académie*, bon nombre d'anglicismes aujourd'hui complètement sortis de l'usage, comme :

sloop, quarter (nom de mesure), *squire, puddlage, truck, brushel, teddy,*
ou devenus très rares, comme :
fashionable, spleen, raout, cottage, steamer ou *turf*[183].

L'anglais, transporteur de mots

De même que l'espagnol avait été une langue de passage entre l'arabe et le français, puis entre les langues amérindiennes et le français, de même que le portugais avait été un passage obligé des langues indigènes du Brésil et de certains pays d'Asie (cf. ch. 12, *carte* MOTS VENUS D'ASIE PAR LE PORTUGAIS, p. 163), l'anglais a joué un rôle d'intermédiaire pour les mots exotiques nés dans les langues indigènes d'Amérique ou dans celles d'Asie (cf. ci-contre, *carte* MOTS VENUS D'AMÉRIQUE DU NORD).

Des mots amérindiens

C'est surtout par l'intermédiaire de l'anglais, mais aussi par le français du Canada, qu'a pénétré en français la plus grande partie du vocabulaire venu des populations indigènes d'Amérique et tout particulièrement de l'**algonquin**, langue amérindienne du Canada et des États-Unis :

caribou, ou *renne du Canada*
manitou, d'un mot signifiant « grand Esprit »
mocassin, d'abord emprunté directement par le français du Canada, puis répandu en France par l'intermédiaire de l'anglais
opossum, sorte de sarigue, au pelage noir et gris

pacane, ou *noix de pécan*

skunks, ou *sconse*, autre nom de la mouffette, animal renommé pour sa fourrure et sa forte odeur

squaw « femme indienne »

toboggan « traîneau », puis « piste glissante »

tomahawk, d'un mot signifiant « il coupe », d'où « hache de guerre »

totem, d'abord « animal protecteur d'un clan », puis « fétiche ».

MOTS VENUS D'AMÉRIQUE DU NORD

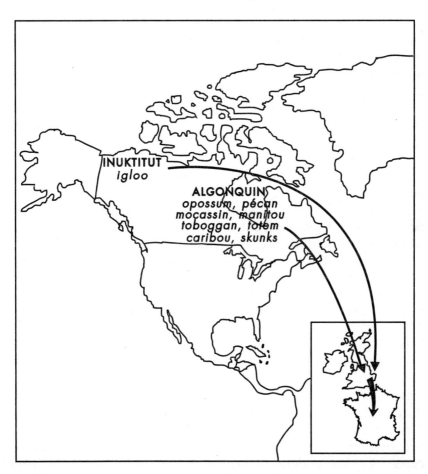

Récréation

LE SÉQUOIA, VIEUX, GÉANT ET SAVANT

Cet arbre de Californie mérite une mention toute particulière, car :
1. Il peut atteindre jusqu'à 145 mètres de hauteur. Vrai ou faux ?
2. Il peut vivre plus de 3 000 ans. Vrai ou faux ?
3. Il tient son nom de celui d'un grand chef sioux **See-Quayah** [184], célèbre pour avoir inventé une écriture pour sa langue. Vrai ou faux ?

Réponses : 1. Vrai – 2. Vrai – 3. Vrai.

Des mots venus d'Asie

De son voyage aux Indes, l'anglais a rapporté en Europe un grand nombre de mots, qui ont ensuite été adoptés par les autres langues de l'Occident. Certains d'entre eux figurent sur la carte ci-contre.

Si l'on a la curiosité de comparer cette carte à la carte sur les MOTS VENUS D'ASIE PAR LE PORTUGAIS (ch. 12, p. 163), on remarquera sans doute que *cari* et *curry* viennent tous deux du tamoul, et on comprendra alors la raison des deux variantes en français : l'une, *cari*, a gardé la graphie portugaise, et l'autre, *curry*, la graphie anglaise.

À propos des mots venus du tamoul, on sera peut-être étonné de ne pas voir *trimaran* à côté de *catamaran*. C'est qu'en fait seul *catamaran* est vraiment issu du tamoul. Le mot est formé sur *katta* « lien » et *maram* « bois », le *catamaran* étant à l'origine une embarcation faite de deux troncs d'arbre évidés et assemblés par des liens. Lorsque les Occidentaux ont réalisé une embarcation à trois coques sur le modèle du *catamaran*, ils l'ont tout naturellement – mais contre tout respect de l'étymologie de *catamaran* – baptisée *trimaran*.

Parmi les mots venus du hindi, le mot *tallipot* peut sembler d'un exotisme exagéré. Il s'agit en fait d'une sorte de palmier parasol dont le nom savant, *corypha umbraculifera*, évoque sa qualité de porteur d'ombre rafraîchissante. Cet arbre a aussi d'autres vertus : ses feuilles séchées servent encore à confectionner ces livres manuscrits à couverture de bois que l'on peut se procurer à Ceylan, et dont les longues pages étirées horizontalement sont retenues par un cordon passé au travers de chacune d'entre elles.

MOTS VENUS D'ASIE PAR L'ANGLAIS

C'est par l'intermédiaire de l'anglais que le français a connu, puis adopté un grand nombre de mots venus d'Asie (cf. aussi ch. 12, *carte* DES MOTS VENUS D'ASIE PAR LE PORTUGAIS, p. 163).

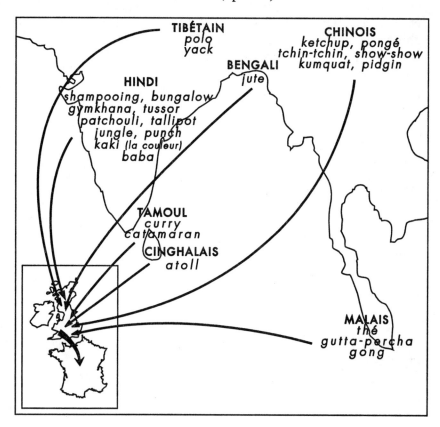

Le nom du *shampooing* affiche clairement son passage par l'anglais par sa terminaison en *-ing*, ajoutée à *shampoo*, dont le sens premier, emprunté au hindi, était « masser ». La prononciation en français de *shampooing*, qui rime avec *poing*, montre en même temps que c'est certainement sous sa forme écrite que le mot est passé en français et qu'il a été lu comme un mot français (cf. aussi l'ancienne graphie française *chelin* de l'anglais *shilling*).

Toujours sur le plan de la prononciation, signalons celle de *punch* (avec la même voyelle que dans le français *tronche*), du hindi *panch* « cinq ». Sur le plan de la signification, ajoutons qu'il faut y voir l'évocation des cinq éléments entrant à l'origine dans la composition de cette boisson. Au XVIIᵉ siècle, on disait *bolle-ponche*, mot formé à partir de l'anglais *bowl of punch*.

Enfin, deux mots venus du chinois par l'intermédiaire de l'anglais méritent d'être commentés : *pidgin*, qui correspond à la prononciation – tout approximative – du mot *business* en chinois, et *ketchup*, qui est l'adaptation – tout aussi libre – d'un mot chinois désignant la saumure de poisson. Il est possible que les Anglais l'aient connue par l'intermédiaire du malais, mais il faut préciser que la sauce qui a été commercialisée sous ce nom n'a plus aucun rapport avec le produit d'origine.

POURQUOI *THÉ* ET NON PAS *CHA* ?

En fait, le mot qui désigne la plante et la boisson que nous nommons le **thé** vient du chinois **cha**, et c'est cette même forme, à peine altérée, qu'on retrouve en arabe, en russe, en portugais, en turc ou encore en persan, qui semblent l'avoir empruntée directement au chinois classique. En revanche, l'anglais aurait emprunté ce mot au malais *te*, avant de le répandre dans certaines langues de l'Europe, et en particulier en français.

Les anglicismes aujourd'hui

C'est l'abondance accrue de termes anglais dans quelques domaines particuliers qui frappe aujourd'hui les observateurs, et certains s'en émeuvent.

Il est indéniable que nos contemporains donnent de plus en plus volontiers la préférence à certaines expressions anglaises dans leurs communications journalières : elles leur semblent incomparablement plus expressives, et en tout cas plus « dans le vent » que leurs équivalents français. C'est une mode qui touche surtout quelques domaines privilégiés :

• **le monde du spectacle**, où bon nombre de formes anglaises sont devenues familières. Par exemple :

casting pour	*distribution* (cinéma, théâtre)
live	*en public* (mais *live*, pour un spectacle, n'est pas le synonyme de *direct*, car il peut s'agir d'un enregistrement précédemment réalisé en *public*, mais dont la diffusion a été différée, tandis que pour le *direct*, le spectacle est concomitant avec la diffusion)

clip   *bande vidéo promotionnelle, bande promo*
remake   *nouvelle version* (d'un film, d'un spectacle)
non stop   *permanent, continu*
(press)-book   *album de presse* (où l'artiste rassemble les articles de presse le concernant)

- **le monde des affaires et de la publicité**, où l'on préfère :

sit-in   à *occupation des locaux*
mailing   *publi-postage*
pack   *lot d'articles vendus ensemble*
package   *forfait, tout compris.* Ce terme est aussi utilisé par les voyagistes (encore désignés par l'anglicisme *tour operators*) qui proposent un prix global pour le transport et le séjour
packaging   *conditionnement* (d'un produit). Le terme anglais ne recouvre pas seulement l'emballage protecteur mais l'ensemble de la présentation et se réfère souvent à son esthétique
showroom   *salle d'exposition,* où les produits sont seulement présentés mais ne sont pas vendus sur place
designer   *styliste.* Le terme anglais s'applique à toutes sortes d'objets de consommation courante, et non pas à la seule mode vestimentaire
rough   *prémaquette, maquette d'essai.* Le terme s'emploie surtout dans la publicité et l'audiovisuel

- **le monde des médias**, où l'on entend souvent :

au feeling   plutôt que *au sentiment, à l'intuition*
free-lance   plutôt que *travailleur indépendant, pigiste*
private joke   qui désigne une plaisanterie ou une allusion compréhensible uniquement par les personnes qui sont de connivence

- **le domaine des sports**, étendu métaphoriquement à d'autres domaines, où l'on préfère :

pole position à position de tête
top niveau   *du plus haut niveau*
le top (de)   *le summum (de)*
badge   *insigne* (carte d'identification portée sur le vêtement).

LE COCA-COLA,
UNE BOISSON AFRO-AMÉRICAINE CENTENAIRE

Cette boisson, dont le nom est une marque déposée depuis 1886, contient à la fois des extraits de feuilles de **coca**, arbrisseau d'**Amérique** tropicale (Mexique, Pérou) dont a été soigneusement retiré le principal composé, la cocaïne, et des extraits de noix de **cola**, fruit d'**Afrique** tropicale riche en caféine [185].

Emprunts visibles et emprunts dissimulés

Tous les emprunts ne disent pas leur nom. Si les usagers identifient sans peine immédiatement comme des anglicismes les formes en *-ing (jogging, parking, mailing)* ou les substantifs du type *skipper* « barreur » (d'un voilier), ou encore des expressions comme *top model* « mannequin vedette » ou *desk* « bureau des dépêches » (dans une agence de presse), c'est surtout parce que la graphie ou la phonie de ces mots ne suivent pas les règles traditionnelles du français. Mais devant des expressions comme *donner le feu vert* ou *prendre en compte,* qui nous viennent d'outre-Manche, il faut vraiment faire un effort pour se rappeler que les formes françaises traditionnelles correspondantes étaient naguère respectivement *donner l'autorisation* et *tenir compte (de).* De nos jours, de tels calques de l'anglais s'infiltrent sans attirer l'attention, comme c'est le cas pour *ce n'est pas ma tasse de thé,* qui remplace de façon plus imagée l'ancienne formule *très peu pour moi.* L'expression *être en charge (de)* devient plus fréquente que *être responsable (de),* et on parle de plus en plus du *futur* plutôt que de l'*avenir.* Mais qui prend conscience de ces anglicismes ?

Beaucoup plus anciens, certains autres anglicismes sont encore plus difficiles à déceler aujourd'hui parce qu'ils datent de plus de deux cents ans : *prendre en considération, hors-la-loi, lune de miel, libre-penseur, non-sens,* tout comme le substantif *patient* et les adjectifs *romantique* et *sentimental* n'ont gardé aucune trace de leur origine britannique, de même que le vocabulaire de la vie politique emprunté à l'anglais au moment de la Révolution (cf. ci-dessus, § ... puis de l'anglais vers le français, p. 180).

Les anglicismes pernicieux

Récemment, certains anglicismes se sont révélés plus dangereux, car les formes adoptées coexistent avec des formes françaises identiques, mais pour exprimer un sens assez différent, parfois même très différent. Tel commentateur sportif, par exemple, décrit l'arrivée d'une étape du Tour de France en employant le verbe *contrôler* avec le sens de « diriger, être maître de la situation » ; tel présentateur du journal télévisé parle d'*armes non conventionnelles* pour désigner des armes chimiques, et personne ne se rend compte qu'en employant le terme *interférence* on fait aussi un anglicisme si on l'emploie comme un synonyme d'*ingérence*. Le verbe *supporter* peut aussi prêter à confusion, car il est parfois employé de nos jours avec le sens que le verbe *to support* a en anglais (« soutenir »). Enfin, *versatile* est une forme particulièrement trompeuse, car cet adjectif, péjoratif en français (« qui change souvent d'avis, girouette »), ne l'est pas du tout en anglais, où il signifie « qui a plusieurs talents, plusieurs possibilités » et où il représente au contraire une qualité.

Ces exemples sont évidemment des cas extrêmes, et les emprunts susceptibles de créer des difficultés dans la communication restent en fait l'exception.

Les grands résistants

En revanche, sont entrés dans nos discours quotidiens des anglicismes pour lesquels on aurait du mal à trouver un équivalent français, à moins d'avoir recours à une longue périphrase. Tel est le cas des *boots* et du *hold-up*, du *cutter* et du *flash*, du *dealer* et de l'*overdose*, du *brushing* et du *lifting*.

Le petit dictionnaire franglais-français ci-après montre qu'il existe aussi des anglicismes utiles.

DICTIONNAIRE FRANGLAIS-FRANÇAIS

boots   Ce ne sont pas des bottes, mais des sortes de bottines basses avec une empeigne très lisse et sans lacets.

bulldozer   « Engin très puissant, monté sur chenilles et utilisé pour les travaux de terrassement. » Une circulaire du 15 septembre 1977 avait proposé *bouteur* pour remplacer cet anglicisme, mais *bulldozer* était déjà trop bien implanté pour que *bouteur* puisse avoir une chance d'être adopté par les usagers.

cutter   « Petit instrument muni d'une lame permettant de couper du papier. » Les mots *tranchet* ou *tranchoir*, proposés en remplacement, auront sans doute aussi du mal à s'imposer, parce qu'ils arrivent probablement un peu tard.

dealer   « Revendeur de drogue », et non pas n'importe quel revendeur.

desk   Ce terme désigne aussi bien le bureau des dépêches dans les agences de presse ou dans l'audiovisuel que le personnel qui reçoit et élabore les correspondances venues de l'extérieur. La dernière édition du *Dictionnaire des termes officiels de la langue française* propose quatre équivalents : *bureau*, *bureau des dépêches*, *rédaction* et *rédaction sédentaire*[186], dont aucun ne correspond parfaitement au sens de *desk*.

doping   « Absorption d'excitants. » Il est intéressant de constater à l'heure actuelle un recul de la forme anglaise en -*ing*, le mot étant de plus en plus souvent remplacé par *dopage*, avec un suffixe français.

fax   Le mot français *télécopie*, c'est-à-dire « reproduction à distance », est évidemment beaucoup plus explicite que la forme *fax*, mais il présente l'inconvénient de correspondre aussi à la fonction du *télex*. En faveur du terme *fax*, en dehors de sa brièveté, il faut aussi rappeler qu'il n'est après tout que l'abréviation d'un latinisme depuis longtemps entré en français : *fac-similé* « fait à l'identique ».

flash   Ce terme s'applique aussi bien aux nouvelles prioritaires dans les informations télévisées qu'à la photographie. Le verbe *flasher*, plus récent, dérivé de ce substantif, signifie « avoir le coup de foudre ».

freezer   Ce terme permet de distinguer entre la partie supérieure d'un réfrigérateur et le congélateur, dont la température est beaucoup plus basse et qui est souvent un meuble à part.

hold-up   « Attaque à main armée. »

jogging   En français, c'est à la fois le fait de faire une course à petites fou-
              lées dans la nature, le survêtement que l'on porte pour ce sport et,
              au pluriel, les chaussures qui permettent de le pratiquer.

kitchenette Une *kitchenette* n'est pas simplement une petite cuisine, autre-
              ment dit une cuisinette, mais une sorte de petite installation per-
              mettant de faire la cuisine au bout d'une salle de séjour.

mailing   « Envoi de lettres groupées. »

mixer   (n.m.) Comme pour beaucoup de mots d'origine anglaise de ce type,
              la prononciation hésite entre *-er* (comme si la graphie était
              -aire) et *-eur*. La graphie reste toutefois celle de l'anglais.

nominer   Ce verbe n'est pas l'équivalent de *nommer*, mais celui de sélec-
              tionner avant la compétition définitive. Il pourrait donc être
              remplacé par *présélectionner*, pourtant moins bon que *nominer*,
              qui est aussi d'origine latine et qui n'a pas plus l'air étranger
              que *dominer, laminer* ou *ruminer*.

obsolète ou **obsolescent** sont deux exemples de mots qui existent de longue
              date dans la langue française pour désigner ce qui est « démodé,
              dépassé », et qui ont repris une nouvelle vigueur depuis leur
              réintroduction en français par l'intermédiaire de l'anglais.

off   Une voix *off* est la voix de quelqu'un qui n'est pas visible à
              l'écran. Dans le jargon audiovisuel, dire quelque chose *off*, ou
              off the record, c'est tenir des propos dont le journaliste ne
              pourra pas faire état dans son reportage en les attribuant à son
              auteur.

panel   Ce n'est pas le synonyme de *échantillon*, car il s'agit d'un
              même groupe de personnes qui a été choisi par un organisme de
              sondage pour être consulté périodiquement, et non pas d'un
              échantillon quelconque.

reality show Émission où les participants racontent leur vie intime.

rewriting et le verbe **rewriter** ne sont pas des synonymes de *réécriture* et
              de *réécrire*. Il est vrai qu'un même auteur peut réécrire son
              propre texte, mais si l'opération est faite par quelqu'un d'autre,
              le verbe *rewriter* permet de faire une distinction utile.

talk-show On a proposé le terme *émission de plateau* pour désigner ces
              émissions télévisées où les personnes présentes ne sont là que
              pour parler. Cette expression parviendra-t-elle à prendre la
              place du terme anglais, déjà bien implanté ?

week-end Ce terme ne désigne pas vraiment la fin de la semaine, mais
              plus exactement la période de repos ou de loisir de la fin de la
              semaine.

Les anglicismes « ringards »

Mais tout anglicisme n'est pas forcément un indice de modernité. En effet, si *look* garde son prestige en face de *apparence*, trop neutre, ou *coach* en face de *entraîneur*, trop banal, il n'est plus question d'employer le terme *fashionable* (« élégant »), ou encore *surprise-party* pour désigner ce que les jeunes d'aujourd'hui appellent tout simplement une *fête*. Le pseudo-anglicisme, ou faux anglicione, *footing* n'est plus à la mode. On ne parle plus de *babies* ni de *kids*, comme au temps où Étiemble partait en guerre contre le franglais [187], mais de *bébés* ou d'*enfants* et si, ces dernières années, les adolescents étaient souvent des *teenagers*, aujourd'hui ce sont plutôt des *ados* (abréviation d'un mot bien français). Dire qu'on va prendre un *drink* (une « boisson ») *on the rocks* (« avec des glaçons »), ou un *ice-cream* (une « glace ») dans un *milk-bar* ou un *snack-bar* fait immédiatement penser à une époque révolue, et l'adjectif *smart* (« élégant ») n'a plus cours du tout. Il est encore plus désuet de dire *darling* (« chéri(e) »), *shake-hand* (« poignée de main ») ou *highlife* (« élégant »). Quant à *spleen* et à *dandy*, ils renvoient immanquablement au siècle dernier, à Baudelaire et à Stendhal.

Les mouvements de la mode ont donc balayé hors du discours quotidien une quantité de mots anglais naguère en vogue, signe que la langue se débarrasse de ce qui s'est révélé inutile après une période d'engouement.

15

L'AUTRE BOUT DU MONDE

L'exotisme africain

En raison des relations étroites de la France avec les pays de l'Afrique centrale et occidentale depuis deux siècles – dans 18 pays africains, la langue française est une langue officielle [188] –, on aurait

---

LE FRANÇAIS,
LANGUE OFFICIELLE DANS 18 PAYS D'AFRIQUE

Bénin	Guinée
Burkina Faso	Mali
Burundi (avec le kirundi)	Mauritanie (avec l'arabe)
Cameroun (avec l'anglais)	Niger
République centrafricaine	Rwanda (avec le kinyarwanda)
Congo	Sénégal
Côte-d'Ivoire	Tchad (avec l'arabe)
Djibouti (avec l'arabe)	Togo
Gabon	Zaïre [189]

---

pu s'attendre à trouver un nombre très important de mots venus des langues africaines. Or il se réduit à seulement quelques dizaines, dont une partie figure sur la carte ci-après.

Les seules langues africaines auxquelles le français a fait des emprunts sont :
- le bantou, parlé dans toute la moitié sud de l'Afrique
- le malinké, parlé au Sénégal et en Gambie
- l'ewé-fon, parlé au Ghana, au sud du Togo et au Bénin
- le hottentot, parlé en Namibie et au Botswana.

QUELQUES MOTS VENUS DES LANGUES
D'AFRIQUE

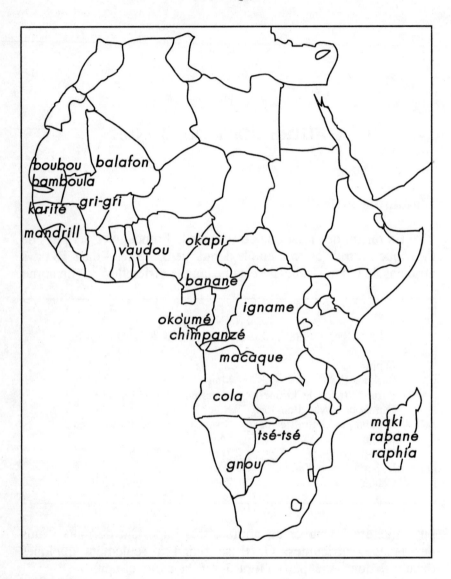

Les mots venus du malgache (ou merina) appartiennent à une autre famille de langues, les langues malayo-polynésiennes.

Les mots empruntés à ces langues et figurant sur la carte ci-contre correspondent la plupart du temps à des réalités spécifiquement africaines, et qui gardent souvent une partie de leur mystère : animaux, végétaux, coutumes.

Quelques précisions zoologiques

Voici tout d'abord trois singes, qu'il convient de distinguer :

le *chimpanzé*, grand singe vivant dans les arbres et se nourrissant de fruits

le *macaque*, singe de taille moyenne et dont la face, de couleur chair, se rapproche de celle de l'homme

le *mandrill*, singe féroce habitant de préférence dans les rochers et dont les colères sont redoutables.

Citons aussi l'*okapi*, petit mammifère mi-zèbre, mi-girafe, ainsi que le *gnou*, dont le nom vient du hottentot, mammifère mi-cheval, mi-taureau, qui fait partie de la famille des antilopes, mais avec la grâce en moins.

Parmi les insectes peu recommandables, il faudrait citer la redoutable mouche *tsé-tsé*, grosse mouche dont certaines espèces transmettent la maladie du sommeil, qui peut être mortelle.

Un peu de botanique

Rafraîchissons maintenant notre mémoire en rappelant que l'*okoumé* est un arbre du Gabon dont le bois est utilisé en ébénisterie, que les graines du *karité* ou *arbre à beurre* renferment une substance grasse comestible, que la *cola* (ou *kola*), fruit du colatier, contient de la caféine, tandis que l'*igname* est une plante grimpante dont on consomme le tubercule. Plus familière, la *banane* a tellement de qualités que les botanistes de la Renaissance l'avaient appelée *musa paradisiaca,* comme si elle ne pouvait venir que de lieux paradisiaques. Bernardin de Saint-Pierre, au XVIIIe siècle, chantait ainsi ses louanges : « La banane donne à l'homme de quoi le nourrir, le loger, l'habiller et même l'ensevelir [190]. »

Rites et croyances

La spiritualité se doit d'occuper une place particulière parmi les apports africains dans d'autres continents car le *vaudou*, dont le nom vient de l'ewé-fon, et qui est un culte animiste né dans la région appelée autrefois *Côte de Guinée* (Ghana, Bénin, Togo), s'est ensuite beaucoup développé et considérablement enrichi dans les communautés noires des Antilles et du Brésil.

Avec le *gri-gri*, qui a désigné à l'origine un esprit malfaisant. on reprend pied dans la vie quotidienne puisqu'on le considère auourd'hui plus matériellement comme un objet fétiche destiné à éloigner les maladies et le mauvais sort.

Plus terre à terre encore, *bamboula* vient d'un mot de Guinée désignant un tambour qui est une sorte de *tam-tam*. Le mot a ensuite désigné une danse, d'où l'expression maintenant un peu désuète : *faire la bamboula* « faire la fête ».

Citons aussi le *balafon*, qui est un instrument de musique à percussion utilisant des calebasses comme caisses de résonance.

Parmi les vêtements, le *boubou* est en fait un nom d'animal. En malinké, ce dernier mot désigne un singe, et il évoque ainsi l'époque où les habitants d'Afrique occidentale se vêtaient de peaux de singe. Il désigne aujourd'hui une sorte de vêtement léger et flottant que portent les hommes et les femmes en Afrique.

Récréation

BOIS EXOTIQUES

Sur ces 8 mots d'origine exotique, seul l'un d'entre eux ne désigne pas le bois d'un arbre. Lequel ?

1. **acajou** (tupi)	5. **okoumé** (bantou)
2. **baobab** (arabe)	6. **palissandre** (arawak)
3. **bambou** (malais)	7. **séquoia** (iroquois)
4. **okapi** (bantou)	8. **tallipot** (malais)

Réponse : okapi (petit mammifère).

Le malgache (merina) a aussi fourni quelques mots à la langue française : on connaît bien le *raphia*, un palmier aux longues feuilles pouvant atteindre 20 mètres de long, et dont les fibres servent à confectionner un tissu, la *rabane*, alors qu'il faut peut-être prendre un dictionnaire pour apprendre que le *maki* est un petit mammifère appelé aussi *chat de Madagascar*.

Autour du Pacifique

Ce sont encore des mots évoquant des réalités lointaines, rapportées par les grands voyageurs, qui constituent l'essentiel du vocabulaire venu des pays bordant l'océan Pacifique.

On a déjà vu qu'une partie des mots venant du malais sont parvenus en français par l'intermédiaire du portugais (cf. ch. 12, *carte* MOTS VENUS D'ASIE PAR LE PORTUGAIS, p. 163), du néerlandais (cf. ch. 9, *encadré* QUELQUES MOTS VENUS DES COLONIES NÉERLANDAISES, p. 102) et de l'anglais (cf. ch. 14, *carte* MOTS VENUS D'ASIE PAR L'ANGLAIS, p. 189).

D'autres mots semblent être arrivés directement du malais ou d'une langue indonésienne, comme :

orang-outang : ce mot désignait en malais des tribus vivant dans les forêts, mais c'est probablement par erreur (ou serait-ce par plaisanterie ?) que les Occidentaux l'ont attribué à un grand singe anthropoïde

pangolin, nom d'un curieux petit mammifère couvert d'écailles qui se redressent quand l'animal s'enroule sur lui-même (sens que le mot a en malais [191])

calao, oiseau à l'apparence inoubliable car son bec énorme, plus gros que sa tête, est surmonté en outre d'une excroissance cornée [192]

émeu (ou *émou*), oiseau coureur, de la même famille que les autruches

pagaie, rame à double pelle.

Enfin, *sarbacane* est sans doute le mot malais qui a parcouru le plus de chemin : d'abord emprunté par le persan, il est ensuite passé par l'arabe, qui l'a introduit en Espagne sous la forme *cerbatana*. Adopté par le français, le mot a d'abord pris une forme proche de celle de l'espagnol *(sarbatane)*, avant de devenir *sarbacane*, sans doute par croisement avec *canne*.

Des mots d'Australie et de Nouvelle-Zélande

Tous les mots d'origine australienne sont parvenus en français par l'intermédiaire de l'anglais :

kangourou, animal de la famille des marsupiaux sauteurs et dont la femelle possède une poche ventrale extérieure où l'embryon termine son développement pendant huit mois. Il est essentellement herbivore

koala, petit animal de la famille du kangourou, mais qui se nourrit exclusivement de fruits

dingo, chien sauvage, dont le nom a été donné à un personnage de Walt Disney

boomerang, arme formée d'une pièce de bois recourbée et revenant à son point de départ s'il n'a pas touché sa cible.

C'est aussi par l'intermédiaire de l'anglais que sont arrivés les mots venus du maori, langue de Nouvelle-Zélande, dont le plus connu est *kiwi*, un mot qui désigne à la fois un oiseau coureur et un fruit à la peau velue et au goût acidulé. Il est d'origine chinoise et n'a été cultivé en Nouvelle-Zélande qu'en 1910. Il est aujourd'hui bien acclimaté en France. Ce fruit, très riche en vitamines et en potassium, est recommandé aux personnes âgées pour réduire les risques d'attaques cardiaques [193].

Des mots venus de Polynésie

Certains d'entre eux sont venus directement, comme :
vahiné, mot désignant à Tahiti une jeune fille ou une femme
paréo, vêtement traditionnel tahitien fait d'une seule pièce d'étoffe, nouée au-dessus de la poitrine pour les femmes et à la ceinture pour les hommes.
D'autres sont d'abord passés par l'anglais :
tatouer, du polynésien des îles Marquises
tabou, du polynésien de l'île Tonga.

Des mots chinois

En dehors des mots chinois venus par le portugais *(cangue, typhon)*, par le malais *(sampang, thé)* et par l'anglais *(ketchup, kumquat et pongé)*, il y a encore :
kaolin, d'un mot chinois signifiant « haute colline » car c'est, semble-t-il, de lieux élevés que l'on extrayait l'argile blanche destinée à la porcelaine de qualité

kung-fu, art martial se pratiquant à mains nues, ce qui l'apparente au *karaté* japonais

litchi, fruit exotique, dont le nom a été emprunté par l'intermédiaire de l'espagnol

mah-jong, jeu de société chinois, qui serait la plus ancienne forme du jeu de dominos

shantung, étoffe de soie dont le nom est aussi celui d'une province chinoise

youyou, embarcation légère, dont l'usage était plus fréquent au XIXe siècle.

Des mots tibétains

En dehors des mots dont on sait qu'ils sont venus par l'intermédiaire de l'anglais, tels que *polo,* de *pulu* « balle » et *yack,* nom d'un mammifère encore appelé *bœuf grognant,* il faut signaler le *zébu,* dont l'origine est cependant plus incertaine, alors que le mot *lama,* qui désigne un prêtre bouddhiste au Tibet et en Mongolie, vient d'une forme tibétaine signifiant « homme supérieur », *dalaï lama* correspondant à « grand lama ».

Le japonais, dernière escale

C'est avec le japonais que s'achève ce tour du monde des mots venus d'ailleurs.

MOTS D'ORIGINE JAPONAISE			
aïkido	*bonsaï*	*bonze*	*bushido* (code d'honneur)
dan	*geisha*	*hara-kiri*	*ikébana* (arrangement floral)
jiu-jitsu	*judo*	*judoka*	*kakémono* (tableau)
kaki (fruit)	*kamikaze*	*karaoké*	*karaté*
kimono	*mikado*	*mousmé*	*nippon*
nô	*saké*	*samouraï*	*shogoun* (dictateur)
soja	*sumo*	*tatami*	*yen*

Les emprunts au japonais apportent des suggestions inédites :
— ils donnent l'occasion de faire une brève incursion dans l'univers culturel nippon si particulier ;

– ils intriguent les phonéticiens, qui se demandent la raison de la prononciation inattendue de quelques éléments de ce vocabulaire en français ;

– ils invitent aussi à se familiariser un peu avec l'écriture japonaise.

Des arts martiaux très élégants

Il est assez paradoxal de constater que plusieurs arts martiaux ont des dénominations étrangement pacifiques : *jiu-jitsu* ou « art de la souplesse », *judo* ou « art de la délicatesse, de la conciliation », *karaté* ou « combat à mains nues » et *aïkido* ou « voie de la paix ». Tous ces noms évoquent plutôt des mouvements de danse que des combats sans merci.

Les difficultés de la prononciation

Les mots *kamikaze* « pilote volontaire pour une mission suicide consistant à s'écraser avec son avion sur une cible ennemie » et *bonsaï* « arbre nain » attirent plus particulièrement l'attention des phonéticiens. En effet, la vraie prononciation en français devrait être *kamikazé* car la voyelle finale se prononce en japonais. Pour *bonsaï*, on peut légitimement se demander pourquoi la prononciation de ce mot devient *bonzaï* en français alors que le s devrait rester s, comme dans le verbe *danser*. Le rapprochement avec le mot *bonze*, qui pourtant appartient à un tout autre domaine sémantique, a pu jouer en faveur de la prononciation avec z.

Se faire *hara-kiri*

Enfin, c'est grâce à quelques indications sur les principes de l'écriture japonaise qu'on peut voir comment les Français – et avec eux, tous les Occidentaux – ont eu le choix entre deux mots pour désigner le mode de suicide par éventration connu en Europe sous le nom de *hara-kiri*, les Japonais ayant deux formes à leur disposition, *hara-kiri* et *sep poukou,* cette dernière étant un peu plus officielle.

Les idéogrammes chinois et la langue japonaise

La base de l'écriture japonaise est l'écriture idéographique, qu'ils tiennent des Chinois, et où chaque signe représente un sens, contrairement aux alphabets, où les signes représentent des sons.

En japonais, le signe représentant la montagne est constitué d'une barre horizontale surmontée de trois barres verticales dont celle du milieu est plus haute 山 . Cet idéogramme peut se prononcer, soit à la chinoise (quelque chose comme *san*), soit à la japonaise (quelque chose comme *yama*). Les Européens ont choisi la lecture « à la japonaise » pour désigner la montagne sacrée du Japon, le *Fuji-Yama*, contrairement aux habitudes du pays, où la forme officielle de ce nom est *Fujisan* [194].

Le mot japonais *hara-kiri* constitue un autre exemple typique de la double lecture possible des idéogrammes chinois en japonais.

HARA-KIRI = SEP POUKOU

Pour désigner par écrit le mode de suicide par éventration particulier aux Japonais, connu en Europe sous le nom de hara-kiri, il existe deux idéogrammes, qui peuvent être lus, soit « à la chinoise », soit « à la japonaise ».

Dans la lecture « à la chinoise », on est en présence de deux éléments graphiques :

切腹

Le premier caractère signifie « couper » et se prononce [sɛʔ].
Le deuxième caractère signifie « ventⅇe » et se prononce [puku].
La forme complète se lit approximativement **sep poukou**.

Dans la lecture « à la japonaise », les mêmes éléments se trouvent inversés :

腹切

Le premier caractère, signifiant « ventre », se prononce [hara].
Le deuxième, signifiant « couper », se prononce [kiri].
Cette dernière forme se lit donc **hara kiri**.

C'est celle qui a été adoptée par les Occidentaux. Pour les Japonais, les deux termes ont la même valeur, mais **sep poukou** est plutôt un terme officiel [195].

On comprendra mieux comment fonctionne l'écriture idéographique en prenant un exemple analogue dans les langues européennes, où le signe **5** signifie toujours « cinq » mais peut aussi se lire *five, fünf, cinque, cinco*... selon qu'on le trouve dans un texte en anglais, en allemand, en italien, en espagnol.

16

ON A SOUVENT BESOIN
D'UN ÉTRANGER CHEZ SOI

Emprunter, c'est s'enrichir

À la fin de ce sinueux voyage parmi les mots venus de langues aussi voisines que l'italien, l'espagnol ou l'anglais, aussi insolites que le hottentot, le malais ou le tupi, il apparaît comme une évidence que la langue française, malgré son goût séculaire pour un purisme sans concessions, ne s'est jamais complètement repliée sur elle-même et qu'elle n'a au contraire jamais cessé de s'enrichir au contact de plusieurs dizaines de langues différentes, nées sur les cinq continents.

Les milliers d'emprunts qui ont grossi son dictionnaire sont eux-mêmes de diverses sortes et, après les avoir suivis sur leurs lieux de naissance autour du monde, il convient maintenant d'en esquisser la typologie, ce qui revient à les regrouper en quatre grandes catégories.

Les emprunts tels quels

Le premier groupe, qui est aussi le plus facile à identifier, correspond au passage total d'un mot d'une langue à une autre, sous ses deux aspects : à la fois sa forme phonique ou graphique, plus ou moins bien adaptée au français, et sa signification. Tel est le cas de *talk-show*, emprunté à l'anglais, de *blinis*, au russe, de *jaguar*, au tupi. Il faut aussi observer que :

> *ananas* renvoie au même fruit en tupi (langue du Brésil) qu'en français
>
> *moustique* désigne en français le même insecte que le mot espagnol *mosquito* dont il est issu

aquarelle se réfère en français à une peinture à l'eau, comme en italien.

Mais il ne faudrait pas croire à une identité parfaite entre le mot passé en français et le mot d'origine, car les mots n'ont jamais vraiment le même pouvoir d'évocation dans la langue qui a emprunté et dans la langue qui a donné.

En effet, pour un habitant du Brésil connaissant le tupi, le mot *ananas* lui rappelle que ce fruit est très parfumé (*ana ana* signifie « parfum des parfums » en tupi). Pour un hispanophone, la relation entre un moustique et une mouche est évidente (*mosquito* « moustique » est un diminutif de *mosca* « mouche »), alors qu'elle est absolument indécelable en français. Enfin, la présence de l'eau dans la peinture à l'aquarelle se manifeste avec insistance dans la forme italienne *acquarella*, où *acqua* est le mot italien pour « eau », alors qu'un léger temps de réflexion peut être nécessaire pour le mot français.

Ces trois exemples montrent qu'en passant d'une langue dans une autre les mots ne gardent pas toujours les mêmes extensions de sens.

Les nouvelles dérivations

Il peut arriver – et cela constitue un deuxième type d'emprunt – que seule la forme dérivée soit un emprunt, alors que la forme simple ne l'est pas. On a déjà vu que *confortable* est un emprunt à l'anglais, tout comme *sentimental* ou *romantique* (cf. ch. 14, p. 177). Mais le cas le plus étonnant est peut-être celui des verbes *influencer* et *utiliser*, qui étaient ressentis comme barbares par Necker en 1792, alors que *influence* et *utilisation* lui semblaient de bon aloi. Il écrivait : « On introduit chaque jour de nouveaux verbes complètement barbares, et on les substitue à l'usage des substantifs : ainsi l'on dit *influencer, utiliser* [196]. »

Un nouveau sens pour un mot déjà existant

Souvent, c'est sur l'extension du sens que porte l'emprunt, comme on l'a vu dans le cas des *Échelles du Levant* et des *Échelles de Barbarie* (cf. ch. 11, *encadré* DES ÉCHELLES ET DES PORTS, p. 139). Il s'agit cette fois d'un emprunt à l'italien, mais uniquement pour le sens de « comptoir commercial » au xviᵉ siècle, car le mot *échelle* existait en français avec son sens premier depuis des siècles.

Ce troisième type d'emprunts est abondamment représenté parmi ceux qui ont été faits à l'anglais. On y trouve d'innombrables exemples de mots français de vieille souche qui, après avoir été adoptés en Angleterre, ont à nouveau refait surface en français, mais cette fois enrichis d'un sens qu'il n'avaient pas à l'origine.

Les mots *désappointé, patate* et *populaire* sont significatifs à cet égard :

> *désappointé* avait en français, jusqu'au milieu du xviiiᵉ siècle, uniquement le sens de « destitué » (« non appointé »). À son retour en France, il a pris le nouveau sens (« désappointé, déçu ») qu'il avait acquis en anglais
>
> *patate*, dans le sens de « pomme de terre », a sans doute été aussi emprunté à l'anglais, mais le mot *patate* existait déjà en français depuis le xviᵉ siècle pour désigner un autre légume, la patate douce
>
> *populaire* : cet adjectif, qui servait seulement à qualifier ce qui avait un rapport avec le peuple (*émeute populaire*), a acquis, sous l'influence de l'anglais, à la fin du xviiiᵉ siècle, le sens de « qui plaît au peuple » (*un ministre très populaire*).

Ces trois emprunts à l'anglais n'ont pas connu les mêmes évolutions au cours du temps : pour le premier (*désappointé*), seul le nouveau sens (« déçu ») emprunté à l'anglais s'est maintenu ; pour *patate*, l'ancienne signification a survécu auprès de la nouvelle, mais on prend soin le plus souvent d'ajouter *douce* à *patate* quand il ne s'agit pas de la pomme de terre. Quant à l'adjectif *populaire* dans le sens de « qui plaît à tous », il apparaît encore à certains comme un anglicisme à éviter.

Traductions et calques

Il existe enfin des emprunts sémantiques beaucoup plus souterrains, et qui passent parfaitement inaperçus sauf pour ceux qui connaissent vraiment bien les deux langues concernées. Ils constituent le quatrième groupe de ce classement, celui des traductions et des calques (cf. ch. 10, *encadré* UN CALQUE N'EST QU'UNE TRADUCTION, p. 118). Ainsi, l'expression *prendre en considération*, pourtant si évidemment française, a bien été empruntée à l'anglais, tout comme *libre-penseur, machine à vapeur, lune de miel* ou *gratte-ciel*.

Il faudrait d'ailleurs distinguer entre les vrais calques (*prendre en considération* ou *libre-penseur*) et les simples traductions (*machine à vapeur, lune de miel* ou *gratte-ciel*).

On a en effet une réplique pure et simple de l'anglais *to take into consideration* dans *prendre en considération*, et cela se voit encore plus clairement dans *libre-penseur*, où l'adjectif précède le nom, comme en anglais (*free-thinker*) : ce sont de vrais calques. Mais, pour *lune de miel, machine à vapeur* et *gratte-ciel*, les vrais calques de *honeymoon,* de *steam engine* et de *sky-scraper* seraient **miel lune, *vapeur machine* et **ciel gratteur*. (L'astérisque marque que ces formes ne sont pas attestées.)

La langue française a donc bien adopté la forme empruntée, mais en l'adaptant à ses propres structures. Les calques réussis et les formes traduites, en se conformant aux modes de formation de la langue emprunteuse, perdent très rapidement toute coloration étrangère et ont alors des chances de perdurer.

Pour terminer en s'amusant...

... puisqu'on a souvent besoin d'un étranger chez soi, voici une dernière récréation.

Récréation
DES VÊTEMENTS VENUS DE PARTOUT

Sur les 12 mots de ce texte concernant l'habillement, 3 sont empruntés à l'italien, 2 à l'anglais, 2 au persan, 1 à l'espagnol, 1 à l'allemand, 1 au germanique ancien, 1 au turc et 1 à l'arabe. Lesquels ?

Elle avait ouvert l'armoire aux merveilles : son choix s'était tout de suite porté sur une *jupe* longue et une *guimpe* sur laquelle elle se promettait d'enfiler un *gilet* ou de poser négligemment un *châle* avant de recouvrir le tout d'une *veste* brodée.

Sur la tête, elle voulait mettre un *turban*, mais aussi une *mantille* et peut-être même une *capeline*. Elle savait qu'ainsi elle aurait bien trop chaud et qu'elle serait obligée de se déshabiller pour enlever le *body* et le *tee-shirt* qu'elle avait l'habitude de porter à même la peau.

Mais elle n'en eut pas le loisir car l'homme en *loden*, qui était en face d'elle, venait subitement d'enlever son *pantalon*, ce qui la fit s'enfuir à toutes jambes.

Réponse : à l'italien : *veste, capeline, pantalon* – à l'anglais : *body, tee-shirt* – au persan : *châle, turban* – à l'espagnol : *mantille* – à l'allemand : *loden* – au germanique ancien : *guimpe* – au turc : *gilet* – à l'arabe : *jupe.*

NOTES ET RÉFÉRENCES

1. WALTER, Henriette et WALTER, Gérard, *Dictionnaire des mots d'origine étrangère*, Paris, Larousse, 1991, 413 p.
2. ÉTIEMBLE, *Parlez-vous franglais?* Paris, Gallimard, 1964, 376 p.
3. WALTER, Henriette et WALTER, Gérard, *Dictionnaire des mots d'origine étrangère*, Paris, Larousse, 1991, 413 p., en particulier, p. 115. Les résultats alors indiqués dans cet ouvrage ont, depuis, été légèrement modifiés, grâce à une recherche complémentaire effectuée par Gérard Walter. Ce sont les nouveaux résultats qui ont été consignés dans le présent ouvrage.
4. GUIRAUD, Pierre, *Les Mots étrangers*, Paris, PUF, « Que sais-je? », n° 1166, 1965, 123 p., p. 64-82.
5. Rappelons que la première étude, faite par un érudit, non argotier lui-même, Francisque MICHEL, date de 1856 : *Études de philosophie sur l'argot et sur les idiomes analogues parlés en Europe et en Asie.*
6. HUGO, Victor, *Les Misérables*, 4ᵉ partie, livre VII, ch. 2, Paris, Flammarion, éd. 1925, p. 193.
7. GUIRAUD, Pierre, *L'Argot*, Paris, PUF, « Que sais-je? », n° 700, 1958, 126 p., p. 87-88.
8. WALTER, Henriette, « Lexique argotique et emprunts », Colloque « Les argots : noyau ou marges de la langue? », Cerisy-la-Salle, 11-17 août 1994, à paraître dans les *Actes*.

   Le corpus qui est à la base de cette étude sur le vocabulaire argotique a été établi à partir du *Dictionnaire d'argot* de Jean-Paul Colin et Jean-Pierre Mével, paru aux éditions Larousse en 1990, qui a fourni l'essentiel des données. Celles-ci ont été complétées par les formes lexicales relevées dans :
   DAUZAT, Albert, *Les Argots*, Paris, Delagrave, 1956 (1ʳᵉ éd. 1929), 189 p. Signalons que Dauzat considère que les mots étrangers ont toujours joué un rôle capital en argot et qu'il consacre environ trente pages à ce procédé de renouvellement.
   GUIRAUD, Pierre, *L'Argot*, Paris, PUF, « Que sais-je? », n° 700 (*sic*), 1958, 126 p.
   CALVET, Louis-Jean, *L'Argot en 20 leçons*, Paris, Payot, 1993, 213 p.
   CALVET, Louis-Jean, *L'Argot*, Paris, PUF, « Que sais-je? », n° 700 (*sic*), 1994, 128 p.
9. DAUZAT, Albert, *Les Argots*, Paris, Delagrave, 1956 (1ʳᵉ éd. 1929), 189 p., p. 56.
10. DAUZAT, Albert, *Les Argots*, Paris, Delagrave, 1956 (1ʳᵉ éd. 1929), 189 p., p. 34.
11. ALLIÈRES, Jacques, *Manuel pratique de basque*, Paris, Picard, 1979, 262 p., p. 8-21.
12. LAMBERT, Pierre-Yves, *La Langue gauloise*, Paris, Errance, 1994, 239 p., p. 191.
13. ERNOUT, A. et MEILLET, Antoine, *Dictionnaire étymologique de la langue latine. Histoire des mots*, Paris, Klincksieck 1967 (1ʳᵉ éd. 1932), 827 p., p. 577.

14. Cf. la carte de l'hydronomie préceltique, dans WALTER, Henriette, *L'Aventure des langues en Occident. Leur origine, leur histoire, leur géographie*, Paris, Robert Laffont, 1994, 498 p., p. 228.

15. IGLESIAS PONCE DE LEÓN, Moisés, « À la recherche du sens perdu des mots : l'apport de la toponymie à la sémantique, via les sciences de la terre. Le cas de la pierre plate, *lousa, laxe*, en galicien », à paraître dans les *Actes* du Colloque international de linguistique fonctionnelle (Iași, Roumanie, 26 juin-2 juillet 1996).

16. ROUSSET, Paul-Louis, *Les Alpes et leurs noms de lieux, 6 000 ans d'histoire*, éd. par l'auteur, Meylan, 1988, 444 p., p. 235-236 (diffusion Didier et Richard, Grenoble).

17. NÈGRE, Ernest, *Toponymie générale de la France*, Genève, Droz, 1990, tome 1, p. 7-704, 1991, tome 2, p. 713-1381 et tome 3, p. 1399-1852, p. 19-20 et 50-51.

18. WALTER, Henriette, *L'Aventure des langues en Occident. Leur origine, leur histoire, leur géographie*, Paris, Robert Laffont, 1994, 498 p. (préface d'André Martinet), carte de l'Europe celtique, p. 66.

19. LE QUELLEC, Jean-Loïc, *Dictionnaire des noms de lieux de la Vendée*, La Mothe-Achard, Geste éditions, 1995, 319 p., p. 223.

20. MILLS, A.D., *A Dictionary of English Place-Names*, Oxford-New York, Oxford University Press, 1991, 388 p., p. 74.

21. Le texte est reproduit in extenso dans SAVIGNAC, Jean-Paul, *Les Gaulois. Leurs écrits retrouvés « Merde à César / Cecos ac Caesar »*, Paris, La Différence, 1994, 186 p., p. 177.

22. LAMBERT, Pierre-Yves, *La Langue gauloise*, Paris, Errance, 1994, 239 p., p. 39.

23. FLOBERT, Pierre, « L'apport lexical du gaulois au français : questions de méthode », *Nomina Rerum*, Hommage à Jacqueline Manessy-Guitton, LAMA (Centre de recherches comparatives sur les langues de la Méditerranée ancienne), 13, 1994, p. 201-208, notamment p. 205.

24. WALTER, Henriette, *Des mots sans-culottes*, Paris, Robert Laffont, 1989, 244 p., p. 186.

25. Cité par SAVIGNAC, Jean-Paul, *Les Gaulois. Leurs écrits retrouvés « Merde à César / Cecos ac Caesar »*, Paris, La Différence, 1994, 186 p., d'après Guyonvac'h, dans Ogam, 1962.

26. BALZAC, Honoré de, *La Rabouilleuse*, ou *Le Ménage de garçon*, Scènes de la vie de province : Les Célibataires, Paris, 1842.

27. Mais une autre étymologie a été proposée par GUIRAUD, Pierre, *Dictionnaire des étymologies obscures*, Paris, Payot, 1982, 522 p., p. 113.

28. DAUZAT, Albert, *La Toponymie française*, Paris, Payot (1re éd. 1960), 1971, 335 p., p. 41 note 1.
    JULLIAN, Camille, *Histoire de la Gaule*, Paris, Robert Laffont, 1971 (édition abrégée), tome I, p. 89-97, 101, tome II, p. 261.

29. JULLIAN, Camille, *Histoire de la Gaule*, Paris, Robert Laffont, 1971 (édition abrégée), tome I, p. 131.

30. Cf. la carte publiée dans WALTER, Henriette, *Le Français dans tous les sens*, Paris, Robert Laffont, 1988, 384 p. (préface d'André Martinet). Grand Prix de l'Académie française pour 1988, p. 138.

31. Les 221 toponymes évoquant le chêne ont été recensés dans le *Dictionnaire national des communes de France*, Paris, Albin Michel et Berger-Levrault, 1984. Ils ont été vérifiés dans NÈGRE, Ernest, *Toponymie générale de la France*, Genève, Droz, 1990, tome 1, p. 266-271.

32. Le terme est attesté dans les dictionnaires suivants :
    BOISGONTIER, Jacques, *Dictionnaire du français régional du Midi toulousain et pyrénéen*, Paris, Bonneton, 1992, 157 p.
    DUBUISSON, Pierrette et BONIN, Marcel, *Dictionnaire du français régional de Berry-Bourbonnais*, Paris, Bonneton, 1993, 142 p.

DUCHET-SUCHAUX, Monique et Gaston, *Dictionnaire du français régional de Franche-Comté*, Paris, Bonneton, 1993, 159 p.

FRECHET, Claudine et MARTIN, Jean-Baptiste, *Dictionnaire du français régional du Velay*, Paris, Bonneton, 1993, 159 p.

GAGNY, Anita, *Dictionnaire du français régional de Savoie*, Paris, Bonneton, 1993, 159 p.

MARTIN, Jean-Baptiste, *Dictionnaire du français régional du Pilat*, Paris, Bonneton, 1989, 173 p.

RÉZEAU, Pierre, *Dictionnaire du français régional de Poitou-Charente et de Vendée*, Paris, Bonneton, 1990, 159 p.

TAMINE, Michel, *Dictionnaire du français régional des Ardennes*, Paris, Bonneton, 1992, 157 p.

TAMINE, Michel, *Dictionnaire du français régional de Champagne*, Paris, Bonneton, 1993, 157 p.

TAVERDET, Gérard et NAVETTE-TAVERDET, Danièle, *Dictionnaire du français régional de Bourgogne*, Paris, Bonneton, 1991, 159 p.

VURPAS, Anne-Marie et MICHEL, Claude, *Dictionnaire du français régional du Beaujolais*, Paris, Bonneton, 1992, 191 p.

VURPAS, Anne-Marie, *Le Parler lyonnais, Lexique,* Paris, Rivages, 1993, 287 p., ainsi que

TUAILLON, Gaston, *Les Régionalismes du français parlé à Vourey, village dauphinois*, Paris, Klincksieck, « Matériaux pour l'étude des régionalismes du français », n° 1, 1983, 383 p.

33. TAMINE, Michel, *Dictionnaire du français régional de Champagne*, Paris, Bonneton, 1993, 157 p., p. 16.

TAVERDET, Gérard et NAVETTE-TAVERDET, Danièle, *Dictionnaire du français régional de Bourgogne*, Paris, Bonneton, 1991, 159 p.

34. TAMINE, Michel, *Dictionnaire du français régional des Ardennes*, Paris, Bonneton, 1992, 157 p., p. 150.

35. DUBUISSON, Pierrette et BONIN, Marcel, *Dictionnaire du français régional de Berry-Bourbonnais*, Paris, Bonneton, 1993, 142 p.

36. VURPAS, Anne-Marie et MICHEL, Claude, *Dictionnaire du français régional du Beaujolais*, Paris, Bonneton, 1992, 191 p.

37. MARTIN, Jean-Baptiste, *Dictionnaire du français régional du Pilat*, Paris, Bonneton, 1989, 173 p.

38. TUAILLON, Gaston, *Les régionalismes du français parlé à Vourey, village dauphinois*, Paris, Klincksieck, « Matériaux pour l'étude des régionalismes du français », n° 1, 1983, 383 p.

39. WALTER, Henriette, *Le Français dans tous les sens*, Paris, Robert Laffont, 1988, 384 p. (préface d'André Martinet). Grand Prix de l'Académie française pour 1988, particulièrement le tableau des langues indo-européennes, p. 30-31.

40. ROSTAING, Charles, *Les Langues romanes*, Paris, PUF, « Que sais-je ? », n° 1562 (1ʳᵉ éd. 1974), 1979, 128 p.

41. ROLAND, Henri et BOYER, Laurent, *Locutions latines du droit français*, Paris, Litec, 1993, 513 p.

42. CLAUSE, L., *Guide Clause, Traité pratique du jardinage*, Brétigny-sur-Orge, 1984, 608 p., p. 93-171.

43. La plus grande partie de ces informations provient de HALE, Harrison, « The elements » dans HODGMAN, Charles (sous la dir.), *Handbook of Chemistry and Physics*, Cleveland (USA), Chemical Rubber Publishing, 1956, 3 206 p., p. 357-388.

44. GUIRAUD, Pierre, *Les Mots savants*, PUF, « Que sais-je ? », n° 1325, 1968, 115 p., p. 27.

45. BOUFFARTIGUE, Jean et DELRIEU, Anne-Marie, *Trésors des racines latines*, Paris, Belin, 1981, 335 p., p. 128.

46. WALTER, Henriette, *Des mots sans-culottes*, Paris, Robert Laffont, 1989, 224 p., p. 87-88.

47. BRANDY, Daniel *Motamorphoses*, Paris, Casterman, 1986, 338 p., p. 28-30.

48. Sauf indication contraire, toutes ces informations proviennent de BLOCH, Oscar et WARTBURG, Walther von, *Dictionnaire étymologique de la langue française*, Paris, PUF, 1950, 651 p.

49. WALTER, Henriette et WALTER, Gérard, *Dictionnaire des mots d'origine étrangère*, Paris, Larousse, 1991, 413 p., p. 192.

50. GUYOT, Lucien et GIBASSIER, Pierre, *Les noms des animaux terrestres*, Paris, PUF, « Que sais-je ? », nº 1250, 1967, 126 p., p. 77.

51. REY, Alain (sous la dir.), *Dictionnaire historique de la langue française*, Paris, Le Robert, 1992, 2 tomes, 2383 p.

52. BRÉAL, Michel, « Les lois intellectuelles du langage », *Annuaire de l'Association pour l'enseignement des études grecques en France*, 1883, 17, cité par GUIRAUD, Pierre, *La sémantique*, Paris, PUF, « Que sais-je ? », nº 655 (1ʳᵉ éd. 1955), 1969, 126 p., p. 7.

53. GUIRAUD, Pierre, *Les Mots savants*, Paris, PUF, « Que sais-je ? », nº 1325, 1968, 115 p., p. 87-88.

54. PROUST, Marcel, *À la recherche du temps perdu*, Paris, Gallimard, coll. La Pléiade, 1954, tome I, p. 234 (*Du côté de chez Swann*, 1ʳᵉ éd. 1919).

55. GERMA, Pierre, *Du nom propre au nom commun, dictionnaire des éponymes*, Paris, Bonneton, 1993, 255 p.

56. WALTER, Henriette, *Le Français dans tous les sens*, Paris, Robert Laffont, 1988, 384 p. (préface d'André Martinet). Grand Prix de l'Académie française pour 1988, p. 52.

57. WALTER, Henriette, *L'Aventure des langues en Occident. Leur origine, leur histoire, leur géographie*, Paris, Robert Laffont, 1994, 498 p. (préface d'André MARTINET), p. 282.

58. MUSSET, Lucien, *Les Invasions. Les vagues germaniques*, Paris, PUF, 1965, 323 p., p. 198.

59. MUSSET, Lucien, *Les Invasions. Les vagues germaniques*, Paris, PUF, 1965, 323 p., p. 52.

60. MUSSET, Lucien, *Les Invasions. Les vagues germaniques*, Paris, PUF, 1965, 323 p., p. 112.

61. TAVERDET, Gérard, *Noms de lieux de Bourgogne. Introduction à la toponymie*, Paris, Bonneton, 1994, 231 p., p. 60.

62. WALTER, Henriette, *Le Français dans tous les sens*, Paris, Robert Laffont, 1988, 384 p. (préface d'André Martinet). Grand Prix de l'Académie française pour 1988.

63. MUSSET, Lucien, *Les Invasions. Les vagues germaniques*, Paris, PUF, 1965, 323 p., p. 54.

64. MARTINET, André, *Des steppes aux océans. L'indo-européen et les « Indo-Européens »*, Paris, Payot, 1986, 274 p., p. 38 et 78.

65. GUINET, Louis, *Les Emprunts gallo-romans au germanique* (du Iᵉʳ à la fin du Vᵉ siècle), Paris, Klincksieck, 1982, 212 p., p. 37-38.

66. MATORÉ, Georges, *Le Vocabulaire et la société médiévale*, Paris, PUF, 1985, 336 p., p. ₂42, 150 et 296.

67. WALTER, Henriette, *L'Aventure des langues en Occident. Leur origine, leur histoire, leur géographie*, Paris, Robert Laffont, 1994, 498 p. (préface d'André Martinet), p. 109-110.

68. MUSSET, Lucien, *Les Invasions. Les vagues germaniques*, Paris, PUF, 1965, 323 p., p. 194-195.

69. GUINET, Louis, *Les Emprunts gallo-romans au germanique* (du Iᵉʳ à la fin du Vᵉ siècle), Paris, Klincksieck, 1982, 212 p.

70. WALTER, Henriette, *Le Français dans tous les sens,* Paris, Robert Laffont, 1988, 384 p. (préface d'André Martinet). Grand Prix de l'Académie française pour 1988, p. 57-59.
71. VIAL, Éric, *Les Noms de villes et de villages,* Paris, Belin, 1983.
72. NÈGRE, Ernest, *Toponymie générale de la France,* Genève, Droz, 1991, tome 2, p. 715.
73. CHERPILLOD, André, *Dictionnaire étymologique des noms géographiques,* Paris, Masson, 1988, 527 p., p. 275. BN [4° X 5331].
74. FELLOWS-JENSEN, Gillian, « Les noms de lieux d'origine scandinave et la colonisation viking en Normandie », *Proxima Thulé, Revue d'études nordiques,* Paris, vol. 1, automne 1994, p. 67, où la carte montre près de 40 toponymes de ce nom.
75. FELLOWS-JENSEN, Gillian, « Les noms de lieux d'origine scandinave et la colonisation viking en Normandie », *Proxima Thulé, Revue d'études nordiques,* Paris, vol. 1, automne 1994, p. 37 et 74.
76. LEPELLEY, René, *Dictionnaire étymologique des noms de communes de Normandie,* Caen, Presses universitaires, 1995, 278 p., p. 104.
77. FELLOWS-JENSEN, Gillian, « Les noms de lieux d'origine scandinave et la colonisation viking en Normandie », *Proxima Thulé, Revue d'études nordiques,* Paris, vol. 1, automne 1994, p. 77-78.
78. LEPELLEY, René, *Dictionnaire du français régional de Basse-Normandie,* Paris, Bonneton, 1989, 159 p., remplacé par le *Dictionnaire du français régional de Normandie,* Paris, Bonneton, 1993, 157 p., voir notamment p. 151-154 où se trouve en annexe une liste de mots attestant des traces scandinaves dans le français régional de Normandie.
79. CRUBELLIER, Maurice et JUILLARD, Charles, *Histoire de la Champagne,* Paris, PUF, « Que sais-je ? », n° 507 (1ʳᵉ éd. 1952), 1969, 126 p., p. 21.
80. CHÉDEVILLE, André, *La France au Moyen Âge,* Paris, PUF, « Que sais-je ? », n° 69 (1ʳᵉ éd. 1965), 1988, 127 p., p. 52-53.
81. HORNBY, A.S., (sous la dir.), *Oxford Advanced Learner's Dictionary of Current English,* Londres, Oxford University Press, 1974, 1 055 p.
82. CRUBELLIER, Maurice et JUILLARD, Charles, *Histoire de la Champagne,* Paris, PUF, « Que sais-je ? », n° 507 (1ʳᵉ éd. 1952), 1969, 126 p., p. 34-35.
83. BLOCH, Oscar et WARTBURG, Walther von, *Dictionnaire étymologique de la langue française,* Paris, PUF, 1950, 651 p.
84. GUIRAUD, Pierre, *Dictionnaire des étymologies obscures,* Paris, Payot, 1982, 522 p., p. 386.
85. VALKHOFF, Marius, *Étude sur les mots français d'origine néerlandaise,* Amersfoort, Valkhoff and Co., 1931, p. 187.
86. VALKHOFF, Marius, *Étude sur les mots français d'origine néerlandaise,* Amersfoort, Valkhoff and Co., 1931, p. 177.
87. JOUSSE, Jean, *Du français au patois,* dactylographié, s.d., p. 87.
88. SCHOGT, Henry, « Les mots d'emprunt en néerlandais : une étude sociolinguistique », *La Linguistique,* 25, 1989/2, p. 63-80 et plus particulièrement p. 69-73.
89. CERQUIGLINI, Bernard, *La Naissance du français,* Paris, PUF, « Que sais-je ? », n° 2 576, 1991, 127 p., notamment p. 117-119.
90. CHAURAND, Jacques, *Histoire de la langue française,* Paris, PUF, « Que sais-je ? », n° 167 (1ʳᵉ éd. 1969), 1977, 126 p., notamment p. 31.
91. MARCHELLO-NIZIA, Christiane, *Histoire de la langue française aux xivᵉ et xvᵉ siècles,* Paris, Bordas, 1979, 378 p., p. 25-26.
92. CAMPROUX, Charles, *Les Langues romanes,* Paris, PUF, « Que sais-je ? », n° 1 562 (1ʳᵉ éd. 1974), 1979, 128 p., p. 94.
93. MARCHELLO-NIZIA, Christiane, *Histoire de la langue française aux xivᵉ et xvᵉ siècles,* Paris, Bordas, 1979, 378 p., p. 31.
94. BOURCIEZ, Édouard et BOURCIEZ, Jean, *Phonétique française. Étude historiɔ̨ue,* Paris, Klincksieck, 1967, 243 p., p. 89, Remarque III.

95. LINDON, Raymond, *Le Livre de l'amateur de fromages,* Paris, Robert Laffont, 1961, 127 p., p. 27-28.

96. WALTER, Henriette, *Des mots sans-culottes,* Paris, Robert Laffont, 1989, 244 p., p. 150.

97. MAALOUF, Amin, *Les Croisades vues par les Arabes,* Paris, Jean-Claude Lattès, 1983, p. 101.

98. TÉNÉ, David, « L'hébreu contemporain », *Le Langage,* Encyclopédie de la Pléiade, sous la dir. d'André Martinet, Paris, Gallimard, 1968, p. 975-1001.

99. MEILLET, Antoine et COHEN, Marcel (sous la dir.), *Les Langues du monde,* Paris, CNRS-Champion, 1952, 2 tomes, 1 294 p. et 21 cartes, p. 81-181, notamment p. 98-142.
    CARATINI, Roger (sous la dir.), *Linguistique,* Encyclopédie Bordas, Paris, Bordas, 1972, 160 p., p. 137-138.

100. BARREAU, Jean-Claude, *Biographie de Jésus,* Paris, Plon, 1993, 168 p., p. 29-30.
    DUQUESNE, Jacques, *Jésus,* Paris, Flammarion et Desclée de Brouwer, 1994, 356 p., p. 77.

101. MEILLET, Antoine et COHEN, Marcel (sous la dir.), *Les Langues du monde,* Paris, CNRS-Champion, 1952, 2 tomes, 1 294 p. et 21 cartes, p. 114.

102. CRÉPIN, André, *Histoire de la langue anglaise,* Paris, PUF, « Que sais-je ? », n° 1265 (1re éd. 1967), 1982, 127 p., p. 115-116.

103. CRÉPIN, André, *Deux mille ans de langue anglaise,* Paris, Nathan, 1994, 191 p., p. 65-66.

104. AGUILLOU, Pascal et SAIKI, Nasser, *La Téci à Panam, Parler le langage des banlieues,* Paris, Michel Lafon, 1996, 216 p., p. 21.

105. ROUSSEAU, Pierre, *Histoire de la science,* Paris, Fayard, 1945, 823 p., p. 134.

106. THUILLIER, Pierre, *D'Archimède à Einstein, Les faces cachées de l'invention scientifique,* Paris, Fayard, 1988, 395 p., p. 43.

107. Un fac-similé du manuscrit latin ainsi que sa traduction en français et en allemand ont été publiés à Paris en 1992 par le Club du Livre (sous la responsabilité de Hector Obalk, 26 rue de Clichy, 75009 Paris). Il s'agit de la traduction latine, intitulée *Chirurgia Albucasis,* rédigée au xiie siècle, à partir du texte arabe d'Abu'l Qasim Halaf Ibn 'Abbas al-Zahrawi, dit Albucasis. Ce manuscrit en latin se trouve à la Bibliothèque nationale autrichienne de Vienne (Codex Vindobonensis, Series Nova 2 641), et comprend 68 miniatures et 200 schémas d'instruments.

108. COULON, Alain, Introduction à *La Chirurgie* d'Abulcasis (voir réf. note ci-dessus).

109. ROUSSEAU, Pierre, *Histoire de la science,* Paris, Fayard, 1945, 823 p., p. 125-129.

110. IFRAH, Georges, *Histoire universelle des chiffres,* Paris, Seghers, 1981, 567 p. réédition Robert Laffont, coll. « Bouquins », 1994, 2 tomes, 1 042 p. et 1 010 p., tome 2, p. 344.

111. IFRAH, Georges, *Histoire universelle des chiffres* (cf. note 110), tome 2, p. 367 et suiv.

112. WALTER, Henriette, *Des mots sans-culottes,* Paris, Robert Laffont, 1989, 244 p., p. 82-85.

113. GUYOT, Lucien et GIBASSIER, Pierre, *Les Noms des animaux terrestres,* Paris, PUF, « Que sais-je ? », n° 1250, 1967, 126 p., p. 59.

114. BLOCH, Oscar et WARTBURG, Walther von, *Dictionnaire étymologique de la langue française,* Paris, PUF, 1950, 651 p., p. 3.

115. CANTINEAU, Jean, *Études de linguistique arabe,* Paris, Klincksieck, 1960, 299 p., p. 166.

116. WALTER, Henriette, *Le Français dans tous les sens,* Paris, Robert Laffont, 1988, 384 p. (préface d'André Martinet). Grand Prix de l'Académie française pour 1988, p. 96.

117. MAALOUF, Amin, *Les Croisades vues par les Arabes,* Paris, Jean-Claude Lattès, 1983, p. 117.

118. MAALOUF, Amin, *Samarcande,* Paris, Jean-Claude Lattès, 1988, 376 p., p. 150.
119. GUIRAUD, Pierre, *Les Mots étrangers,* Paris, PUF, « Que sais-je ? », n° 1166, 1965, 123 p., p. 44.
120. SOURDEL, Dominique, *Histoire des Arabes,* Paris, PUF, « Que sais-je ? », n° 1627 (1re éd. 1976), 1985, p. 32.
121. REY, Alain (sous la dir.), *Dictionnaire historique de la langue française,* Paris, Le Robert, 1992, 2 tomes 2 383 p., sous l'entrée *babouche.*
122. MEILLET, Antoine et COHEN, Marcel (sous la dir.), *Les Langues du monde,* Paris, CNRS-Champion, 1952, 2 tomes, 1 294 p. et 21 cartes, p. 30-31.
123. DEYHIME, Guiti, « Les emprunts du persan au français (Étude phonétique) », *Luqmân, Annales des Presses universitaires d'Iran,* IV, n° 1, 1987-1988, p. 87-103.
     MOVASSAGHI, A.M. et GHAVIMI, M., « Vrais amis et faux amis de la langue française et du persan », *Luqmân, Annales des presses universitaires d'Iran,* III, n° 2, printemps 1987, p. 76-96, notamment p. 82-87.
124. DEYHIME, Guiti, « Les emprunts du français au persan », *Luqmân, Annales des Presses universitaires d'Iran,* V, n° 1, 1988-1989, p. 39-58, notamment p. 54.
125. BLOCH, Oscar et WARTBURG, Walther von, *Dictionnaire étymologique de la langue française,* Paris, PUF, 1950, 651 p., sous l'entrée *divan.*
126. DEYHIME, Guiti, « Les emprunts du français au persan », *Luqmân, Annales des Presses universitaires d'Iran,* V, n° 1, 1988-1989, p. 39-58, notamment p. 54.
127. VARENNE, Jean, *Grammaire du sanskrit,* Paris, PUF, « Que sais-je ? », n° 1116, 1971, 127 p., p. 9.
128. GREIMAS, Algirdas Julien et KEANE, Teresa May, *Dictionnaire du moyen français. La Renaissance,* Paris, Larousse, 1992, 668 p., sous l'entrée *escarlate.*
129. REY, Alain, *Dictionnaire historique de la langue française,* Paris, Le Robert, 1992, 2 tomes, 2 383 p., sous l'entrée *cramoisi.*
130. HADIDI, Djavad, « Les origines persanes de Zadig, roman philosophique de Voltaire », *Luqmân, Annales des Presses universitaires de l'Iran,* IV, n° 1, 1987-1988, p. 51-68, notamment p. 52.
131. VARDAR, Berke, article Turc, Turquie, *Grand Dictionnaire encyclopédique Larousse,* Paris, 10 vol., 1984.
132. MEILLET, Antoine et COHEN, Marcel (sous la dir.), *Les Langues du monde,* Paris, CNRS-Champion, 1952, 2 tomes, 1 294 p. et 21 cartes, ainsi que
     VARDAR, Berke, article Turc, Turquie, *Grand Dictionnaire encyclopédique Larousse,* Paris, 10 vol., 1984.
133. WALTER, Henriette, *Le Français dans tous les sens,* Paris, Robert Laffont, 1988, 384 p. (préface d'André Martinet). Grand Prix de l'Académie française pour 1988, p. 216.
134. HILLAIRET, Jacques, *Dictionnaire historique des rues de Paris,* Paris, Éd. de Minuit, 1964 (1re éd. 1961), 2 tomes, sous l'entrée *Lombards.*
135. MICHELET, Jules, *Histoire de France,* tome IV, p. 52 (cité par Littré, sous l'entrée *lombard*).
136. CONDEESCU, N.N., *Traité d'histoire de la langue française,* Bucarest, Editura didactica si pedagogica, 1975, 454 p., p. 239.
137. *Dictionnaire des auteurs,* Paris, Robert Laffont, 1994, 3 tomes, tome 2, p. 1815.
138. RISSET, Jacqueline, *Dante, une vie,* Paris, Flammarion, 1995, 223 p., notamment p. 161-166.
139. DANTE, *La Divine Comédie,* traduction d'Alexandre Masseron, Paris, Albin Michel et Club français du livre, 1964, 3 tomes, *Paradis,* X, v. 137.
140. GILLET, Louis, *Dante,* Paris, Flammarion, 1941, 379 p., p. 179.
141. DANTE, *La Divine Comédie,* traduction d'Alexandre Masseron, Paris, Albin Michel et Club français du livre, 1964, 3 tomes, *Purgatoire,* XXVI, v. 140-147 et notamment v. 142.

142. *Dictionnaire des auteurs,* Paris, Robert Laffont, 1994, 3 tomes, tome 3, p. 2547 ainsi que
     Dictionnaire des œuvres, Paris, Robert Laffont, 1994, tome 4, p. 4154.
143. *Dictionnaire des auteurs,* Paris, Robert Laffont, 1994, 3 tomes, tome 3, p. 2489.
144. Dans BOIARDO, Matteo Maria, *Roland amoureux* (1486) et dans L'ARIOSTE, *Roland furieux* (1532).
145. BRUNOT, Ferdinand, *Histoire de la langue française des origines à nos jours,* Paris, Armand Colin, 1905-1937, rééd. 1966-1967, tome IV, p. 177.
146. HOPE, T.E., *Lexical Borrowing in the Romance Languages. A Critical Study of Italianisms in French and Gallicisms in Italian from 1100 to 1900.* Oxford, Basil Blackwell, 1971, p. 236-237, note 6.
147. GREIMAS, Algirdas Julien et KEANE, Teresa Mary, *Dictionnaire du moyen français. La Renaissance,* Paris, Larousse, 1992, 668 p., sous l'entrée *camisade.*
148. ESTIENNE, Henri, *Deux dialogues du nouveau langage françois italianizé et autrement desguizé, principalement entre les courtisans de ce temps,* Genève, Slatkine, 1980 (1re édition anonyme, 1578), 476 p., p. 81.
149. ESTIENNE, Henri, *Deux dialogues du nouveau langage françois italianizé et autrement desguizé, principalement entre les courtisans de ce temps,* Genève, Slatkine, 1980 (1re édition anonyme, 1578), 476 p., p. 140-143.
150. ESTIENNE, Henri, *Deux dialogues du nouveau langage françois italianizé et autrement desguizé, principalement entre les courtisans de ce temps,* Genève, Slatkine, 1980 (1re édition anonyme, 1578), 476 p., p. 140-145.
151. HOPE, T.E., *Lexical Borrowing in the Romance Languages. A Critical Study of Italianisms in French and Gallicisms in Italian from 1100 to 1900.* Oxford, Basil Blackwell, 1971, p. 235.
152. MONTAIGNE, *Journal de voyage en Italie,* Paris, Librairie générale française, Livre de poche, 1974, p. 374.
153. LAPESA, Rafael, *Historia de la lengua española,* Madrid, Gredos, 9e éd., 1986, 690 p., p. 168-170.
154. *Le Petit Robert 2, Dictionnaire universel des noms propres,* Paris, Le Robert, 1975, 1992 p., article « Ibarruri ».
155. LAPESA, Rafael, *Historia de la lengua española,* Madrid, Gredos, 9e éd., 1986, 690 p., p. 295.
156. MARTINEZ, Nicole, 1986, *Les Tsiganes,* Paris, PUF, « Que sais-je ? », n° 580, 1986, 126 p., notamment ch. 2, p. 20-30, ainsi que
     MALHERBE, Michel, *Les Langages de l'humanité,* Paris, Seghers, 1983, 441 p. et Paris, Robert Laffont, « Bouquins », 1995, 1 734 p., p. 197.
     ASSÉO, Henriette, *Les Tsiganes, une destinée européenne,* Paris, Gallimard, 1994, 160 p.
     WILLIAMS, Patrick, *Terre d'asile, terre d'exil,* Paris, Peuples autochtones.
     LIÉGEOIS, Jean-Pierre, *Mutation tsigane,* la révolution bohémienne, Paris, Complexe, distr. par PUF, 1976, 225 p., notamment p. 13-22.
     LIÉGEOIS, Jean-Pierre, *Roma, tsiganes, voyageurs,* Strasbourg, Conseil de l'Europe, 1994, 315 p., notamment p. 43-59.
157. MEILLET, Antoine et COHEN, Marcel (sous la dir.), *Les Langues du monde,* Paris, CNRS-Champion, 1952, 2 tomes, 1 294 p. et 21 cartes, p. 947-948, ainsi que
     MALHERBE, Michel, *Les Langages de l'humanité,* Paris, Seghers, 1983, 441 p. et Paris, Robert Laffont, « Bouquins », 1995, 1 734 p., p. 254.
     Selon le *Mémo-Larousse* 1989, p. 372, il y aurait 600 000 locuteurs d'aymara en Bolivie, 1 million de locuteurs de tupi-guarani au Paraguay et 6 millions de locuteurs de quechua au Pérou.
158. COROMINAS, Joan, *Breve diccionario etimológico de la lengua castellana,* Madrid, Grados (1re éd. 1961), 3e éd., 1987, 627 p., p. 123.
     REY, Alain (sous la dir.), *Dictionnaire historique de la langue française,* Paris, Le Robert, 1992, 2 tomes, 2 383 p.

159. REY-DEBOVE, Josette et GAGNON, Gilberte, *Dictionnaire des anglicismes,* Paris, Robert, 1980, p. 698-699.

160. MURATORI-PHILIP, Anne, *Parmentier,* Paris, Plon, 1994, 398 p., ch. « La bataille de la pomme de terre », p. 105-140.

161. PELT, Jean-Marie, *Des légumes,* Paris, Fayard, 1993, 231 p., p. 60.
QUID 1995 donne une production annuelle de 60 000 t de pommes de terre contre 8 000 t de tomates.

162. VALKHOFF, Marius, *Étude sur les mots français d'origine néerlandaise,* Amersfoort, Valkhoff and Co., 1931, p. 82.

163. GUIRAUD, Pierre, *Les Mots étrangers,* Paris, PUF, « Que sais-je ? », n° 1166, 1965, 123 p., p. 59.

164. CHAUDENSON, Robert, *Les Créoles,* Paris, PUF, « Que sais-je ? », n° 2970, 1995, 127 p., p. 71-73.

165. PEREGO, « Les créoles », dans MARTINET, André (sous la dir.), *Le Langage,* Paris, Gallimard, « La Pléiade », 1968, 1 525 p.

166. CHAUDENSON, Robert, *Les Créoles,* Paris, PUF, « Que sais-je ? », n° 2970, 1995, 127 p., p. 21-23.

167. REY, Alain (sous la dir.), *Dictionnaire historique de la langue française,* Paris, Le Robert, 1992, 2 tomes 2 383 p., article *nickel.*

168. GERMA, Pierre, *Du nom propre au nom commun, dictionnaire des éponymes,* Paris, Bonneton, 1993, 255 p.

169. WALTER, Henriette, *L'Aventure des langues en Occident. Leur origine, leur histoire, leur géographie,* Paris, Robert Laffont, 1994, 498 p. (préface d'André MARTINET), notamment p. 107.

170. ŠABRŠULA, Jan, « L'élément russe dans les langues européennes », *Philologica Pragensia,* Prague, 1987, 4, p. 208-220.

171. REY, Alain (sous la dir.), *Dictionnaire historique de la langue française,* Paris, Le Robert, 1992, 2 tomes, 2 383 p., article *meringue.*

172. DAUZAT, Albert, DUBOIS, Jean et MITTERAND, Henri, *Dictionnaire étymologique et historique du français,* Paris, Larousse (1re éd. 1964), 1993, 822 p., sous l'entrée *robot.*

173. BACQUET, Paul, *Le Vocabulaire anglais,* Paris, PUF, « Que sais-je ? », n° 1574, (1re éd. 1974) 1982, 127 p., p. 52-53.

174. BACQUET, Paul, *L'Étymologie anglaise,* Paris, PUF, « Que sais-je ? », n° 1652, 1976, 125 p., p. 31-32.

175. BACQUET, Paul, *Le Vocabulaire anglais,* Paris, PUF, « Que sais-je ? », n° 1574, (1re éd. 1974) 1982, 127 p., p. 12.

176. CELLARD, Jacques, *Ah ! ça ira, ça ira... Ces mots que nous devons à la Révolution,* Paris, Balland, 1989, 351 p., p. 116.

177. REY, Alain (sous la dir.), *Dictionnaire historique de la langue française,* Paris, Le Robert, 1992, 2 tomes, 2 383 p., sous l'entrée *sentimental.*

178. WALTER, Henriette, *Des mots sans-culottes,* Paris, Robert Laffont, 1989, 244 p., p. 183-190.

179. BRILLAT-SAVARIN (J.A.), *Physiologie du goût, ou Méditations de gastronomie transcendante,* Paris, 1826, cité par HÖFLER, Manfred, *Dictionnaire des anglicismes,* Paris, Larousse, 1982, 308 p.

180. FREY, Max, *Les Transformations du vocabulaire français à l'époque de la Révolution (1789-1800),* Paris, PUF, 1925, p. 51.

181. FREY, Max, *Les Transformations du vocabulaire français à l'époque de la Révolution (1789-1800),* Paris, PUF, 1925, p. 59.

182. FREY, Max, *Les Transformations du vocabulaire français à l'époque de la Révolution (1789-1800),* Paris, PUF, 1925, p. 50.

183. MACKENSIE, Fraser, *Les Relations de l'Angleterre et de la France d'après le vocabulaire,* 1re partie, *Les Infiltrations de la langue et de l'esprit anglais. Angli-*

cismes français, 2ᵉ partie, *Gallicismes anglais*, Paris, Droz, 1939, qui donne, dans l'appendice A, les listes complètes des nouveaux anglicismes figurant dans les éditions successives du *Dictionnaire de l'Académie française* (1694-1935).

184. GUYOT, Lucien et GIBASSIER, Pierre, *Les Noms des arbres*, Paris, PUF, « Que sais-je ? » n° 861, (1ʳᵉ éd. 1960) 1966, 127 p., p. 127.

185. SOUCCAR, Thierry, « Tout savoir sur les sodas », *Sciences et Avenir*, Paris, juin 1996, p. 45.

186. *Dictionnaire des termes officiels de la langue française*, Délégation générale à la langue française, Paris, *Journal officiel* éditeur, 1994, 462 p., p. 235.

187. ÉTIEMBLE, *Parlez-vous franglais ?*, Paris, Gallimard, 1964, 376 p.

188. WALTER, Henriette, *Le Français dans tous les sens*, Paris, Robert Laffont, 1988, 384 p. (préface d'André Martinet). Grand Prix de l'Académie française pour 1988, p. 182-183 et carte du français en Afrique p. 211.

189. ROSSILLON, Philippe (sous la dir.), *Atlas de la langue française*, Paris, Bordas, 1985, 127 p., p. 81-89.

190. PELT, Jean-Marie, *Des fruits*, Paris, Fayard, 1994, 283 p., p. 159-168.

191. POIRÉ, Paul et coll., *Nouveau Dictionnaire des sciences et de leurs applications*, Paris, Delagrave, 1903 (?), 3 362 p., p. 2228.

192. POIRÉ, Paul et coll., *Nouveau Dictionnaire des sciences et de leurs applications*, Paris, Delagrave, 1903 (?), 3 362 p., p. 494.

193. PELT, Jean-Marie, *Des fruits*, Paris, Fayard, 1994, 283 p., p. 172-173.

194. MARTINET, André, « alfonic et l'écriture japonaise », *Liaison alfonic*, 1984/1, p. 7-10.

195. Je remercie Tomoko ICHIKAWA de son aide pour la rédaction de cet encadré.

196. Cité par FREY, Max, *Les Transformations...* (cf. note 180), p. 46.

197. Le corpus qui a été réuni dans le *Lexique* présenté en annexe a été constitué, en plus du *Dictionnaire des mots d'origine étrangère* de Henriette et Gérard WALTER (Paris, Larousse, 1991, 413 p.), grâce au dépouillement, par les soins de Gérard WALTER, des ouvrages suivants :

Larousse, Dictionnaire de français, 35 000 mots, Paris, 1987, 1 095 p.

Le Nouveau Petit Robert, Dictionnaire alphabétique et analogique de la langue française, ROBERT, Paul, sous la dir. d'Alain REY et de Josette REY-DEBOVE, Paris, éd. Le Robert (1ʳᵉ éd. 1967), 1993, 2 467 p.

Le Petit Larousse compact 1996, Paris, Larousse, 1995, 1 776 p.

Micro Robert Plus, Paris, Le Robert, 1988, 1 091 p. + 306 p. + atlas + chronologie (env. 35 000 mots).

ALLEN, R.E. (sous la dir.), *The Concise Oxford Dictionary of Current English*, Oxford, Clarendon Press, 1990, 1 454 p.

BLOCH, Oscar et WARTBURG, Walther von, *Dictionnaire étymologique de la langue française*, Paris, PUF, 1950, 651 p.

BOLOGNE, Jean-Claude, *Les Allusions bibliques*. Dictionnaire commenté des expressions d'origine biblique, Paris, Larousse, 1991, 288 p.

BOUFFARTIGUE, Jean et DELRIEU, Anne-Marie, *Trésors des racines latines*, Paris, Belin, 1981, 335 p.

BOUFFARTIGUE, Jean et DELRIEU, Anne-Marie, *Trésors des racines grecques*, Paris, Belin, 1981, 285 p.

COLIN, Jean-Paul, *Trésor des mots exotiques*, Paris, Belin, 1986, 307 p.

COROMINAS, Joan, *Breve diccionario etimológico de la lengua castellana*, Madrid, Grados (1ʳᵉ éd. 1961), 3ᵉ éd. 1987, 627 p.

CORTELAZZO, Manlio et ZOLLI, Paolo, *Dizionario etimologico della lingua italiana*, Bologna, Zanichelli, 1979, 5 tomes, 1 470 p.

CUNHA, Antônio Geraldo da, *Dicionário etimológico da língua portuguesa*, Botafogo (Brésil), Editora Nova frontera (1ʳᵉ éd. 1982), 2ᵉ éd. augmentée 1987, 832 p. + XX p. + 101 p.

DAUZAT, Albert, DUBOIS, Jean et MITTERAND, Henri, *Dictionnaire étymologique et historique du français*, Paris, Larousse (1ʳᵉ éd. 1964), 1993, 822 p.

GERMA, Pierre, *Du nom propre au nom commun, dictionnaire des éponymes*, Paris, Bonneton, 1993, 255 p.

GUIRAUD, Pierre, *Les Mots étrangers*, Paris, PUF, « Que sais-je ? », n° 1166, 1965.

GUIRAUD, Pierre, *Patois et dialectes français*, Paris, PUF « Que sais-je ? », n° 1285, 1968, où l'auteur consacre tout un chapitre aux mots dialectaux (ch. IV, p. 95-113).

HOAD, T.F., (sous la dir.), *The Concise Oxford Dictionary of English Etymology*, Oxford, Clarendon Press, 1986, 552 p.

HÖFLER, Manfred, *Dictionnaire des anglicismes*, Paris, Larousse, 1982, 308 p.

LA STELLA T., Enzo, *Dizionario storico di deonomastica*, Firenze, Olschki, 1984, 233 p.

LA STELLA T., Enzo, *Santi e fanti, dizionario dei nomi di persona*, Bologna, Zanichelli, 1996, 385 p.

MILLS, A.D., *A Dictionary of English Place-names*, Oxford-New York, Oxford University Press, 1991, 388 p.

NÈGRE, Ernest, *Toponymie générale de la France*, Genève, Droz, 1990, tome 1, p. 7-704, 1991, tome 2, p. 713-1381 et tome 3, p. 1 399-1 852.

ONIONS, C.T. (sous la dir.), *The Oxford Dictionary of English Etymology*, avec la collaboration de FRIEDERICHSEN, G.W.S. et BURCHFIELD, R.W., Oxford, Clarendon Press (1ᵉ éd. 1966), 1985, 1 024 p.

PERGNIER, Maurice, *Les Anglicismes. Danger ou enrichissement pour la langue française ?*, Paris, PUF, 1989, 214 p.

PFEIFER, Wolfgang, *Etymologisches Wörterbuch des Deutschen*, Berlin, Akademie Verlag, 1989, 3 tomes, 2 093 p.

PICOCHE, Jacqueline, *Nouveau Dictionnaire étymologique du français*, Paris, Hachette-Tchou, 1971, 827 p.

PICONE, Michael David, *De l'anglicisme et de la dynamique de la langue française*, Lille, Atelier national de reproduction des thèses, Univ. de Lille, 1981, 405 p.

REY, Alain (sous la dir.), *Dictionnaire historique de la langue française*, Paris, Le Robert, 1992, 2 tomes, 2 383 p.

REY-DEBOVE, Josette et GAGNON, Gilberte, *Dictionnaire des anglicismes*, Paris, Robert, 1980, 1 152 p. (2 626 formes).

ZINGARELLI, Nicola, *Vocabolario della lingua italiana*, Bologna, Zanichelli, 1970, 2 064 p.

LES INDEX ET LE LEXIQUE

Index des noms propres
Index des noms de lieux
Index des langues et des peuples cités
Index des notions

Lexique et index des formes citées

INDEX DES NOMS PROPRES

INDEX DES NOMS DE LIEUX

Chânes (Saône-et-Loire) 44
Chanet (Cantal) 44
Chanet (Le) (Aube) 44
Chanets (Les) (Hautes-Alpes) 44
Chaneye (Ain) 44
Chaniers (Charente-Maritime) 44
Chanoy (Hte-Marne, Loiret) 42, 44
Chanoy (Le) (Seine-et-Marne) 44
Chanoz (Ain) 44
Charente (dépt) 33
Charnas (Alpes-de-Haute-Provence) 44
Charnois (Ardennes) 44
Charnois (Le) (Seine-et-Marne) 44
Charnoy (Le) (Seine-et-Marne) 44
Chasnais (Vendée) 44
Chasnas (Ain) 44
Chasnaz (Savoie) 44
Chasne (Le) (Seine-et-Marne) 44
Chasné (Ille-et-Vilaine) 44
Chassagna (Haute-Vienne) 44
Chassagnas (Haute-Vienne) 44
Chassagne (Cantal, Hte-Loire, Htes-Alpes, Nièvre, Puy-de-Dôme) 44
Chassagne (La) (Ain, Allier, Côte-d'Or, Creuse, Hte-Marne, Jura) 44
Chassagne-Montrachet (Côte-d'Or) 44
Chassagne-St-Denis (Doubs) 44
Chassagnes (Alpes-de-Hte-Provence, Hte-Loire) 44
Chassagnole (Loire) 44
Chassaigne (Allier) 42, 43, 44
Chassaignes (Allier, Dordogne, Htes-Alpes) 42, 44
Chassaignolles (Puy-de-Dôme) 44
Chassaing (Allier, Creuse, Dordogne) 44
Chassaing (Le) (Puy-de-Dôme) 44
Chassaing-Cheval (Creuse) 44
Chassant (Eure-et-Loir) 44
Chasse (Alpes-de-Hte-Provence, Isère) 44
Chasse-sur-Rhône (Isère) 44
Chasseignas (Dordogne) 44
Chasseigne (Indre, Nièvre) 44
Chasseignes (Vienne) 44
Chassenaz (Haute-Savoie) 44
Chassenet (Loire, Puy-de-Dôme) 44
Chasseneuil (Indre) 44
Chasseneuil (Le) (Haute-Vienne) 44
Chasseneuil-du-Poitou (Vienne) 44
Chasseneuil-sur-Bonnieure (Charente) 44
Chassignelles (Yonne) 44
Chassignol (Allier, Creuse, Loire) 44
Chassignole (La) (Allier, Creuse) 44
Chassignole (Puy-de-Dôme, Yonne) 44

Chassignoles (Les) (Puy-de-Dôme) 44
Chassignolles (Indre) 44
Chassignolles (Haute-Loire) 44
Châteauroux (Indre) 42
Cheetwood (Grande-Bretagne) 34
Chenaie (La) (Maine-et-Loire, Orne) 44
Chêne (Ain, Nièvre, Vienne) 44
Chêne (Le) (Aube, Char.-Mar., Creuse, Doubs, Indre-et-Loire, Isère, Loire, Loire-Atlant., Vaucluse) 44
Chêne-Arnoult (Yonne) 44
Chêne-au-Loup (Nord) 44
Chêne-Bernard (Jura) 44
Chêne-Doré (Eure-et-Loir) 44
Chêne-Doux (Mayenne) 44
Chêne-du-Loup (Allier) 44
Chêne-Eclat (Indre) 44
Chêne-en-Semine (Haute-Savoie) 44
Chêne-Fourchu (Le) Cher) 44
Chêne-la-Reine (Marne) 44
Chêne-Pendu (Indre-et-Loire) 44
Chêne-Rond (Loiret) 44
Chêne-Sec (Jura) 44
Chênedouit (Orne) 44
Chênerie (La) (Mayenne, Saône-et-Loire) 44
Chênes (Les) (Char.-Mar., Cher, Vosges) 44
Chênesec (Orne) 44
Chénier (Indre) 44
Chenières (Meurthe-et-Moselle) 44
Chéniers (Creuse, Marne) 44
Chennebrun (Eure) 44
Chenois (Moselle, Seine-et-Marne) 44
Chénois (Le) (Vosges) 44
Chepniers (Charente-Maritime) 44
Cher 48
Chesnaie (La) (Deux-Sèvres, Indre-et-Loire, Maine-et-Loire) 44
Chesnay (Le) (Eure, Loir-et-Cher, Yvelines) 42, 43, 44
Chesnaye (La) (Eure-et-Loir) 44
Chesne (Le) (Ardennes, Eure, Oise) 44
Chesnée (La) (Calvados) 44
Chesnière (La) (Sarthe) 44
Chesnois (Le) (Ardennes) 44
Chesnois-Auboncourt (Ardennes) 44
Chesnoy (Le) (Loiret) 44
Chesny (Moselle) 44
Chessenaz (Haute-Savoie) 42
Chili 159
Chypre 80, 135
Cimiez 35
Cîteaux 151

INDEX DES LANGUES
ET DES PEUPLES CITÉS

Cet index permet de retrouver les noms des langues et des peuples cités, soit dans le texte (ils sont alors suivis d'une indication de pages), soit dans le lexique (sans indication de pages).

On trouvera entre parenthèses le nom de la famille ou du sous-groupe linguistique auquel ces langues appartiennent, par ex. **malayalam** (dravidien) et quelquefois une indication des lieux où ces langues sont parlées, par ex. **neger-hollands** (îles Vierges).

Les noms des langues ont été composés en **romain gras**, les noms des peuples en PETITES CAPITALES.

INDEX DES NOTIONS

Cette section est seulement destinée à permettre de retrouver à partir d'un très petit nombre de notions et de catégories générales une partie des formes lexicales empruntées par le français à d'autres langues.

LEXIQUE DES MOTS FRANÇAIS VENUS D'AILLEURS
ET
INDEX DES FORMES CITÉES

Ce lexique a été conçu à la fois comme

– un **index des formes citées** dans l'ouvrage, qu'il s'agisse de mots français ou de mots étrangers (avec indication des pages où l'on pourra les retrouver) et

– un **lexique complémentaire des mots français venus d'autres langues** (sans indication de pages puisqu'ils n'ont pas été cités dans l'ouvrage).

En effet, il n'était pas possible de commenter en détail dans cet ouvrage les quelque 10 000 mots français d'origine étrangère. Ils ont néanmoins été regroupés ici et comportent, en plus des langues d'origine, quelques brèves indications sur leur signification (entre guillemets ou entre parenthèses selon qu'on a donné le sens précis [ex. **estoc** « pointe de l'épée », venu du francique] ou simplement le domaine d'emploi [ex. **action** (en Bourse), emprunté au néerlandais]).

On y trouvera trois sortes d'entrées, imprimées en **romain gras**, en *italique gras* ou en romain maigre :

1. En **romain gras** : tous les mots d'origine étrangère, résultat d'une longue recherche effectuée avec l'aide de mon mari [197], ainsi que tous les mots français ou étrangers commentés dans l'ouvrage. Seule leur origine est indiquée (et parfois leur signification).

Exemples : **soldat** ital 143, 147

braguette prov < gaul 14, 38, 39

sarbacane esp < ar < persan < malais 162, 201

apothêkê « entrepôt » mot grec 57

2. En *italique gras* : mots formés à partir d'un nom propre ou d'un nom de lieu. Dans ce cas, c'est le nom du lieu d'origine, et non pas le nom d'une langue qui est indiqué.

Exemples : *dahlia* (bot.) *Dahl* (Suède) 13, 77

faïence (poterie) *Faenza* (Italie) 81

3. En romain maigre : mots d'origine étrangère assez rares pour ne figurer ni dans *Le Petit Larousse* 1996, ni dans *Le Petit Robert* 1993.

Exemples : bigotelle « relève-moustaches » esp
bancasse (marine) germ

Dans les cas ambigus, des indications grammaticales ont été précisées en italique.

Exemples : **barde** *n.m.* (poète) gaulois
barde *n.f.* (lard) espagnol < arabe

LISTE DES ABRÉVIATIONS POUR LES NOMS DE LANGUE

a. fr	ancien français	jap	japonais
all	allemand	lat	latin
amérind	amérindien	lat eccl	latin ecclésiastique
angl	anglais	lat médiév	latin médiéval
angl d'Am	anglais d'Amérique	lgue	langue
anglo-norm	anglo-normand	moyen ht-all	moyen haut-allemand
ar	arabe	néerl	néerlandais
celt	celtique	norm	normand
dial	dialecte	norm-picard	normanno-picard
esp	espagnol	pré-indo-eur	pré-indo-européen
fr	français	prov	provençal
fr rég	français régional	ptg	portugais
francoprov	francoprovençal	scand	scandinave
gaul	gaulois	sémit	sémitique
germ	germanique	skr	sanskrit
grec byz	grec byzantin	vx scand	vieux scandinave
ital	italien		

< qui vient de
(?) d'origine incertaine ou contestée

A

a cap(p)ella ital
a fortiori lat 58
a giorno ital
a posteriori lat 58
a priori lat 58
a quia (embarras) lat
à égalité 58
à plus forte raison 58
aardappel mot néerlandais 159
abaca *n.m.* (chanvre) esp < tagalog
aballo mot gaulois 37, 38, 42
abandon germ
abasourdir prov (?)
abbé lat eccl < grec < araméen
abdomen lat
abeille prov 108
abélien (math.) *Abel* (Norvège)
ablater « supprimer » angl
abolitionnisme, -iste angl
abot « entrave » norm
abri oïl de l'Ouest
abricot catalan < ar 124
absentéisme angl
abstract angl < lat
acabit prov
académie, -ique ital < grec
acajou ptg < tupi 162, 200
acarus (parasite) lat
accabler norm-picard
accaparer ital 144, 148
accastillage esp
accastiller esp
accelerando ital
accise (impôt) néerl
accolade prov 106

accordéon all < lat
accore *n.f.* (marine) néerl
accorte *adj.f.* ital
accoster prov (?)
acculturation angl
ace (tennis) angl
acétylène angl
achards ptg < malais < persan
acheb (bot.) ar
achigan (poisson) amérind
achoura (fête rel.) ar
acid-party angl
acné angl < grec
acon (marine) poitevin
acqua-tof(f)ana (poison) ital
acquarella « aquarelle » mot italien 208
acra (cuisine) créole
acre (mes. agraire) angl < norm
acronyme angl d'Am < grec
acting-out (psych.) angl
actinium (chimie) 61
action (en Bourse) néerl
ad libitum (au choix) lat
ad litem (procès) lat
ad litteram expr. latine 58
ad patres lat
ad valorem (proportionnellement) lat
adagio (mus.) ital
addenda (notes additionnelles) lat
addiction (drogue) angl
-ade *suffixe* < prov ou ital 105
adjudant esp
admittance (électr.) angl
ado *abréviation* 196
adouber (chevalerie) germ
adrénaline angl
adret dauphinois 109

adventiste angl
advertisingman (publicité) angl
aether « air » gréco-latin 170
aerobic (gymn.) angl
affaler néerl
affect (psych.) all
affidavit (taxes) angl
affidé « complice » ital
affiquet « bijou » norm
affres prov < germ
aficionado esp 152
after-shave angl
afterburner (chaudière) angl
agace *n.f.* « pie » prov
agami (oiseau) caraïbe 158, 161
agar-agar (algue) malais
agence ital
agenda lat
aggelos « messager » mot grec 118
aggiornamento ital
agha (chef) turc
agio ital
agit-prop (politique) *calque* < russe
agitateur (factieux) angl < lat
agitato (mus.) ital
agnosie (psych.) all < grec
agnosticisme angl < grec
agnostique angl < grec
agnus dei (liturgie) lat
agoraphobie 68
agouti (rongeur) tupi
agrafe germ
agrès vx scand 95
agricole *adj.* 68
agrume ital
aguardiente esp
aguiche *n.f.* (publicité) *calque* angl
aï (ou **paresseux**) tupi
aïd-el-adha (fête rel.) ar
aïd-el-fitr (fête rel.) ar
aïd-el-kébir (fête rel.) ar
aïd-el-séghir (fête rel.) ar
aigle prov 107
aiglefin (poisson) néerl 101
aigrette (oiseau) prov
aiguade (marine) prov 106
aiguail « rosée » poitevin
aiguayer prov
aigue-marine prov
aiguière prov 108
aiguillade (aiguillon) prov
aiguillat « requin » prov
aïkido (art martial) jap 203, 204
ail 59

aillade prov 106
aimée < lat 105
aïoli, ailloli prov
air (mus.) ital < lat < grec
air conditionné angl
airbag angl *nom déposé*
airborne angl
airedale (race canine) angl
airelle cévenol 108
ajonc oïl de l'Ouest < prélatin
ajoupa (hutte) tupi
akkadien (langue sémit.) *Akkad* (Mésopotamie)
akvavit, aquavit scand
al- article arabe 125
al dente ital
al-karchoûf « l'artichaut » mot arabe 125
al-oûd « le luth » mot arabe 126
al tempo ital
az zahr « jeu de dés » mot arabe 126
alambic esp < grec < ar 120, 122, 125, 129
alarme *n.f.* ital 142
alastrim (maladie) ptg
al-barqoûq (fruit) mot arabe 124, 125
albatros angl < ptg < ar
albédo (mes. phys.) angl < lat
alberge (fruit) esp < ar
albinos ptg
alborne « blond » a. fr 181
album all < lat 13, 169, 170
alcade esp < ar
alcali ar 122, 125
alcarazas esp < ar
alcatras (pélican) ptg
alcazar esp < ar < lat
alchimie lat < ar < grec < égyptien
alcool lat médiév < ar 122, 123, 125
alcôve esp < ar 125
aldéhyde (chimie) all < lat
ale (bière) néerl
aléa lat
alène, alêne (poinçon) germ
alérion (héral.) francique
alerte *n.f.* ital 142
alexine (biol.) all < grec
alezan esp < ar 123, 125
alfa (herbe) ar
alfange *n.f.* (arme) ar
algarade esp < ar 106
algazelle ar
algèbre lat médiév < ar 125
-algie « douleur » grec 66
algol (informatique) *acronyme* angl

algorithme lat médiév < ar 125
alguazil « policier » esp < ar
alias lat
alibi lat 58
alidade (instr. mes.) ar
alios (minéral.) gascon
alise (bot.) germ
alisier (bot.) germ
alizari (bot.) ar
alkékenge (bot.) persan
alkermès (liqueur) persan
alla turca ital 134
allégeance angl < a. fr
allegretto ital
allegro ital
alléluia lat < hébreu 118
allergique all < grec
alleu (féodal.) francique
alligator angl < esp
allitération angl
allô angl (?)
allopathie (médecine) all < grec
almanach ar < lat médiév < grec
almée (danseuse) ar
alnus « aulne » mot latin < germ 45
alose (poisson) lat < gaul 39
alouette lat < gaul 38
aloyau lat < gaul
alpaga esp < quechua 158, 161
alpage dauphinois
alpenstock all
alpestre ital
alpion ital
alpiste *n.m.* (bot.) esp
alquifoux (minéral.) esp < ar
alter ego lat
alternative (taurom.) esp
altesse ital ou esp
altier ital
alto (instr. mus.) ital
altus mot latin 35
aludal (poterie) grec < ar
alude prov
aluminium angl < fr 61
amadou prov 107
amalgame lat médiév < ar
aman (islam.) ar
amaril *adj.* (maladie) esp
amarre néerl
amarrer néerl 54, 100
amaryllis (bot.) lat
amateurisme angl < fr
ambassade ital < prov < lat < gaul 38
ambe (loterie) ital

ambix « vase à distiller » mot grec 120
amble (hipp.) prov
ambler (hipp.) prov
ambre lat < ar 19
amen lat < hébreu 118
amendement angl < fr 180
amer (marine) néerl
américanisme angl
americium (chimie) 61
ameur « amour » mot d'a. fr 108
amiral ar 125
amok (folie) angl < malais
amor « amour » mot latin 108
amoroso (mus.) ital
amour prov 107, 108
amouracher (s') ital
amourettes (cuisine) prov
ampère (mes. phys.) *Ampère* (France) 78
amure (marine) prov
ana ana « parfum des parfums » mot tupi
162, 208
anaconda (serpent) cinghalais
analphabète ital < grec
analphabétisme ital < grec
anam mot gaulois « marais » 38
ananas esp < ptg < tupi 162, 207
ance « eau » (argot) 22
anche (mus.) oïl de l'Ouest ou du Centre
< germ
anchois prov < grec (?)
andante (mus.) ital
andantino (mus.) ital
anémone grec 57
anesthésie angl < grec
ange de mer (poisson) néerl
ange lat eccl < grec *calque* < hébreu 118
angélus (liturgie) lat 118
angio- « vaisseau » grec 65
angledozer *n.m.* (trav. pub.) angl
anglican, -anisme angl < lat
anglicisme angl < lat
angström (mes. phys.) *Ångström* (Suède)
ani (oiseau) amérind
aniline all < ptg < ar < persan < skr
animaliser angl
animato (mus.) ital
animelles « testicules » ital
anion angl < grec
anode angl < grec
anolis (iguane) caraïbe
anone (bot.) esp
anorak inuktitut
anspect (levier) néerl ou angl
anspessade (militaire) ital

anthroponyme grec 33
anti-hold-up angl
anti-skating (électr.) angl
anti-skid (anti-dérapant) angl
antiaris (bot.) malayo-polynésien
antibiotique angl < grec
antichambre ital
antifading (électr.) angl
antifouling (peinture marine) angl
antigang angl
antilope angl < lat
antimoine lat méd < ar (?) 122, 123
antiquaille ital
antitrust angl
antrustion (féodal.) germ
anus lat
apache *Apache* (Am. du Nord)
apanage lat médiév
apartament mot roumain < fr 11
apartheid afrikaans
Apfel mot allemand 42
aphérèse 57, 154
aplanétique (optique) angl
apocope grec 57
aposté « qui surveille » ital
apothêkê « entrepôt » mot grec 57
apôtre lat eccl < grec 57
apparatchik russe
apparence 196
appartement ital 149
appartement mot persan < fr 131
appassionata (mus.) ital
appassionato (mus.) ital
apple mot anglais « pomme » 42
appoggiature ital
apron/naperon 179
aptérix (zool.) angl < grec
aqua(m) mot latin 3
aquafortiste ital
aquaplaning pseudo-anglicisme
aquarelle ital 149, 207
aquarium lat
ar(r)obe (mes. phys.) esp < ar
ara (perroquet) tupi
arabesque ital
aragonaise (danse) *Aragon* (Espagne)
aragonite (minéral.) *Aragon* (Espagne)
araire prov
arak (liqu.) ar
arantèle « toile d'araignée » oïl
araucaria (bot.) amérind
arborer ital < lat
arbouse (bot.) prov
arbre à beurre ou **karité** 199

arcade piémontais ou lombard 106
arcanne « craie rouge » ar
arcasse (marine) prov
arcature (archit.) ital
archaïque grec 72
arche 72
archéologie grec 72
archétype grec 72
archine (unité de long.) russe
archipel lat < grec
architecte lat < grec 72
architrave ital
archive grec 72
archivolte (archit.) ital
-ard *suffixe* < germ 91
ardillon (de boucle) germ
arditi (armée) ital
arec (bot.) ptg < malayalam
aremorici mot gaulois 38
aréquier (bot.) ptg < malayalam
argon (gaz rare) angl < grec
argousin (policier) ital (ou cat) < ar 24
argue (métall. de l'or) ital
argus (publication) *Argus* (mythol.)
aria (mus.) ital
ariette (mus.) ital
arioso (mus.) ital
arlequin ital < anglo-norm
arlequinade ital 106
arm-lock (lutte) angl
armada (marine) esp
armadille (cloporte) esp
armeline (fourrure) ital
armet « casque » germ
armoisin (étoffe) ital
army mot anglais « armée » 178
arnaquer *v.* picard (argot) 23
arol(l)e (bot.) fr-prov (?)
arpège ital 149
arpent gaul
arpette, arpète all
arpion prov
arquebuse néerl
arrhes *n.f. pl.* grec < hébreu
arrimer angl
arroche (bot.) prov
arroser/arrouser 145
arrow-root (bot.) angl
arroyo (chenal) esp
arsenal vénitien < ar 139
artefact angl < lat
artel (kolkhoze) russe
artichaut ital < ar 124, 125
artillerie francique

artimon génois
artisan ital
artiste ital
artiste mot persan < fr 131
arton « pain » < grec (argot) 22
arum (bot.) lat
as (monnaie romaine) lat
as samt « chemin » mot arabe 125, 126
ascète grec 32
asdic *acronyme* (marine) angl
ashkénase (juif d'Europe centrale) hébreu
ashram « monastère » skr
asiento (commerce) esp
asp(l)e (soie) all
aspic, spic « lavande » prov
aspirine all < grec 168, 169
assai (mus.) ital
assassin ital < ar 126
assassino « assassin » mot italien 127
assertorique (philos.) all
assette (outil) oïl
-asthénie « faiblesse » grec 66
asticoter all (?)
astrakan (fourrure) *Astrakan* (Russie)
ataca, atoca (bot.) lgue amérind
atémi (arts martiaux) jap
athée grec 32
atlante (arch.) ital
atlas (géogr.) *Atlas* (mythol.)
atoll angl < lgue des Maldives
atomiseur angl < lat < grec
atrium (cour intér.) lat
attaché-case angl < fr
attacher germ
attaquer ital < germ
attitude ital
attorney angl
attraction (spectacle) angl
au dernier moment 58
aubade prov 106
aubaine germ
aubépine oïl de l'Ouest
aubercot « abricot » mot d'a. fr 124
aubère *adj. et n.m.* (hipp.) ar
auberge prov 25
aubergine catalan < ar < persan 131, 132
aubette oïl du Nord
aubin *n.m.* (hipp.) ar
auburn angl < fr 181
aucuba (bot.) jap
audiencia (justice) esp
audit angl
auditeur 56
auditorium lat

aulne ou **aune** (bot.) germ 45, 48, 87, 88
aulof(f)ée (marine) néerl
aune (mesure) lat médiév < germ
aunelle 48
aurélie (méduse) ital
auriculaire lat 55
aurique (marine) néerl
aurochs all
austénite (métall.) *Austen* (G.-B.)
austère lat < grec 32
autan (vent) prov
autisme (méd) all
auto (théâtre) esp
auto- *préfixe* grec 67
auto-stop *pseudo-anglicisme*
autobus 155
autocar angl
autocoat angl
autodafé ptg
autofocus (optique) angl
autogire (aviation) esp
automation angl
automobile 67
autostrade ital 106, 144
auvent prov < gaul 39
avachir francique
aval (comm.) ital < ar
avalanche savoyard < ligure 14, 31
avanie ital < ar
avarie ital < ar 139
avatar skr
ave Maria (liturgie) lat
aveine mot d'a. fr 112
aveline « noisette » prov
aven rouergat < prélatin
avenir 192
aventure 103
aveugle 54
avionnette (aviation) esp
avis mot danois < fr 11
aviso (marine) esp
avocat (fruit) esp < nahuatl 157, 161
avocette (oiseau) ital
avoine oïl de l'Est 112
avoir 42, 93, 105
avoirdupois mot anglais 100
avontuur « aventure » mot néerlandais 103
awacs (aviation) *acronyme* angl
axis (vertèbre) lat
axolotl (zool.) nahuatl 158
axone (anatomie) angl
ayatollah ar
aye-aye (singe) malgache

ayuntamiento (assemblée) esp
azalée *n.f.* grec 57
azerole (fruit) esp < ar
azimut ar 125, 126
azote *n.m.* grec 71
azulejo (faïence) esp
azur lat médiév < ar < persan 129

B

baba (pâtisserie) polonais 174
baba « hippie » angl < hindi 189
baba-cool angl
babies angl 196
babilan « homme impuissant » ital
babiole ital
babiroussa (porc) malais
bâbord néerl
babouche ar < persan 128, 129, 131
baby angl 196
baby-beef angl
baby-boom (natalité) angl
baby-doll angl
baby-food angl
baby-foot (jeu) angl
baby-sitter, -ing angl
baby-test angl
bac (bateau) lat pop ou néerl < gaul
Bach « ruisseau » mot allemand 93
bâche gaul (?)
bachi-bouzouk turc
bacholle (seau en bois) oïl du Centre
back cross « rétro-croisement » angl
back-filler (engin de trav. publ.) angl
back-loader (engin de trav. publ.) angl
backgammon (jeu) angl < gallois
background angl
bâcler prov
bacon angl < fr < germ 179
bacon mot anglais < fr < germ 179
bacula (plafond) oïl (?)
bad-lands angl
bad-painting angl
badamier (bot.) persan
badaud prov
baderne ital
badge angl 191
badiane « anis » persan 131
badin « enjoué » prov
badminton (jeu) angl
baffle angl
bafouer prov
bafouiller lyonnais 110

bagad(ou) (mus.) breton
bagage angl
bagarre prov < basque (?) 30
bagasse (canne à sucre) esp < ar (?)
bagatelle ital
bagne ital
bagnole picard < gaul
bagou(t) oïl de l'Ouest
bague néerl (?)
baguenaude *n.f.* (fruit et flânerie) oc
baguenauder *v.* languedocien (argot) 23, 26
baguette ital 146
baie (petit golfe) esp 152
bailadeira mot portugais 164
baile *n.m.* « prévôt » prov ou ital
baille *n.m.* (marine) ital
baïram turc
Baiser mot allemand) < fr 10
bakchich turc < persan
bakélite *n.f.* (chimie) *Baekeland* (Belgique)
baklava (pâtisserie) turc
baladin prov
balafon (instr. mus.) malinké 198
balafre germ
balai breton
balais *adj.m.* (rubis) *Balakhchân* (Perse)
balalaïka (instr. mus.) russe
balancelle (marine) génois
balandran, -dras (marteau) oc (?)
balbuzard (oiseau) angl
balcon ital < longobard 149
baldaquin ital 139
balèze prov
balisier caraïbe
baliverne prov 25
ballade prov 106
ballast (chemin de fer) angl < scand
ballast (marine) néerl < scand 95
Bällchen « petite balle » mot allemand 170
balle (à jouer) dial ital < longobard
balle (paquet) francique
balle ou bale (de céréale) gaul
ballerine ital
ballet ital
ballon (balle) dial ital 146
ballon (montagne) all (?) 170
balourd ital 149
balsa (bois) esp
balustrade dial ital 106
balustre *n.m.* (colonnette) ital
balzan *adj.* (hipp.) ital

bambin ital
bambochade ital
bamboche dial ital
bambou ptg < malais 163, 200
bamboula bantou 198
ban (dignitaire) slave
ban (vie féodale) francique
banane ptg < bantou 164, 198, 199
banaste (corbeille d'osier) celt
ban germ
banc 88
banca « banque » mot italien 139
banca rotta « banqueroute » mot italien 139
bancasse (marine) germ
banco (construction) lgue africaine
banco ital < germ
bancoulier (bot.) *Bancoulen* (Sumatra)
bande « lien » francique
bande promo 191
bande « troupe » germ
bande vidéo 191
bandeira (expédition esclavagiste) ptg du Brésil
bandeirantes (aventuriers) ptg du Brésil
bandera (armée) esp 153
banderille esp 153
banderillero esp
banderole ital
bandicoot (marsupial) angl < telougou
bandigui (peigne) malinké
bandingue (ligne de pêche) oïl de l'Ouest
bandins (marine) ital
bandit ital 143
bandito « hors la loi » mot italien 143
bando(u)lier (brigand) esp
bandoulière esp
banian (bot.) ptg < tamoul
banjo angl d'Am < esp
banlieue francique + gaul
banne (véhicule) gaul
bannière francique
bannir francique
banque ital < germ 139
banqueroute ital 139
banquet ital 149
banquette (siège) languedocien 108
banquier ital
banquise scand 171
banteng « bœuf de Malacca » malais
baobab ar 200
baptême lat eccl < grec 57
baptisme, -iste (relig.) angl
bar (comptoir) angl d'Am < fr

bar (poisson) néerl 54, 101
bara « pain » mot breton 41
baracon (grande case) lgue africaine
baragouin, -gouiner breton 41
baraka « chance » ar
baraque esp < ibère 14, 30
baraquer v. (chameau) ar
baratin prov
baratte scand (?)
baratter v. scand (?)
barbacane (meurtrière) ar < persan
barbaque esp du Mexique
barbare 57, 84
barbaresque ital
barbe ital
barbecue angl < haïtien
barbiturique ital
barbon ital 143
barbone « grande barbe » mot italien 143
barbue (poisson) dial
barcarolle vénitien
barda (bagage) ar
bardane (bot.) dial
barde *n.f.* (lard) esp < ar
barde *n.m.* (poète) gaul
barder oc (?)
barège (tissu) oc
bargaignier mot d'a. fr 179
bargain/barguigner 179
barge (marine) prov < lat médiév < grec 107
barge (oiseau) gaul
barguigner germ 179
barigoule prov
barine russe
barmaid angl
barman angl
barn (mes. phys.) angl
baron germ 90
baron(n)et angl
baroque (perle) ptg < prélatin
baroud « combat » ar ou berbère
barouf, barouf(l)e ital 143
barque prov < grec 107
barracuda esp
barranco (ravin) ptg
barras (résine) oc de l'Ouest
barre gaul
barrel « baril » angl
barrette « bonnet carré » dial ital
barrique gascon 108
bartavelle « perdrix » prov 25, 107
baryum (chimie) angl < fr 61
bas *adj.* osque (?)

bas-bleu *calque* < angl
bas-relief ital
basane (cuir) prov < esp < ar
base-ball angl d'Am
basin (tissu) ital
basique *adj.* (fondamental) angl < fr
basket(-ball) angl
basque (d'un vêtement) prov
basquine esp
basse (mus.) ital
basset (clarinette) ital
bassette (jeu de cartes) ital
basson (mus.) ital
bast(a)ing prov
basta ital
bastaque *n.f.* (marine) angl ou néerl
baste *n.m.* « as de trèfle » esp
baste *n.f.* (récipient) prov
baster *v.* mot français du xvie s. 147
bastide prov
bastingage prov
bastingue (marine) ital (?)
bastonnade ital 106
bat, batte (sport) angl
bataillon ital
bâtard germ
batayole *n.f.* (marine) ital
bateau vieil angl
bath angl
batifoler ital 149
batik malais
bâtir germ
bâton mot portugais < fr 10
batoude *n.f.* (tremplin) ital
battle-dress angl
battre la strade expr. française du xvie s. 148
battude (filet de pêche) prov
bau *n.m.* (marine) francique
bauche (herbe des marais) celt
-baud *suffixe* germ 91
baudet germ
baudroie (poisson) prov
baufe (techn. de pêche) prov
bauge *n.f.* « gîte du sanglier » gaul
baume (caverne) celt
bauque, baugue (algues) prov
bay-window angl
bayadère (danseuse) ptg 164
bayer *v.* 152
bayou (rivière) lgue amérind
bazar ptg < persan 132
bazooka (lance-roquette) angl
be-bop ou **bop** angl d'Am

beagle angl
beat (mus.) angl
beat-generation angl
beatnik angl
beaucuit « sarrasin » angl
beaupré (marine) néerl ou anglo-norm 101
beauty-case (bagage) angl
bébé angl (?) 196
-bec *suffixe* scand 96
bec gaul 40
bécarre ital
becfigue (oiseau) ital
becher *n.m.* (récipient) all
bécune (poisson) prov
bed and breakfast angl
bedeau germ
bédégar (bot.) persan
bédouin ar
beefeater (garde) angl
béer *v.* 152
beetler *v.* (marteler un tissu) angl
beffroi germ
bègue néerl
béguine (religieuse) néerl
bégum (princesse) hindi
behavio(u)risme, -iste angl
beige mot portugais < fr 10
béké créole 166
bel (mes. phys.) *Bell* (U.S.A.)
bel canto ital
Belchen « petite montagne » mot allemand 170
bélandre *n.f.* (marine) néerl
bélier néerl (?)
bélître *n.m.* (insulte) all
belladone ital
belly landing (atterrissage) angl
belon (huître) *Belon* (Bretagne)
belouga, beluga russe 173
belt conveyor « transporteur à bande » angl
belvédère ital
bémol ital
bengali (oiseau) hindi
béni-oui-oui ar (argot) 26
benjoin ar 19, 126
benne oïl < gaul 39
bentonite *n.f.* (argile) Fort *Benton* (U.S.A.)
benzène ar 126
benzine ar 126
ber celt
bercail norm-picard

berce *n.f.* (bot.) all
bercer gaul 40
béret béarnais 108
bergamasque ital
bergamote turc 135
berge « rive » gaul
berge « année » tsigane (argot) 22
béribéri (maladie) malais 102
berkélium (chimie) *Berkeley* (U.S.A.) 60, 61
berle (bot.) celt
berline (voiture) *Berlin* (Allemagne) 13, 80, 81
berlingot ital
berme fortification) néerl
bermuda (vêtement) *Bermudes* (U.S.A.)
bernacle, bernache (coquillage) celt
bernard-l'(h)ermite languedocien
berne (en) néerl (?)
berne (brimade) ital < ar
bernicle ou **bernique** breton
bersaglier ital
-bert *suffixe* germ 90
béryllium (chimie) lat 61
besaiguë, bis- (outil) ital
besoche (pioche) oïl
besogne germ
besoin germ
bessemer (métall.) *Bessemer* (G.-B.)
best of angl 11
best-seller angl
bestia mot latin 52
bête 52, 53
bétel ptg < malayalam 163
betting (paris aux courses) angl
betua « bouleau » mot gaulois 42
betullus mot latin < gaul 42
bétuse (récipient pour la pêche) oc (?)
-beuf *suffixe* scand 96
beurre lorrain < grec
béverage (radio) *Beverage* (G.-B.)
bey turc
bézef ou **bésef** ar (argot)
bézoard (antidote) ar < persan
bi- *préfixe* latin 67
biais prov
bible grec 116
biblia « livres » mot grec 116
bicéphale 68
biceps lat
biche norm-picard
bicher *v.* lyonnais (argot) 23
bichlamar (langue) ptg
bickford (explosif) *Bickford* (G.-B.)

bicoque ital 149
bicot (arabe) (argot) < ar
bicycle angl
bidé mot espagnol < fr 10
bidon scand (?) 95
bief (chenal) gaul
biélo-russe 174
bière (boisson) néerl 54
bière « cercueil » germ
bièvre *n.m.* « castor » gaul 16, 39
bifteck (viande) angl < a. fr + vx scand
bifteck « prostituée » angl (argot) 26, 27
bifteck « Anglais » angl (argot) 26, 27
big bang (cosmos) angl
bigarade « orange amère » prov 106
bigorne (enclume) prov
bigot angl (?)
bigotelle « relève-moustaches » esp
bigouden breton
bigue *n.f.* (grue portuaire) prov
biguine (danse) créole 165
bihan « petit » mot breton 41
bijou breton 41
bikini (maillot bain) *Bikini* (Pacifique)
bilan ital 144, 148
bilharzie, -ziose (ver parasite) *Bilharz* (Allemagne)
bill angl
bille (tronc d'arbre) gaul 88
bille « petite boule » germ
billevesées oïl de l'Ouest
biner prov
bingo angl
biniou breton
biologie grec 15
bionique *adj.* (électronique) angl
biorythme (biologie) angl < grec
bios « être vivant » mot grec 72
birbe *n.m.* ital 143
birbo « coquin » mot italien 143
biribi (jeu de hasard) ital
bis lat 58
bisbille « dispute » ital (argot) 26, 143
bischoff all
biscotin (biscuit) ital
biscotte ital 149
bise « vent froid » germ
bismuth all < lat médiév
bison germ
bisquer prov 25
bisse *n.m.* (canal) ital
bistouille (café + alcool) oïl du Nord
bistouri (chirurgie) *Pistoia* (Italie) 81
bit (informatique) *acronyme* < angl

biti « poutre » mot scandinave 97
bitte (marine) vx scand 95, 97
bitter *n.m.* (boisson) néerl
bivouac suisse alémanique 167
biz « doigt » mot breton 41
bizarre basque (?) 30
bizou « anneau » mot breton 41
black jack angl
black power angl
black sheep « brebis galeuse » angl
black spot (maladie des rosiers) angl
black-bass angl
black-bottom (danse) angl
black-out angl
black-rot (vigne) angl
blackbouler *v.* angl
blafard germ
blague (à tabac) néerl
blaireau (mammifère) gaul 39
blanc, blanche germ 89
blanque (jeu de cartes) ital
blanquette (vin) prov
blasé néerl
blazer *n.m.* angl
blé germ ou gaul
blèche *adj.* « laid » all
bled ar 113
bleime (maladie du cheval) wallon < néerl
blêmir vx scand 95
blende *n.f.* (minerai) all
blesser germ 92
bleu cramoisi 133
bleu germ 89
bliaud, bliaut (vêtement) germ
blindage, blinder all
blinde *n.f.* (poutre) all
blini(s) russe 173, 207
blister *v.* (emballage transparent) angl
blitz (guerre) all
blizzard (vent) angl
bloc néerl
bloc-notes angl
bloc-système (chem. de fer) angl
blocher *v.* « traire » mot savoyard 109
block (chem. de fer) angl
blockhaus all
blocus néerl
blond germ
bloom *n.m.* (métall.) angl
bloomer *n.m.* (vêtement) *Bloomer* (U.S.A.)
blottir (se) germ
blue devils (idées noires) angl
blue-jean(s) angl + *Gênes* (Italie)
blues (musique) angl

bluff angl d'Am < néerl (?)
blunt angl
blush (maquillage) angl
bo(u)ille (bidon de lait) Suisse
bo(u)lier *n.m.* (marine) prov
bo(u)rdigue (pêcherie) prov
board « planche » mot anglais 88
boarding house (pension de famille) angl
boat people angl
boating angl
bobac (marmotte) lgue de Sibérie
bocage norm-picard < germ
bocal ital 149
bocard (broyeur) all
bochette (jeu de boules) ital
bock all 170, 171
bodhisattva (sagesse) skr
body angl 210
body-building angl
bodygraph angl *nom déposé*
boësse (outil) prov
bœkelkijn « petit livre » mot néerlandais
　　102
boëte, boette (appât) breton
bœtiek « boutique » mot néerlandais 103
boghead (houille) *Boghead* (Écosse)
boghei, boguet (cabriolet) angl
bogue (de châtaigne) oïl de l'Ouest < breton
bogue, bug (informatique) angl
bois (forêt) germ 88
boisseau (mesure) gaul
boîte grec 57
bol (récipient) angl 14
bolas (lasso en Am. du Sud) esp
bolchevik russe 173
boldo (bot.) esp du Chili
bolduc (ruban) *Bois-le-Duc* (Pays-Bas)
boléro (danse) esp
boliche (filet de pêche) esp
bolivar (monnaie) *Bolivar* (Venezuela)
bollard (marine) angl
bolleponche mot français du xviiᵉ s. 190
bombe ital 143, 144
bon « contravention » mot néerlandais
　　< fr 103
bonace « accalmie » prov ou ital (?)
bonasse *adj.* ital
bonbon « chocolat » mot néerlandais < fr
　　103
bonbonne ou **bombonne** prov
bonde (trou d'écoulement) gaul
bondérisation (chimie) *Bonder* (G.-B.)
bondrée (oiseau rapace) breton

bonduc (arbrisseau) ar < hindi
bongeau (lin) oïl (?)
bonite *n.f.* (poisson) esp
bonnet germ
bonsaï ou **bonzaï** jap 203, 204
bonus lat
bonze ptg < jap 203, 204
boogie-woogie angl
booléen, bolien (math.) *Boole* (G.-B.)
boom angl
boomer *n.m.* (haut-parleur) angl
boomerang angl < lgue d'Australie 10, 202
booster *n.m.* (fusée) angl
bootlegger (contrebandier) angl
boots (chaussures) angl 19, 193, 194
boqueteau norm-picard
boquillon « bûcheron » picard
bor(a)in oïl du Nord
bora *n.f.* (vent) ital ou slovène
borax (chimie) persan
bord francique
bord « table » mot danois 88
Bord « étagère » mot allemand 88
borde « bûche » a. fr 88
borde (expl. agric.) francique
bordeel « bordel » mot néerlandais 103
bordel prov < germ 88
borderie (expl. agric.) francique
borderline (médecine) angl
bordj (maison) ar
borie (construction) prov
borinage (houillère) oïl du Nord
borne gaul (?)
borough angl
bort (diamant) angl
bort(s)ch russe
bosan (breuvage) turc
bosel (archit.) ital
boskoop *n.f.* (pomme) *Boskoop* (Pays-Bas)
boson (phys. nucl.) *Bose* (Inde)
bosquet ital ou prov < germ
boss angl
bosse ital
boston (danse) *Boston* U.S.A.)
bot germ (?)
botequin (petit bateau) néerl
botte (chaussure) germ (?)
botte (escrime) ital
botte (gerbe) moyen néerl
boubou (vêtement) malinké 198
bouc émissaire 119
bouc gaul 39

boucan (tumulte) ital
boucan (viande fumée) tupi
boucau (entrée de port) gascon
boucaud, boucot (crevette) prov
bouchot « parc à huîtres » poitevin
boucon (mets empoisonné) ital
bouddha skr
boue oïl du Nord < gaul 39
bouée germ
bouffe (opéra) ital
bouffon ital 149, 177
bouffron (seiche) prov
bouge *n.f.* « sac » mot d'a. fr < gaul 38
bougette *n.f.* « sac » mot d'a. fr < gaul 38
bougie Bougie (Algérie) 80
bougna(t) auvergnat 108
bouillabaisse prov
bouille « bourbier » a. fr 39
bouiller dial
boujaron (marine) prov
boukinkan (bonnet) angl *Buckingham* (G.-B.)
boulanger picard < néerl 101
boulbène *n.f.* (géol.) gascon
boulder *n.m.* (géol.) angl
bouleau gaul 39
bouledogue ou **bulldog** angl
bouléjon (filet de pêche) prov
boulevard néerl 14, 54
boulièche (filet de pêche) prov
bouline (cordage) angl
boulingrin/bowling green 185
bouloir (outil) dial
bouque (terme de pêche) prov
bouquer (faire sortir du terrier) prov
bouquet (arbres) norm-picard < germ
bouquet (crevette) gaul (?)
bouquetin francoprov < germ
bouquette (sarrasin) néerl
bouquin néerl 54, 102
bouracan (tissu) ar
bourbier gaul
bourbon (whisky) *Bourbon* (U.S.A.)
bourbouille (dermatose) prov
bourde prov
bourdillon (futaille) prov
bourg germ
bourgade dial ital du Nord (ou prov) 106
bourgeron (toile) oïl
bourgin (filet de pêche) prov
bourgne (sorte de nasse) oïl (?)
bourle (plaisanterie, attrape) ital
bourrache (bot.) prov < ar
bourrasque ital

bourriche « panier » picard
bourricot, -quot esp
bourrique esp 153
bourset (techn. de pêche) néerl
bousin (vacarme) angl
bousquer (marine) prov
boussole ital < grec 144
boutargue « œufs de poisson » prov < ar
boute (futaille) prov
bouteiller 178
bouter germ
bouteur (bulldozer) 194
boutique prov < grec 57, 103, 132
boutre *n.m.* (marine) ar
bovembranzell « cacatois » mot néerlandais 162
bow-string (construction) angl
bow-window angl
bowl / bol 183
bowl of punch express. anglaise 190
bowling (jeu de quilles) angl
box (garage) angl
box-(calf) angl
box-office angl
boxe angl
boxer *n.m.* (race canine) angl
boxing angl
boxon angl
boy-friend angl
boy-scout ou scout angl
boyard russe 172
boycott, boycotter Boycott (G.-B.)
boyer *n.m.* (marine) néerl
braconner prov < germ
braconnière (armure) ital
brader picard ou wallon < néerl
braguette prov < gaul 14, 38, 39
brahmane skr
brahmi (écriture) skr
brai (goudron) gaul
braies gaul
braille (alphabet) *Braille* (France)
brain-trust angl
brainstorming angl
brainwashing « lavage de cerveaux » angl
braise germ
bramer prov < germ
bran, bren (excrément) gaul
brancard norm 111
branche 111
brandade prov 106
brande (bruyère) lat médiév < germ
brandebourg (galon) *Brandebourg* (Allemagne)

branderie « distillerie » néerl
brandevin « eau-de-vie de vin » néerl
brandir germ
brandon germ
brandy angl < néerl
branque « branche » mot normand 111
braque (race canine) germ < prov
braquemart (épée) néerl
brasero esp < prélat (?)
brasque *n.f.* (enduit) ital
brasser (bière) gaul
bravache ital
bravade ital 106, 147
brave ital ou esp
bravissimo ital
bravo ital 177
bravoure ital
break (interruption) angl
break (voiture) angl
break-down angl
brèche (être sur la) 119
brèche (géol.) ligure (?)
brèche (ouverture) germ
bréchet (sternum) angl
brédir (relier) germ
breeder *n.m.* (phys. nucl.) angl
breitschwanz (astrakan) all
brelan germ
brequin (vrille) néerl
bretelle germ
bretzel (pâtisserie) alsacien < lat
bri(c)k (sorte de crêpe) ar
brick (marine) angl
bricole (hipp.) ital < longobard (?)
bride germ
bridge (dentaire) angl
bridge (jeu de cartes) angl
brie (fromage) *Brie* (France) 112
briefing angl < fr
brier « broyer » germ 112
brigade dial ital 106
brigand ital 143-144
brigantin (marine) ital 144
brightisme (néphrite) *Bright* (G.-B.)
briller ital
brimer oïl de l'Ouest
brin gaul (?)
brinde (toast porté à la santé de qqun) all
brindezingue all
bringue (faire la) all 168
bringue « personne mal bâtie » norm (?)
brio « pont » mot gaulois 37, 38
brioche norm 112
brique néerl

cabèche (tête) esp
cabécou (fromage) 108
cabernet (cépage) oc de l'Ouest
cabestan (marine) prov
cabiai (rongeur) tupi ou caraïbe
cabillaud (poisson) néerl 54, 100, 101
cabillot (amarre) prov
cabin-cruiser angl
cabine (de navire) angl < fr
cabinet (chambre, meuble) ital ou picard
cabinet « ensemble des ministres » angl
câble norm 111
cableman angl
câbler angl < fr
cablogramme angl
caboche norm-picard 179
cabot « chien » oc (argot) 26
cabotage, -ter esp 152
cabouille (bot.) amérind (?)
caboulot franc-comtois
cabre (instr. de levage) prov
cabrer (se) prov
cabri (chevreau) prov
cabriole ital
cabus (chou) prov
cabussière (filet) prov
cacah(o)uète esp < nahuatl 155, 157, 161
cacao esp < nahuatl 157, 161
cacaoui (canard) algonquin
cacatoès (oiseau) néerl (?) < malais 102, 162
cacatois (voile) ptg < malais 162, 163
cachalot ptg 164
cachemire (étoffe) *Cachemire* (Inde)
cacheron (ficelle) oïl (?)
cachiman (bot.) créole
cacholong (opale) kalmouk, lgue de Sibérie
cachou ptg < tamoul (ou malais) 163
cachucha (danse) esp d'Andalousie
cacique (chef) esp < arawak 165
cacochyme grec 65
cacolet (bât) basque (?)
cactus (bot.) lat
cadastre vénitien ou prov < grec
caddie (golf) angl
cade (genévrier) prov
cadeau prov 107
cadeau mot persan < fr 131
cadédiou (juron) gascon
cadenas prov
cadence/chance 55
cadène (marine) ital
cadet gascon 108

cadi (juge musulman) ar
cadis (tissu) esp
cadmium (chimie) *Cadmée* (Grèce) 61
cadole (serrure) oc
cadre (tableau) ital
caecum (anat.) lat
caecus « aveugle » mot latin 54
caf(e)tan (vêtement) ar < persan 131
cafard (bigot, hypocrite) ar 128
café vénitien < turc < ar
cafétéria angl < esp
cafouiller norm-picard (argot) 23
cagade (lâcheté) prov
cagibi oïl de l'Ouest 112
cagna (cabane) prov
cagnard prov
cagne (mauvais chien) prov
cagnot (requin) prov
cagnotte gascon 108
cagot « faux dévot » béarnais 108
cagoule poitevin
cague (bateau) néerl
cahoter germ
caiche (bateau) angl
caïd ar 128
caïeu, cayeu (bot.) picard
caille *n.f.* (oiseau) francique 94
caillebot(t)is (marine) oïl de l'Ouest
caillebotter (cailler) oïl (?)
cailler 53
caillou norm-picard < gaul (?) 30, 31
caïman esp < caraïbe 158, 161
caïque (embarcation) ital < turc
cairn (tumulus) celt
cairon (moellon) prov
caisse prov 181
caisson ital
cajeput (bot.) malais
cajoler picard
cajou (noix de) ptg < tupi 161
cajun *prononciation* de *acadien*
cajute néerl
cake angl
cake-walk (danse) angl
cal (pierre) précelt. ou gaul 31
cal(a)mar ital
calade (hipp.) ital
caladion, -dium (bot.) malais
calambac, -bour (bot.) malais
calanque prov < pré-indo-européen 31
calao (oiseau) malais 201
calcaneum « os du talon » lat
calcarone (soufre) ital
calcium (chimie) lat 61

caldarium (archéol.) lat
calde(i)ra (géol.) ptg
cale (de navire) prov
calebasse esp < ibère
calèche all < tchèque 171, 174
caleçon ital 14, 149
calencar (toile peinte) persan
calenture (médecine) esp
calepin (carnet) *Calepino* (Italie) 79, 80
caler prov
calfater grec byzantin < ar
calibre ital < ar
caliche *n.m.* (minerai) esp
calicot (tissu) *Calicut* (Inde)
calife ar 128
californium (chimie) *Californie* (U.S.A.) 61
califourchon (à) oïl de l'Ouest < breton
calin (alliage) ptg < malais
câliner norm
caliorne *n.f.* (marine) ital
calisson prov
call-girl angl
calmande ital
calme ital < grec
caló « lgue des Gitans » esp
calong (zool.) malais
calor « chaleur » mot latin 108
calot (bille) oïl de l'Ouest < germ
calquer ital
calumet norm-picard
calvaire lat *calque* < hébreu 118
calvus « chauve » mot latin 118
calypso (danse) caraïbe
camaïeu ar
camail (pèlerine) prov
camarade esp < grec 14, 106, 152
camarilla esp
camarine (bot.) oc (?)
cambiaire, cambial (change) ital
cambiare mot gaulois 38
cambiste (change) ital
cambium (bot.) lat
camboye (pagne) cinghalais
cambrer norm-picard
cambrioleur prov
cambrousse prov
cambuse (marine) néerl
came (mécanique) néerl ou all
camée ital < ar 19
camél(l)ia (bot.) *Kamel* (Moravie) 76
camelle (marais salant) prov
camélopard mot d'a. fr 123
camelot (colporteur) prov < turc < ar (?)

caméra (cinéma) angl < lat
caméraman angl
camerawoman angl
camérier (dignitaire eccl.) ital
cameriste esp ou ital
camerlingue (au Vatican) ital
camino francés expr. espagnole 151
camion norm-picard
camisade (attaque de nuit) prov 147
camisard languedocien
camisole ital ou prov 147
camoiard (étoffe de poils de chèvre) ital
camorra « mafia napolitaine » ital
camoufler ital 144
camp ital, picard ou prov
campagne ital, picard ou prov
campagnol (rongeur) ital
campanile ital
campêche (bois) *Campeche* (Mexique)
camphre lat médiév < ar < persan < skr 132
camping angl < fr
camping-car angl < fr
camping-gaz angl et fr
campo (plaine) ptg
campus angl < lat
can(n)ette (bouteille) picard
can(n)isse (roseau) prov
canaille ital 144
canapé grec 57
canapsa (havresac) all
canaque, kanak (langue) Nlle-Calédonie
canari (oiseau) esp 19, 154
canasta (jeu de cartes) esp
cancan lat 53
cancrelat néerl
candelette (marine) prov
candi ar < persan < skr 132
cane « chien » mot italien 144
canéfice (bot.) créole
canevas picard
canezou (corsage) prov
cangaceiro (bandit) ptg du Brésil
cange *n.f.* (barque) turc
cangue (carcan) ptg < chinois ou annamite 202
canier (roseaux) prov
canière (pêche) oïl (?)
canif germ
canillon (pêche) prov
canne prov < grec < hébreu 201
cannelle ital
cannelloni ital
cannelure ital

can(n)equin (cotonnade) hindi (?)
cannetille (fil d'or) esp
cannette (bobine) génois
cannibale esp < caraïbe 158, 161
cannibalisation angl
cannibaliser angl
canoë angl < arawak
canœing angl
canon (artillerie) ital 143
cañon ou **canyon** esp d'Am
canot esp < arawak 165
cant (hypocrisie) angl
canta mot provençal 42
cantabile (mus.) ital
cantaloup (melon) *Cantalupo* (Italie)
cantare mot latin 42
cantate (mus.) ital
cantatrice ital
canter *n.m.* (hipp.) angl
canter *v.* mot picard 42
cantibay (industrie du bois) prov
cantilène ital
cantilever (pont) angl
cantine ital
cantique des cantiques *calque* < hébreu
  119
canton ital
cantonade prov 106
canut (soierie) lyonnais 110
canzone (mus.) ital
caodaïsme (relig.) lgue d'Asie
caoua (café) ar
caouanne (tortue) caraïbe ou malais
caoutchouc esp < quechua 155
cap (promontoire) prov
capacitance (phys.) angl
caparaçon (armure) esp < ibère (?) 30
caparasse prov
cape (vêtement) ital
cape (marine) prov
cape (casquette de sport) angl
capéer, capeyer *v.* (marine) prov
capelan (poisson) prov
capeler *v.* (cordage) prov
capelet (méd. vétérin.) prov
capeline ital 210
capet (petit manteau) oc (?)
capeyer, capéer *v.* (marine) prov
capharnaüm (désordre) *Capharnaüm* (Palestine)
capie (écheveau) prov
capilotade esp 106
capion (marine) prov
capiscol (chantre) prov

capital-risque angl
capitan (fanfaron) ital
capitane (galère) ital
capiteux ital
capiton « bourre de soie » ital
capitoul (magistrat) prov
capon « peureux » prov < ital(?)
caponnière (archit.) ital
caporal ital 143
caposer *v.* (marine) oc
capot (aux cartes) prov (?)
capoter *v.* prov (argot) 25
capoulié (félibrige) prov
capoulière (filet de pêche) prov
capout « détruit » all (argot) 26
cappa magna (vêtement) ital
cappuccino ital
capra « chèvre » mot latin 111
capre (marine) néerl
câpre *n.f.* ital < grec
capriccio (mus.) ital
caprice ital 148
capricieux ital
capuce (capuchon) ital
capuchon ital
capucin ital
capulet (coiffure) gascon
caque *n.f.* (barrique) néerl
caquer « mettre en caque » néerl
car (véhicule) angl < norm
car-ferry angl
carabe *n.m.* (insecte) grec
carabé (ambre jaune) ar
carabin (médecine) oc
caracal (lynx) esp < turc
caracin (poisson) all < tchèque
caraco « blouse » oïl de l'Ouest < turc
caracole, -er (hipp.) esp
carafe esp ou ital < ar 19
carafée (giroflée) oc (?)
carafon ital 149
caragne (résine) amérind de Colombie
carambolage esp ou ptg < marathe < skr
carambole (bot.) esp < malais
carambouillage (escroquerie) esp ou ptg
carambouille esp ou ptg < marathe < skr
caramel esp < ptg
carangue (poisson) amérind
carapace esp ou ptg < ibère (?) 30
carapater (se) turc
caraque (marine) ar
carassin (poisson) all < tchèque
carat lat médiév < grec < ar
caravane persan

caravaning angl < fr < persan
caravansérail turc (?) < persan
caravelle ptg < grec
carbet (cabane) caraïbe
carbon(n)ade (cuisine) ital 106
carbonado (diamant) ptg du Brésil
carbonaro (politique) ital
carborundum (abrasif) *nom déposé* angl
carcajou (zool.) lgue amérind du Canada
cardan (mécanique) *Cardano* (Italie)
cardasse (bot.) ital
carde *n.f.* (cardage) picard
carde *n.f.* (cardon) prov
cardère *n.f.* (chardon) prov
cardigan (veste) *Cardigan* (G.-B.) 19, 79
cardinalice *adj.* ital
cardio- « cœur » grec 66
cardon (bot.) prov
carène génois 144
caresse, -er ital 14, 149
caret (corderie) picard
caret (tortue) esp < malais
cargaison prov
cargo angl < esp
cargue « charge » mot français du XVIᵉ s. 147
carguer (marine) prov
cari (épice) ptg < tamoul 163, 188
cariacou (zool.) lgue amérind
cariatide ou **caryatide** ital < grec
caribou (renne) algonquin ou micmac 186
caricature ital 149
cariset (tissu) angl
caristade (aumône) esp
carlin (monnaie) ital
carlin (race canine) *Carlo* Bertinazzi (Italie) 140
carline (chardon) prov
carlingue vx scand 95, 97
carlino (monnaie) mot italien 134
carliste (politique) *Carlos* de Molina (Espagne)
carmagnole (veste) *Carmagnola* (Piémont)
carmeline (laine) esp
carmin lat méd < ar < persan < skr
carnage ital 143
carnal (marine) prov
carnassier prov
carnassière « gibecière » prov
carnauba (bot.) lgue amérind
carnaval ital
carnavalesque ital
carne (viande dure) ital ou norm

carné mot espagnol < fr 10
carnier « petite gibecière » prov
carnotset (local aménagé) vaudois
carogne (mauvais cheval) picard
carolus (monnaie) *Carolus* (Charles VII)
caronade (canon) *Carron* (Écosse)
carotte (récompense) angl
caroube, carouge (fruit) lat médiév < ar
carpaccio (cuisine) *Carpaccio* (Italie)
carpetbagger (émigré) angl
carpette angl < a. fr < ital
carpion (truite) ital
carqueron (tissage) oc (?)
carquois lat médiév < grec byz < ar < persan
carraire (chemin de troupeaux) prov
carrare (marbre) *Carrara* (Italie)
carréger prov
carrick (manteau) angl < lat
carrière « espace à parcourir » prov
carriériste angl < fr
carriole prov < gaul 38, 40
carrosse ital < gaul 38, 40
cartahu (marine) néerl
carte blanche expr. allemande < fr 10
cartel (ornement et pendule) ital
cartel « entente commerciale » all
cartelle (présentoir) ital
carter (boîtier) *Carter* (G.-B.)
cartisane (passementerie) ital
carton ital 177
cartoon « dessin animé » angl
cartouche *n.f.* (munition) ital
cartouche *n.m.* (encadrement) ital
casanier esp
casaque persan 131
casaquin (blouse de femme) persan
casbah ar
cascabelle (serpent à sonnettes) esp
cascade ital (?) 106
cascara (bot.) esp
cascarille (pharmacie) esp
cascatelle « petite cascade » ital
case (compartiment) esp
case (hutte) ptg
casemate ital
caseret, -ette (fromagerie) norm
caserne prov
cash and carry angl
cash/caisse 181, 182
cash angl < fr 181
cash-flow angl
casimir (tissu) *Cachemire* (Inde)
casing (technique) angl

casino ital
casoar (oiseau) lat scient. < malais 102
casque esp 19, 154
casquer ital (argot) 22
cassade (bluff au jeu) ital
cassanos « chêne » mot gaulois 42, 43
cassate (glace) ital < ar
cassation (mus.) ital
cassave (galette) esp < caraïbe
casse (imprimerie) ital
casse (outil du verrier) prov
casserole prov
cassetin (imprimerie) ital
cassette norm ou ital
cassie (bot.) prov
cassin (tissage) ital
cassine (bicoque) piémontais
cassique (oiseau) esp < caraïbe (ou lat
    scient.)
cassis (fruit) poitevin
cassolette provençal ou esp
cassonade prov 106
cassoulet languedocien 108
castagne (bagarre) gascon
castagnettes esp < grec
caste ptg
castel prov
castellum mot latin 42
castille (querelle) esp
castine (calcaire) all
casting (distribution) angl 190
castoreum (parfumerie) lat
castrat ital ou gascon 108
casuarina, -rine (bot.) malais
casuiste esp
casus belli lat
cat(t)leya (fleur) *Cattley* (G.-B.) 76, 77
catafalque ital
catalpa (bot.) angl
catalyse angl < grec
catamaran angl < tamoul 188
catarrhe grec 66
catch angl < a. fr
caterpillar nom déposé *Caterpillar*
    (U.S.A.)
catgut (chirurgie) angl
cathedra « siège » mot grec 57
catherinaire « tabac » 158
cathode angl < grec
catimini (en) picard < grec byz
cation (chimie) angl
catleya (faire) 77
catogan, **cado-** (coiffure) *Cadogan*
    (G.-B.) 79

cattle /**cheptel** 179
cauchemar néerl + picard
caudillo esp
caudrette (filet) picard
cauris (coquillage) tamoul
causse rouergat 108
cavagnole (jeu) ital
cavaillon (melon) *Cavaillon* (Provence)
cavalcade ital 106, 144
cavalcadour (hipp.) prov
cavale (jument) ital
cavalet (marine) angl
cavalier ital
cavalot (canon) ital
cavas(s), kavas (gendarme) turc < ar
cavatine (mus.) ital
caveçon (équitation) ital
caver *v.* (au poker) ital
cavet (moulure) ital
caviar ital < turc 136
caye *n.m.* (écueil) esp
CD (disque) 11
cécité 54
cecos mot latin 39
cédille esp 153
cédrat (citron) ital
céleri lombard < grec 59
cellophane angl et grec
celluloïd angl
celsius (degré) *Celsius* (Suède) 78
cent (monnaie) angl < fr
centimètre 68
cèpe gascon 108
céphal- « tête » grec 65
cerbatana mot espagnol 201
cercueil 66
cérium (chimie) *Cérès* (mythol.) 61
cernier (mérou) prov
cervelas milanais
cervelle de canut (fromage) lyonnais 110
cervoise gaul 38, 39
céseron (pois chiche) prov
césium (caes-) (chimie) lat 61
cévadille (bot.) esp
cha « thé » mot chinois 190
chaable « filin » a. fr 111
chabichou (fromage) limousin 108
chabraque, scha- « couverture de che-
    val » all ou hongrois < turc
chacal turc < persan 131
chafouin « putois » oïl Centre ou Ouest
chagrin (cuir grenu) turc 136
chah, schah ou **shah** persan
chahuter vendômois

choisir germ
chop (tennis) angl
chope « grand verre à boire » oïl du Nord-Est < all
chopine (petite bouteille de vin) all ou néerl
choquer « heurter » néerl ou angl
chorizo (saucisson) esp 152
chorus (chant) lat
chou 59
chou-fleur *calque* < ital 149
choucard « beau, bon » tsigane (argot) 26
choucroute alsacien
chouette (oiseau de nuit) a. fr < germ
choule (technique de pêche) oïl
chouquet (marine) oïl
chouraveur « voleur » tsigane (argot) 26
chourin « couteau » tsigane (argot) 22, 26
chow-chow (race canine) pidgin anglo-chinois
christiania (ski) *Christiania* (ancien nom d'Oslo) 171
christmas (fête de Noël) angl
chromosome (biol.) all < grec
chronologie grec 72
churrigueresque (archit.) *Churriguera* (Espagne)
cibiste *acronyme* < angl
cible suisse alémanique
ciboule (oignon) prov 59
ciboulette 59
cicérone « guide » *Cicéron* (Rome)
cidre lat eccl < grec < hébreu
cigale prov 14, 25
cigare esp
cigarière esp
cigarillo esp
cigogne prov 107
cimarron (esclave en fuite) esp
cimeterre ital ou turc < persan
cinéma 72
cinétique 72
cingler « faire voile » vx scand 95, 97
cirrus (météo.) lat
cisalpine 40
cistella « corbeille » mot latin 30
citadelle ital
citadin ital
cithare grec 120
citron-fromage mot danois fr 11
citronnade 106
citrouille dial ital 146, 149
civade (avoine) prov
civadière (marine) prov

civette (mammifère) ital < ar 123
clabot, crabot (mécanique) germ
clactonien (archéol.) *Clacton* (G.-B.)
claie gaul
clair-obscur ital
clam (coquillage) angl
clamecer, clamser « mourir » all (argot)
clamp (chirurgie) scand
clan (tribu) angl < gaélique
clapier ancien prov < préceltique 31
claquetteman (danse) angl
claudicare mot latin 54
claudiquer/clocher 54
clebs, cleb ou clébard (chien) ar (argot) 26, 113
clenche (loquet) picard < germ
clergyman angl < a. fr
clip (bijou) angl
clip ou vidéoclip angl 191
clitoris (anat.) lat
cliver « fendre » néerl
cloche gaul ou irlandais 40
cloque picard
cloup (géol.) celt
clovisse (coquillage) prov
clown angl 177
club (association) angl < vx scand 183, 184
club « canne de golf » angl < vx scand
coach « entraîneur » angl 196
coaching angl
coachman angl
coachwoman angl
coagulare mot latin 53
coagulum (caillot) lat
coalition angl < a. fr
cobalt all 168
cobaye ptg < tupi 161, 162
cobol *acronyme* < angl
cobra ptg 164
coca esp < quechua < aymara 158, 161, 192
coca-cola angl d'Am < quechua + lgue africaine
cocagne prov ou ital < germ ou néerl
coccus (bactérie) lat
coche (bateau) norm-picard < néerl 101
coche (voiture) all < hongrois ou tchèque 10
cochenille (insecte) esp < mozarabe < grec
cocker (race canine) angl
cockpit angl
cocktail angl
coco « fruit du cocotier » ptg

cocon prov
coda (mus.) ital
codille *n.m.* (jeu de cartes) esp
coffee-shop angl
cognita causa expr. latine 58
cohober « distiller » lat médiév < ar
cohue breton
coiffe germ
coing (fruit) *Cydonea* (Crète)
coïtus interruptus lat
coke (cocaïne) angl
coke (houille) angl
cola ou kola (bot.) lgue du Soudan 192, 198, 199
colback (bonnet de fourrure) turc 136
cold-cream (pommade) angl < fr
colère lat < grec 32
colibri (oiseau) arawak
colimaçon norm-picard < germ
colin (poisson) néerl ou angl 54
colis ital 149
collapsus (médecine) lat
colley (chien) angl
colloïde angl < grec
colmater ital 144
colon (intestin) lat
colonel ital 143
colonnade ital 106
colorature (mus.) all ou ital
coloris ital
colostrum (physiol.) lat
colt (revolver) *Colt* (U.S.A.)
colza wallon ou rouchi < néerl
combe oc < gaul 39
combrière (filet de pêche) prov
combuger *v.* (tonnellerie) oc
come-back angl
comédie grec 57
comité angl < a. fr 182
command-car (véhicule militaire) angl
commandite ital
commando angl < ptg
commodore angl < néerl < fr
commonwealth angl
comparse ital
compartiment ital
compendium (abrégé) lat
compère-loriot picard
compétitif angl < lat
compétition angl < lat
compliment angl < lat
compost (terreau) angl < a. fr
composteur ital
compter/conter 54

computare mot latin 54
computer angl < a. fr 182
comte 90
conceptisme (littér.) esp
concerné angl
concert ital
concert mot persan < fr 131
concerto ital
conche (marais salants) ital
conchyl(l)is (papillon) lat
concombre prov
condenseur angl < lat
condominium (co-propriété) angl < lat
condor (oiseau de proie) esp < quechua 158, 161
condottiere ital
confer (cf.) lat
confessionnal ital
confetti ital
confident ital
confiteor (liturgie) lat
conformiste angl < fr
confort angl < a. fr
confortable angl < fr 181, 186, 208
confucianisme (relig.) *Confucius* (Chine)
congédier ital < a. fr
congère « amas de neige » dauphinois 109
congre (poisson) prov
congressman angl
conil mot d'a. fr 31
conin mot d'a. fr 31
conquistador esp 152
consensus lat
conservatoire (mus.) ital
conserve (de) prov ou ital
consort angl
consortium (entreprises) angl
constat lat
consulte *n.f.* (assemblée) ital
contact (lentilles de) *calque* < angl
contact-man angl
contacter angl
container ou conteneur (récipient) angl
continuo (mus.) ital
contorniate (numismat.) ital
contour ital
contourner ital
contraceptif angl
contraception angl
contralto ital
contrapontique, -puntique (mus.) ital
contraste ital 146
contrebande vénitien

contrebasse ital
contredanse (danse) angl 185
contrôle « maîtrise » angl
contrôler « diriger » angl 193
convention « réunion, congrès« angl < fr
    180
conventionnel « traditionnel » angl 193
convertible « transformable » angl
convivial angl
convivialité angl
convolvulus (bot.) lat
cool « sympa » angl 27
coolie « porteur » angl < goudjerati
coprah ptg ou angl < malayalam < skr
copte « chrétien d'Égypte » ar (?) < grec
copyright angl
coq « cuisinier sur un navire » néerl ou
    ital
coq-souris (marine) angl
coquebin *adj.* (niais) turc (?)
coquemar « bouilloire » néerl (?)
coran ar
cordillère esp
cordonnier 80
cordouan (cuir) *Cordoue* (Espagne)
corindon (alumine cristallisée) tamoul
    < skr
cornac ptg < cinghalais 163
corne 111
corned-beef angl et fr
corner (football) angl < a. fr
corniche ital
cornude « seau en bois » prov
coromandel (laque) tamoul (?)
coron picard-wallon 111
corozo (boutons) esp
corporation angl
corpus (documents) lat
corpus delicti expr. latine 58
corral « parc à bétail » esp
corrida esp
corridor ital
corroyer « apprêter le cuir » germ < lat
    pop < a. fr
corsaire ital 144, 145
cortège ital
cortex (anat.) lat
cortisone angl
corvette picard < néerl
cosaque russe 14, 172
cosser *v.* (se heurter) ital
costaud oc (argot) 26
costume ital 149
cosy-corner ou **cosy** angl

cotidal (marée) angl
cotignac « pâte de coing » prov
cotinga *n.m.* (oiseau) lgue amérind
coton ital < ar 127
cotonnade 106
cotre (marine) angl
cottage angl < germ ou norm 186
cotte (tunique) germ
couci-couça ital
coucoumelle (champignon) prov
coudrier gaul 39
couffin (panier) prov < ar
coug(o)uar « puma » ptg < tupi 161, 162
coulomb (mes. phys.) *Coulomb* (France)
    78
coumaille (minéral.) oïl (?)
coumarine (subst. odorante) caraïbe
country/contrée 179
country music angl
country-dance mot anglais < fr
coupeillon (pêche) prov
coupole ital 149
coupon (empr. par le néerlandais) 11
couponage angl
couponing (publicité) angl
couque « pain d'épice » néerl
courbache (fouet) turc
courbaril (bot.) caraïbe
courbaton (marine) esp
courée (petite cour) oïl du Nord
courge oïl de l'Ouest
couroucou (oiseau) tupi
courrier (messager) ital
cours (avenue) ital
course ital
coursing (course de lévriers) angl
coursive ital 144, 145
court (de tennis) angl < a. fr
courtisan prov (?) < ital
courtiser ital 148
couscous ar ou berbère
cousette « apprentie couturière » norm
coussin/cossin 145
coutelas ital
couton (volaille) prov
couvrir (un événement) angl
covenant (convention) angl < a. fr
cover-girl angl
cow-boy angl
cow-pox angl
coxa- grec 67
coxalgie grec 67
coyote (chacal) esp < nahuatl 157, 161,
    165

cunnilingus lat
cuntree mot d'a. fr 179
cuq « mont » pré-indo-européen 33, 34
curaçao (liqueur) *Curaçïo* (Antilles)
curare (poison) arawak 158, 161
curcuma (épice) esp < ar
curium (chimie) *Curie* (France) 60, 61, 78
curle (rouet) ital
curling (jeu sur la glace) angl
curriculum vitae (C.V.) expr. latine 58
curry (épice) angl < tamoul 188
cursus (études univ.) lat
curtain/cortine 179
cuscute (bot.) ar
custard (entremets) angl < fr
custom (véhicule personnalisé) angl
customiser (personnaliser un véhicule) angl
cut-back (bitume routier) angl
cutte(u)r (instr. coupant) angl 193, 194
cyanophile 73
cyanure grec 73
cycle « véhicule à deux roues » angl
cyclo-cross angl
cyclo-crossman angl
cyclone angl < grec
cyclothymie (médecine) all
cymbalum hongrois < lat
cyprium (æs) mot latin 80
cyst- « vessie » grec 66
czar (tsar) polonais < lat 174
c(z)ardas (danse) hongrois

D

da capo ital
dab(e) « père » ital (argot) 26
dada *calque* < angl
dæla « rigole » vx scand 97
dague esp, prov ou ital
dahabieh (barque) ar
dahir (décret) ar
dahlia (bot.) *Dahl* (Suède) 13, 77
daille prov
daïmio (seigneur) jap
daïquiri angl
daïra (division administr.) ar
dalaï-lama mongol et tibétain 203
daleau, dalot (marine) norm < scand
dalle norman-picard < néerl < vx scand 95, 97
dalle « gosier » norm (argot) 24
dalmatien (race canine) *Dalmatie*

dalot, daleau (marine) norm < scand
dalton (mes. phys.) *Dalton* (G.-B.)
daltonisme (méd.) *Dalton* (G.-B.)
daman (zool.) ar
damas (tissu) *Damas* (Syrie)
damasquiner (décoration) *Damas* (Syrie)
dame (marine) néerl
dame-jeanne prov
damelopre (embarcation) néerl
dam(m)ar (résine) malais
damper *n.m.* (amortisseur) angl
dan (judo) jap 203
dancing *pseudo-anglicisme*
dandy angl 196
danegeld « rançon » mot danois 94
danser oïl du Nord < francique
darbouka (tambour) ar
dard francique
dariole (pâtisserie) picard
darling angl 196
darne (tranche) breton
daron (père, patron) oïl
darse, darce (marine) génois < ar
darshan (relig.) skr
dartre gaul
darwinisme, -iste Darwin (G.-B.)
dasein (philos.) all
dash-pot (amortisseur) angl
data « données » angl < lat
datcha (maison) russe
date (rendez-vous) angl
datte prov < lat < grec
datura (bot.) hindi < skr
daube (cuisine) ital < germ
dauphin prov < lat < grec
daurade, dorade prov < lat 106
dazibao (journal mural) chinois
de cujus (succession) lat
de facto « de fait » lat
de jure « de droit » lat
de profundis (liturgie) lat
de visu lat 58
dead-heat angl
dealer (drogue) angl 193, 194
dear « cher, chère » angl
deb « débutante » angl
débandade ital 106
débarrasser ital
débatteur angl < fr
débiter vx scand 95, 97
débouquer prov
débraillé gaul
debye *n.m.* (mes. phys.) *Debye* (Pays-Bas)
décaniller (s'enfuir) lyonnais (argot) 26, 110

decca angl
dèche prov 25
déchirer francique 92
décoder angl < fr
décombres gaul
décorum lat
décrément angl
decrescendo ital
décruser prov
dédicace 111
défaillir 147
défalquer ital < lat médiév
déficit lat
définitoire ital
déflation angl < lat
défoliant angl < lat
dégingandé oïl du Nord < néerl 54
dégobiller lyonnais (ou poitevin) 110
dégot(t)er angevin < gaul 23
dégouliner oïl de l'Ouest 112
dégrader, -ation (peinture) ital
dégrat (en) (marine) prov
dégringoler norm-picard < néerl 100
déguerpir a. fr < francique
déjà vu mot angl < fr 11
délabrer prov
delco *acronyme* < angl
délicatesse ital (?)
delirium tremens angl < lat
déluré berrichon < francique
demarcación mot espagnol 159
démarcation esp 159, 160
démarrer néerl
demi- *préfixe* 67
demi-cercle 67
demiard (unité de mes.) Canada
dénerver (boucherie) ital
dengue esp
denim angl (tissu) *Nîmes* (France)
dentine angl
deo gratias (liturgie) lat
déodorant angl < lat
département angl < fr
dépiauter oïl du Nord
dépiquer prov
déplacée (personne) angl < a. fr
deport 183
dépourvu (au) 147
der des der *calque* < hébreu 119
déraper prov < gotique
derby (chaussure et hipp.) *Derby* (G.-B.)
dériver angl < fr < lat 185
derm- « peau » grec 66
dérober francique

derrick angl (pétrole) *Derrick* (G.-B.)
derviche persan
désappointé angl < a. fr 209
désastre ital
descamisados esp
desiderata lat
design *n.m.* angl
designer *n.m.* angl 191
désinvolte esp
désinvolture ital < esp
desk angl 192, 194
desman (zool.) suédois
desperado angl < esp
dessein ital 144
dessert mot allemand < fr 10
dessin ital 149
dessinateur ital
dessiner ital
destrier prov
destroyer angl
détecter *v.* angl
détection angl
détective angl
déterminisme all < lat 169
deterrent (moyen de dissuasion) angl
détritus lat
détroquer (huîtres) saintongeais
deux 67
dévaluation angl
dévaluer angl
devanagari hindi < skr
développement angl
de visu expr. latine 58
devon (hameçon) *Devonshire* (G.-B.)
dévonien (géol.) *Devon* (G.-B.)
dey turc
dharma (relig.) skr
di- *préfixe* 67
diachylum (emplâtre) lat
dialyse angl
diane (réveil militaire) esp
diarrhée grec 66
dicastère *n.m.* (administration) grec
dicton lat
dictum « ce qui est dit » mot latin 53
dies irae (liturgie) lat
diesel (moteur) *Diesel* (Allemagne)
dieu des dieux *calque* < hébreu 119
dième (géol.) all (ou angl)
diffa (réception) ar
différent « mieux » angl
digest *n.m.* angl
digit (informatique) angl
digital (informatique) angl 55

digue moyen néerl
diktat all 169
dilapider 70
dilettante ital
diluvium *n.m.* (géol.) angl
diminuendo (mus.) ital
dinghy angl < hindi
dingo angl < lgue d'Australie 202
dinguer gallo-roman
dining-car « wagon-restaur. » angl
dinosaurien angl < grec
dinothérium (paléontol.) lat
direct/droit 54
directus mot latin 54
dirt-tracker (moto) angl
disc-jockey angl
discale *n.f.* (déchet de pesée) ital
disco angl
discompte ital
discoste « éloigné » fr du xviᵉ s. 148
discount angl < fr
discourtois, -toisie ital
discrédit ital
disgrâce ital
disgracié ital
disgracieux ital
dishley (race ovine) angl
dispache (assur. marit.) ital
disparate esp
dispatcher *v.* angl < a. fr
dispatching angl < a. fr
dispensaire angl < lat
dispersal (base aérienne) angl
dispos ital
disqualifier *v.* angl < fr 181
distal *adj.* (éloigné) angl
distancer angl < a. fr
distant angl
distribution 190
distributionnalisme, -iste angl
distributionnel angl
dito ital
diva ital 177
divan ital < persan 19, 131
divertimento ital
divot (golf) angl
dixie(land) (jazz) *Dixie* (U.S.A.)
djaïn, jaïn(a) (relig.) skr
djebel mot arabe 34
djellaba ar
djemaa, djamma (assemblée) ar
djihad « guerre sainte » ar
djinn ar
djubba « jupe » mot arabe 127

do (mus.) ital
doberman (race canine) all
doc angl
dock angl < néerl 54
docker *n.m.* angl 186
dodo (oiseau) angl < néerl
dog-cart angl
dogaresse vénitien
doge vénitien < lat
dogger *n.m.* (géol.) angl
dogleg (golf) angl
dogre (navire) néerl
dogue angl 185
doguer (se heurter de front) néerl
doguin 185
doigt 55
dojo jap
dolce (mus.) ital
dolce vita ital
dolcissimo (mus.) ital
doldrums (météo.) angl
dollar bas-all
dolman (vêtement) turc
dolmen (table de pierre) breton 41
dôme (archit.) prov < grec 9
dôme « cathédrale » ital
dominion angl < a. fr < lat
domus mot latin 9
don des langues 119
don esp
don juan (séducteur) *Don Juan* (Espagne)
don quichotte (chimère) *Don Quichotte*
   (Espagne)
doûa esp
donner le feu vert 192
donzelle prov 25, 107
dopage 194
dope (drogue) angl
doper *v.* ngl < néerl
doping angl < néerl 194
doquet (mus.) oïl
dorade, daurade prov < lat 106
doradille (fougère) esp
doris (marine) angl
doro « porte » mot gaulois 38
douane a. ital < ar < persan 131, 139
douar (division administr.) ar
double-aveugle (en) (essai) angl
doublon (monnaie) esp
douche ital 146, 148, 149
doudou créole
douille francique
douillon (laine) oïl
doum (palmier) ar

douro (monnaie) esp
down-town (centre ville) angl
drag (voiture à quatre chevaux) angl
dragée grec 57
drageon (bot.) germ
dragline (trav. publ.) angl
dragster *n.m.* (véhicule) angl
drague angl
draille *n.f.* (chemin) francoprov < dauphinois
drain angl
draisienne (véhicule) *Drais* (Allemagne)
drakkar vx scand 95
drakon « serpent » mot grec 120
drakontion « serpentaire » mot grec 120
drame grec 57
dran (marine) scand
dranet (filet de pêche) angl
drastique *adj.* angl < grec
drave (bot.) esp
drave (flottage du bois) (au Canada) < angl
draver *v.* (flottage du bois) (au Canada) < angl
draveur (flottage du bois) (au Canada) < angl
dravidien (peuple) angl < skr
drawback (douane) angl
drawing room (salon) angl
dreadlocks (nattes) angl
dreadnought (marine) angl
drêche *n.f.* (résidu d'orge) celt
drège, dreige (filet de pêche) néerl
drège (peignage du lin) all
dressing-room angl
dribble *n.m.* (football) angl
dribbler *v.* (football) angl
dribbling (football) angl
drift (géol.) angl
drifter *n.m.* (marine) angl
drill (armée) angl (ou all)
drill (singe) angl < lgue africaine
drille *n.m.* (luron) germ
drille *n.f.* (outil) all
drille *n.f.* « chiffon » en ancien fr < gaul 16
dringuelle (en Belgique) (pourboire) all
drink angl 196
drip-painting (peint. moderne) angl
dripping (peint. moderne) angl
drisse (cordage) ital 144
drive *n.m.* (sport) angl
drive(u)r *n.m.* (sport) angl
drive-in angl
driver *v.* (sport) angl

driving (hipp.) angl
drogman (interprète) ital < grec < ar
drogue néerl ou ital
droit 112
drôle (coquin, gamin) moyen néerl 54
drome *n.f.* (marine) néerl
drongo (oiseau) malgache
dronte *n.m.* (oiseau) néerl < lgue africaine
drop zone (parachutage) angl
drop(p)er *v.* (larguer) angl
drop-goal (football) angl
drop-out (jeunesse abandonnée) angl
droppage (parachutage) angl
droschki (voiture à chevaux) russe
drosophile (mouche) lat < grec
drosse (marine) ital
drosser *v.* (marine) néerl
droue (fourrage) celt
drouine (sac à outils) breton
dru gaul
drugstore angl < a. fr et germ
druide gaul 40
drumlin (géogr.) gaélique
drummer *n.m.* (batteur) angl
druse (minéral.) all
dry angl
dry farming (expl. agric.) angl
duc 90
ducasse oïl du Nord < a. fr 111
ducat ital 140
duce ital
duègne esp < lat
duelliste ital
duetto (mus.) ital
duffle-coat angl
dugong (zool.) malais
dum-dum adj. (arme) ville de l'Inde
dumper *n.m.* (engin de trav. publ.) angl
dumping (commerce) angl
dundee angl (marine) *Dundee* (Écosse)
dune néerl < gaul
duo lat
duo (mus.) ital
duodenum lat
dupe oïl de l'Ouest
duplex angl < lat
duplicata lat
duplicate mot anglais
durham angl (bovin) *Durham* (G.-B.)
durian, durion (bot.) esp < malais
duvet vx scand 95
dyke (géol.) angl
dys(h)idrose (médecine) angl < grec
dysprosium (chimie) grec 61

E

eau 9
ébène lat < grec < égyptien
éblouir lat pop < francique
ébonite angl
ébouriffé prov
eburo « if » mot gaulois 42
écaffer (vannerie) all
écaille norm-picard < gotique
écale (écorce de noix) norm-picard < gotique
écanguer (broyer le lin) germ
écarlate lat < persan < ar 133
écarver (marine) scand
échalote (bot.) *Askalon* (Palestine) 135
échandiller lyonnais 110
échandole (toit en bois) oïl
échanson lat médiév < francique 94
échantillon lyonnais 14, 110
écharde francique
écharpe francique < lat
échasse francique
échauguette (guérite en pierre) francique
échecs a. fr < ar < persan
échelle 139, 209
écher, escher (munir d'un appât)
échevin francique
échine francique
échiquier angl < a. fr
échoppe néerl 54, 101, 132
éclair normand
éclanche (épaule de mouton) germ
éclater francique
éclipse lat < grec
écliptique lat < grec 32
éclisse « éclat de bois » picard < francique
écobuer (fertiliser) poitevin
école lat < grec 52, 57
écologie all < grec 169
écope (marine) francique
écot (tronc d'arbre) francique
écot (quote-part) francique
écoufle (milan) celt
écoute *n.f.* (marine) vx scand
écoutille (marine) esp < gotique
écran néerl
écraser vieil angl < vx scand
écrevisse francique
écrou (procès-verbal) néerl 102
écroué néerl 102
écrouir (métall.) wallon
écu (monnaie europ.) *acronyme* < angl
écubier *v.* (marine) esp

écume lat pop < francique
édam (fromage) *Edam* (Pays-Bas)
edelweiss all
éden hébreu 118
ederdon « édredon » a. fr 172
éditorial angl < lat
édredon all < islandais (?) 171, 172
ef(f)endi (dignitaire) turc
effecteur (physiol.) angl
efficience « efficacité » angl
effluve *n.m.* angl < lat
effraie *n.f.* (oiseau) oïl de l'Ouest ou du Centre
effrayer francique
égailler (s') oïl de l'Ouest
égal 67
égarer francique
églefin (poisson) néerl
église lat < grec 57
ego all < lat
égotisme angl < lat
égotiste angl < lat
égrillard norm < vx scand 95
égriser *v.* (polir) néerl
égrugeoir (mortier) dial
eider (canard) islandais < vx scand 95
eidétique (philos.) all < grec
einsteinium (chimie) *Einstein* (Autriche) 61
élaguer norm < francique
élan (cervidé) haut-all < balte
elbot (poisson) néerl
eldorado esp
électrocuter *v.* angl
électrode *n.f.* angl
électrolyse, -lyser angl
électrolyte *n.m.* angl
électron angl 71
électrum (alliage) lat
elektron « ambre » mot grec 71
élémi (résine) ptg < ar
éléphant 57, 72
elêphas « ivoire » mot grec 72
élévateur angl
élève ital
élevon (aviation) angl
elfe angl < vx scand
élingue (cordage) francique
élisabéthain (histoire) *Elisabeth* (G.-B.)
élixir ar < grec 19, 120, 122, 123
ellébore, hell- *n.m.* (bot.) lat < ar < persan
elme (aigrette lumineuse) ital
élusif angl
elzévir (imprimerie) *Elzevier* (Pays-Bas)

ersatz all 10, 169
esbigner (s') (s'enfuir) prov ou ital
esbroufe, esbroufer prov
escadre esp ou ital
escadrille esp
escadron ital
escalade (au sens figuré) angl
escalade (au sens propre) ital 106
escalator angl
escale ital
escalier prov
escalin (monnaie) néerl
escalope oïl du Nord Est < francique 94
escamoter esp 19
escamper (s'enfuir) ital
escampette ital
escapade ital 106
escarbille wallon < néerl
escarcelle prov ou ital
escargot prov
escarlate mot d'a. fr 133
escarmouche ital < francique 147
escarole, scarole ital 149
escarpe *n.f.* (fortification) ital < germ
escarpe *n.m.* (bandit) oc < germ
escarpe *n.f.* (chaussure) fr du xvıᵉ s. < ital 148
escarpé ital < gotique
escarpin ital 149
escarpolette germ (?)
eschoperie mot d'a. fr < néerl 101
esclaffer (s') prov
esclame (vénerie) all
esclandre lat < hébreu 119
escofier (tuer) prov
escogriffe orléanais
escompte ital
escompter ital
escompteur ital
escopes « échoppe » a. fr 101
escopette (arme à feu) ital 143
escorte ital
escoude (marteau) prov
e(s)courgeon (orge) dial
escrime ital ou prov < francique
escroc ital
escroquer ital
escudo (monnaie) ptg
ésérine (médecine) lgue africaine
esgourde (argot) « oreille » prov
espada esp
espade (chanvre) prov
espadon (poisson) ital
espadrille oc pyrénéen

espale (marine) ital
espalier ital
espalmer (marine) ital
esparcet(te) « sainfoin » prov
espiègle néerl 54, 100
espinasse (sapinière) prov
espingole (arme à feu) francique
espion ital < germ
esplanade ital 106
espolette (mèche de bombe) ital
esponton (pique) ital
espressione (con) (mus.) ital
espressivo (mus.) ital
espringale (machine de guerre) germ
esquicher *v.* (serrer) prov
esquif ital < longobard
esquinter *v.* prov < lat pop 26
esquire angl
esquisse ital 149
esquisser ital
esquiver ital < francique
essayiste angl
esse (clavette) germ
Essig « vinaigre » mot allemand 170
essieu picard
est angl
est-allemand *calque* < angl
establishment angl
estacade (fortif.) ital < longobard
estafette ital < longobard 143
estafier (laquais) ital
estafilade ital < longobard 106
estagnon (récipient) prov
estaminet picard < wallon < germ
estampe ital < francique
estamper ital < francique
estampille esp < francique
estancia esp
ester *n.m.* (chimie) all 170
estère (natte) esp
esterlin (monnaie) angl
esthète angl < grec 19
estiquet 178
estivallet « bottine » fr. du xvıᵉ s. 148
estive (marine et pâturage d'été) prov ou ital
estiver « passer l'été » prov
estoc « pointe d'épée » francique
estocade ital < francique
estompe néerl
estoppel (droit internat.) angl
estoquer (frapper d'estoc) francique
estoublage (chaume) prov
e(s)touffade (cuisine) prov ou ital

estourbi (assommé) all (argot) 26
estourbir germ (ou alsacien)
estrabot, estribot (poème) esp
estrade (battre l') ital 106
estrade esp 106
estradiot, stradiot (armée) ital < grec
estragon lat bot < ar < grec 120
estramaçon (épée) ital
estran (géogr.) néerl
estrapade (supplice) ital 106
estrapasser (hipp.) ital
estret *adj.* mot fr du XVIIe s. 112
estrope *n.f.* (marine) angl
estropier ital 144
estudiantin esp
esturgeon gascon < francique
et caetera (etc.) lat
étai (cordage) angl
étai (poutre) néerl
étaie (héraldique) néerl
étain lat < gaul
étal francique
étalinguer (marine) néerl
étalon (mesure) francique
étambot (marine) vx scand 95
étambrai (marine angl ou scand
étangue (trav. de la monnaie) ital < germ
étape néerl
étarquer (raidir une voile) néerl
étau francique
étendard francique
éteuf *n.m.* (jeu de paume) francique
éteule gallo-roman
ethnonyme grec 33
étiage gallo-roman
étier gallo-roman
étioler charentais
étoffe, étoffer haut-all
étouteau (horlogerie) oïl
étranguillon (terme de vétérin.) ital
étraque (marine) all
étrave (marine) scand 95, 97
être en charge de calque < angl 192
étricher (frotter) néerl
étrier francique
étrille (crabe) norm
étriquer norm-picard < néerl
étroit 112
étron francique
étrope (marine) angl
étudiole (petit meuble) ital
eucalyptus (bot.) lat
eugénique, -isme angl
-euil *suffixe* < gaul 42

euphémisme 57
euphorbe n.f. (bot.) *Euphorbe* (Numidie)
euphuisme angl
eurodollar angl
europium (chimie) lat 61-62
eustatique *adj.* (géol.) all < grec
évangile lat < grec 57
event (événement important) angl
évêque lat < grec 57
everlasting (tissu) angl
ex aequo lat 58
ex cathedra lat 58
ex nihilo « en partant de rien » lat
ex-libris (inscription sur un livre) lat
ex-voto (dans une église) lat
excavateur angl
excellentissime ital
excentrique (original) angl
excise (impôt) angl
exciting *faux-anglicisme* (?)
exécutive « cadre sup. » angl
exerciseur (gymn.) angl
exhaustif angl
exhibition (exposition) angl
exit (théâtre) lat
exogamie angl < grec
exportation angl
exporter angl
express angl
extra lat
extra muros 58
extra-dry angl
eye-liner (cosmétique) angl
eyra (puma) lgue du Brésil

F

F.M. (radio) *sigle* < angl
fabliau picard
fabrica mot latin 52
fabuliste esp
fac simile lat 194
façade ital 106
fâcher oïl de l'Ouest
faciende (intrigue) Italie
faciliter *v.* ital
factoring angl
factotum lat
factuel *adj.* angl
factum (libelle) lat
fada prov
fadaise prov
fader (partager) prov (argot)

fading (radio) angl
fado (chant) ptg
faena (tauromachie) esp
fagara (bot.) ar
fagne (marécage) (en Belgique) wallon
　< gotique
fagot prov 108
faguenas (odeur rebutante) prov (ou all)
fagus mot latin 88
fahrenheit (degré) *Fahrenheit* (Alle-
　magne)
faïence (poterie) *Faenza* (Italie) 81
faille (fissure) wallon
failli ital
faillite ital
faim-calle (ou -valle) (fringale du cheval)
　breton
fair-play angl
faire la bamboula 198
fairway angl
faisabilité angl
faisan prov < grec *Phase* (Grèce)
faisselle « égouttoir à fromage » oïl de
　l'Ouest
fait accompli expression angl < fr 11
faîte francique
fakir ar
falaise norm-picard < francique
falbala prov
faldestœl « fauteuil » mot d'a. fr 88
falerne n.m. (vin) *Falerne* (Italie)
fali « tube » mot scandinave 98
fall-out (retombée atomique) angl
falle « jabot » scand
falot/fellow 185
falot n.m. (lanterne) ital < grec
falque (bot.) esp
falquer v. (hipp.) ital
falquet (fauconnerie) ital
falsifiabilité angl
falsifiable angl
falsifier angl
faluche oïl du Nord (ou flamand)
falue fr. rég. de Normandie 98
falun (géol.) prov
falzar grec mod (?) (argot)
fan angl
fan-club angl
fanal ital < ar < grec
fandango esp ou ptg
fanfaron esp < ar
fange gotique
fanon francique
fantasia ar

fantasque ital 149
fantassin ital
fantoche ital
fanzine mot valise angl
faquin ital < ar (ou néerl) 79, 144
far-west angl
farad (unité phys.) abrév. *Faraday* (G.-B.)
　78
faraday (mes. phys.) *Faraday* (G.-B.)
faradique (physique) *Faraday* (G.-B.)
faradisation (physique) *Faraday* (G.-B.)
faramineux prov (?) < oïl du Centre ou
　de l'Ouest
farandole prov
faraud prov
farde (balle de café) ar
farde (en Belgique) « dossier » aragonais
fardeau a. fr < ar
farder francique
faré (maison) polynésien
farfadet prov
faribole prov
farigoule « thym » prov
farniente ital
faro (bière) wallon
farouch(e) (trèfle) prov
farrago (céréale) prov
fart (ski) norvégien 171
farthing (quart de penny) angl
fascisme, -iste ital
faseyer (flotter) néerl
fashion (dernière mode) angl
fashionable (à la mode) angl 186, 196
fast (émancipée) angl
fast-food angl
fat prov
fatma ar
fatum (destin) lat
fau « hêtre » prov
faubert (balai) néerl
faucard (faux) picard
faucarder picard
fauchère (harnais du mulet) oïl
fauder v. (plier une étoffe) all
fauteuil francique 88
fauve adj. (couleur) francique 89
favela (bidonville au Brésil) ptg
favori, -ite ital
fax 194
fayard « hêtre » oc
fayot (argot) (haricot) prov
fazenda (expl. agric.) ptg
fed(d)ayin (combattant) ar
feed-back angl

feeder (technique) angl
feeling (au) angl 191
feitiço « sortilège » mot portugais 164
feld-marechal all
feldspath (roche) all
feldwebel all
félibre prov
félibrige prov
fellag(h)a (partisan de l'indépend.) ar
fellah (paysan) ar
fellow (étudiant) angl
félon lat médiév < francique
felouque (voilier) esp < ar
fémur lat
fenian (polit. irland.) angl
fennec (renard) angl < ar 123
féra (poisson) parler de Suisse
feria, féria esp
ferler (marine) angl
fermion (phys.) *Fermi* (Italie)
fermium (chimie) *Fermi* (Italie) 62
ferrade (marquage au fer) prov
ferroviaire ital
ferry-boat angl
ferse (marine) ital
fesse-mathieu « avare » gallo-roman
festif angl
festin ital 149
festival angl
feston ital
fêtard 91
fetch (océanogr.) angl
fête 196
fétiche ptg 164
féticheur ptg
feurre germ 141
feutre francique
fez (coiffure) *Fez* (Maroc)
fiasco ital
fiasque ital
fidèle 55
fidélité 55
fidem mot latin 55, 105
fief lat médiév < francique
fiesta esp
fieu (fils) parler d'oïl
fifre parler suisse all
fifrelin (monnaie sans valeur) all (argot) 26
fifty-fifty angl
figer picard
fignoler oc
figue prov
figurine ital 148

filadière (bateau) dial
filanzane (chaise à porteurs) malgache
filao (bot.) malgache ou créole
filaret (menuiserie) ital
filibeg, philibeg (jupe) gaélique
filibuster *n.m.* angl
filigrane ital
filler *n.m.* (revêtem. routier) angl
fillér *n.m.* (monnaie) hongrois
film angl
filon ital
filoselle (tissu) dial ital (?)
filou oïl de l'Ouest
fin du fin *calque* < hébreu 119
fin-keel (marine) angl
finale (mus.) ital
finaliser angl
finaliste angl
fincelle (filet de pêche) dial
finish/finissent 182
finish (sport) angl < a. fr
fioriture ital
fioul, fuel angl < a. fr
firman (édit, loi) angl < turc < persan
firme ital (ou esp)
firmware (informatique) angl
fish-eye (optique) angl
fission angl
five o'clock (thé) angl
fixing (à la Bourse) angl
fjeld (géogr.) norvégien
fjord, fiord norvégien 171
flacon francique 94
flageolet (haricot) picard < ital
flamand *adj.* francique
flamant (échassier) prov
flambe *n.f.* (épée) gallo-roman
flamenco esp
flamiche (cuisine) oïl Nord
flammèche francique
flammette (bot.) ital
flan (gâteau) francique 94
flanc francique
flancher francique
flanelle angl < gallois
flâner norm < vx scand 95, 97
flapi lyonnais 110
flapper angl
flaque norm-picard < néerl
flash angl 193, 194
flash-back angl
flasher 194
flask (flacon plat) angl
flasque *adj.* picard

flasque *n.f.* (flacon plat) ital
flasque *n.m.* (mécanique) néerl
flat (en Belgique) (studio) angl
flatter *v.* francique
flaveur (saveur) angl
flèche (voile) néerl
flèche (projectile) francique
flemme ital < grec
flet (poisson) néerl
flétan (poisson) néerl
flétrir francique
flette (bateau plat) angl
fleur 108
-fleur *suffixe* < scand 96
fleuret ital 146
fleureter mot d'a. fr 179
fleuron ital
flibot (bateau) angl
flibustier angl < néerl 54
flin (pierre à fourbir) néerl
flingot (fusil) all
flingue (arme à feu) all
flinquer *v.* (orfèvrerie) all
flint(-glass) angl
flion (mollusque) scand
flip (boisson) angl
flipper *n.m.* (billard électr.) angl
flipper *v.* (s'angoisser) angl
flirt angl < a. fr
flirter angl < a. fr 179
floc angl
flock-book (généalogie) angl
floc(k)age (applic. de fibres) angl
floe (banquise) angl
floeberg angl
flood (éclairage) angl
flop (échec) angl
flop-house (asile de nuit) angl
flor « fleur » mot latin 108
florès (faire) prov
florin (monnaie) ital 140
flot néerl (ou vx scand)
flottation angl
flotte (escadre) vx scand (?) 95, 97
flotter néerl (ou vx scand) 100
flottille esp 152
flous(s)(e), flouze (argent) ar (argot) 26, 113
fluorescence angl
fluorescent angl
flush (au poker) angl
flûte (instr mus.) 107
flûte (marine) néerl
flutter *n.m.* (aviation) angl

fluxer (diluer) angl
fly-tox angl (insecticide) *(nom déposé)*
flysch (géol.) all de Suisse
fob *acronyme* < angl
foc (marine) néerl
fœhn (vent) all de Suisse
fœtus lat
fog (brouillard) angl
foggara (irrigation) ar
Föhre « pin » mot allemand 93
foi 55, 105
foil *n.m.* (marine) angl
fois 147
fold (to) mot anglais 89
folio (feuillet) lat
folk angl
folk-song angl
folklore angl
fondouk (marché) prov < ar
fongus (champignon) lat
fontanili *n.m. pl.* (sources) ital
fontes (hipp.) ital
football angl 10
footballeur angl
footing *pseudo-anglicisme* 196
for ever « pour toujours » angl
forban francique
forçat ital
forcing angl
fordisation (applic. du taylorisme) angl
fordisme (taylorisme) angl
foreman (chef d'atelier) angl
forest mot anglais 178
forestier 146
forêt 178
forfait (abandon) angl < a. fr
forfante ital
forfanterie ital
forge prov 52
forint (monnaie) hongrois
forlane *n.f.* (danse) *Frioul* (Italie)
format ital
formater (informatique) angl 14
forme (cond. physique) angl
formica (revêt. plast.) *(nom déposé)* angl < lat
forsythia (fleur) *Forsyth* (G.-B.)
forte (mus.) ital
forte-piano (piano, l'instrum.) ital
fortin ital
fortissimo (mus.) ital
fortran (informatique) *acronyme* < angl
forum lat
fosbury flop (sport) *Fosbury* (G.-B.)

fosterage (anthropologie) angl
fou 88
fouarre mot d'a. fr 141
foudre *n.m.* (tonneau) all
fouet 88
fougasse ital
fougon (marine) prov
fougue (ardeur) ital 146
foulard prov (?)
fouling (marine) angl
foulque (oiseau) prov
fouquet (hirondelle de mer) germ
fourbe francique
fourbir (nettoyer) francique
fourcat (marine) prov
fourguer (vendre) prov
fourmi/formi 145
fourniment ital
fournir francique
fourquet (pelle) oïl de l'Est
fourrage francique
fourre (taie, couv. de livre) francique (en
   Suisse)
fourreau francique
fouteau « hêtre » dial
fox-hound (race canine) angl
fox-hunting (race canine) angl
fox-terrier (race canine) angl
fox-trot (danse) angl
foxé *adj.* (vin amér.) angl
frac (vêtement) angl
fracas ital
fracasser ital 146
fragile lat 14, 15
fragon (bot.) gaul
frairie (fête) oïl de l'Ouest
frais (dépenses) francique
frais, fraîche francique
framboise francique 94
framée (javelot) germ
franc, franche francique
franc-maçon angl
franchising angl
francium (chimie) lat 62
franco ital
francolin (perdrix) ital
frangeant *adj.* (géogr.) angl
frangin lyonnais 110
frangipane (pâtiss.) *Frangipani* (Italie)
franquisme, -iste Franco (Espagne)
fransquillon wallon
frapper francique 92
frasque ital
fraternel 55

fraticelle (relig.) ital
frayage (physiol.) all
frayon (moulin) dial
freak angl
fredaine prov < francique
fredonner oc
fredum (loi salique) germ
free press (publications marginales) angl
free style angl
free time angl
free-jazz angl
free-lance *adj.* (élevage) angl 191
free-martin angl
free-shop angl
free-trade « libre échange » angl
freezer angl 194
frégate ital 144
frelater néerl 100
frêle 15
frelon francique
freluquet néerl
french cancan angl
frequin (futaille) néerl
frère 55
fresaie (oiseau de nuit) oïl de l'Ouest
freshman (étudiant de 1re année) angl
fresque ital
fret néerl 101
frette (virole) francique
freudien, -isme (psych.) *Freud* (Autriche)
freux *n.m.* (corneille) francique
friche (expl. agric.) néerl
frichti alsacien
frigidarium (archéol.) lat
frigide 55
frigidum mot latin 53
frimas francique 29
frime germ 29
friquet (moineau) francique
frise (archit.) ital
frise (cheval de) (fils barbelés) néerl
frisquet néerl
fritz (soldat allemand) all
froc francique
froebélien (pégagogie) *Fröbel* (Allemagne)
froid 53, 55
from(e)gi (fromage) dial
from(e)ton (fromage) dial
fromage/froumage 145
fronce francique
frontalier prov
fronton ital
frousse prov

fruits de mer *calque* < italien
fruste ital
frutille esp
Fuchs « renard » mot allemand 169
fuchsia (bot.) *Fuchs* (Allemagne) 77
fuchsine (chimie) *Fuchs* (Allemagne) 169
fucus (algue) lat
fuégien esp
fuel, fioul angl < fr
fuero esp
fugue (fuite) ital
fugue (mus.) ital
führer all
fular mot roumain < fr 11
full (au poker) angl
fumerolle (volcan) ital
fun angl
fun(board) (planche à voile) angl
funky (mus.) angl
furax lat
furbesco mot italien 22
furia ital
furioso (mus.) ital
furlong (unité de long.) angl
furole (feu follet) angl
fusarole (archit.) ital
fusel (distillation) angl < haut all
fuste (marine) ital
fustet (bot.) ar
futon (matelas) jap
futur < angl < fr 192
futurisme, -iste ital

G

G.I. *sigle* angl
G.M.T. *sigle* angl
gaba prélatin 31
gabar(r)e (embarcation) prov
gabardine esp < a. fr
gabarit prov < gotique
gabbro (roche) ital
gabegie lorrain < vx scand 95
gabelle ital < ar
gaber (plaisanter) scand
gabet (marine et vénerie) scand
gabian (goéland) prov
gabie (marine) prov
gabier (matelot) prov
gabion (panier, abri) ital
gable, gâble (archit.) norm < vx scand 95
gabord (marine) néerl
gaburon (marine) prov

gâche (serrurerie) germ
gâcher (du plâtre) francique
gaddr « épine » mot scandinave 98
gadelles « groseilles » fr rég de Normandie 98
gades « groseilles » fr rég de Normandie 98
gadget angl d'Am < fr
gadjo « non gitan » tsigane (argot) 26
gadolinium (chimie) *Gadolin* (Finlande) 62
gaffe (marine) prov < gotique
gag angl
gagaku (mus.) jap
gage francique
gagman angl
gagner francique 93
gai francique (ou gotique)
gaïac (bot.) caraïbe d'Haïti
gaillard gallo-roman < gaul 40
gailletin (houille) oïl du Nord
gaillette (charbon) oïl du Nord
gain germ 93
gal (mes. phys.) abrév. *Galilée* (Italie) 77
gala esp < a. fr
galandage (cloison) germ
galanga (bot.) ar
galant francique
galanterie mot roumain < fr 11
galantine lat de Dalmatie
galapiat (galopin) prov
galbe ital < gotique
galbord (marine) néerl
galéasse, galéace (marine) ital
galéjade prov 106
galère prov < catalan < grec byz < ar
galerie ital < lat médiév
galerne (vent) oïl de l'Ouest < gaul (?)
galet norm-picard < gaul 14, 39
galetas (grenier) *Galata* (Constantinople) 81, 135
galette norm-picard < gaul 39
galfâtre (bon à rien) oïl de l'Ouest
galgal (tumulus) gaélique
galibot (jeune mineur de fond) picard
galimafrée (cuisine) picard < néerl
galipette oïl de l'Ouest
gallium (chimie) *Lecoq* de B. (France) 62, 78-79
gallo 84
gallon angl < normand < lat médiév
gallup (sondage) *Gallup* (U.S.A.)
galoche normand ou picard < gaul 39, 40
galoper francique 92

galoubet (flûte) prov < gotique
galvanisme, -ique *Galvani* (Italie)
galvano- préfixe *Galvani* (Italie)
gamache (fauvette) esp
gambade prov 106
gambader prov 25
gambas (crevettes) catalan < lat pop 152
gambe (marine et mus.) ital
gambette picard (argot) (ou ital) 23
gambeyer, gambier *v.* (marine) ital
gambier *n.m.* (bot.) malais
gambiller (danser) picard
gambit (aux échecs) ital
gambusie *n.f.* (poisson) esp
gamelan (orchestre) javanais
gamelle esp (ou ital) < lat
gamin franc-comtois
ganache (zool.) ital < lat < grec
ganaderia (taurom.) esp
gandoura (tunique) ar < berbère
gang angl
ganga (oiseau) catalan
gangster angl d'Am
gangue (minerai) all 168
gano (jeu de cartes) esp
ganse (ruban) prov < grec
gant francique 93
ganta « oie » mot latin < germ 84
ganteline (bot.) dial
gap (décalage, écart) angl
garance (plante et teinture) francique
garant < francique
garbure (cuisine) béarnais 108
garcette (coiffure) esp
garcette (marine) germ (ou ital)
garçon francique 93
garden « jardin » mot anglais 89
garden-party angl
gardénia (fleur) *Garden* (Écosse) 77
garder francique 93
gardian prov
gardon francique (?)
garenne francique
garer prov (?) < francique
gargamelle (gorge, gosier) prov
gargousse (charge de poudre) prov
garni francique 94
garou (bot.) prov ou francique
garou (loup-garou) francique
garrigue prov < pré-celtique 31
garron (fauconnerie) prov
garrot (encolure) prov
garrot (supplice) a. fr < francique
gars francique 93

Garten « jardin » mot allemand 89
gas(-)oil, gazole angl d'Am
gaspacho esp 152
gaspiller prov < gaul 39
gastro- « estomac » grec 66
gastronomie 68
gâteau francique 94
gâter a. fr < lat < francique
gatte (marine) francique
gattilier (bot.) esp
gauchir francique
gaucho esp < quechua
gaude *n.f.* (réséda) germ
gaufre francique 101
gaule (perche) francique 88
gauleiter « chef de district » all
gaulois francique
gault (géol.) angl
gaulthérie, -ria (bot.) *Gaulter* (Canada)
gaupe « femme de mauvaise vie » all
gaur, gor (bœuf sauvage) hindoustani
gauss (mes. phys.) *Gauss* (Allemagne)
gausser (se) norm (ou esp)
gavache (voyou) esp
gave (cours d'eau) béarnais < prélatin 31
gaver prov (ou norm-picard) < prélatin 31
gavial (reptile) hindi
gaviteau (marine) prov
gavot (parler de Gap) prov
gavotte (danse) prov < prélatin 31
gay (homosexuel) angl d'Am 27
gay-savoir (académie) 105
gayal (bœuf domestique) hindi
gaz 13, 70
gazelle ar 19, 123
gazette ital 140
gazole, gas(-)oil angl d'Am
gazon francique
gazzetta « petite pie », puis « gazette »
   mot italien 140
gecko (lézard) malais
géhenne lat eccl < grec < hébreu
geisha jap 203
gélatine ital < lat médiév 149
gemere mot latin 54
gémir/geindre 54, 56
gendarme mot persan < fr 131
gène *n.m.* all < grec 169
gêne *n.f.* francique
génépi (bot.) savoyard
généralissime ital 143
générer (math., linguist.) angl
genestrole prov
genet (petit cheval) esp < ar

génétisme (philos.) angl
genette (zool.) esp < ar
génois n.m. (marine) *Gênes* (Italie)
génoise n.f. (pâtisserie) *Gênes* (Italie)
gentle mot anglais < fr 178
gentleman angl, *calque* < fr 178
gentleman's agreement angl
gentleman-farmer angl
gentleman-rider angl
gentry (noblesse non titrée) angl
géranium (bot.) lat
gerbe francique
gerbera (fleur) *Gerber* (Allemagne)
gerboise (rongeur) lat des naturalistes < ar 123
gerfaut (rapace) germ ou scand
germania mot espagnol 22
germanium (chimie) *Germania* (Allemagne) 59, 62
germon (thon blanc) poitevin
gerseau (cordage) prov
gerzeau (nielle des blés) dial
gesse (bot.) prov
gestalt « structure » all
gestaltisme, -iste (philos.) all
gestapo (police) *acronyme* < all
getter (physique) angl
geyser (source d'eau chaude) *Geyser* (Islande) 10, 172
ghazâla « gazelle » mot arabe 123
ghetto (quartier des Juifs) *Ghetto* (Venise)
giaour « incroyant » (insulte) turc
gibbon (singe) angl < hindi
gibelet (foret, vrille) néerl
gibelin (hist. politique) ital < germ
gibelot (marine) all
giberne (sacoche) ital
gibet francique 88
gibier francique 94
gifle oïl de l'Est < francique
gift (insémination) *acronyme* < angl
gig, guig (embarcation) angl
gigantesque ital
gigot germ 94
gigue (danse) angl (ou all) 185
gilbert (unité phys.) angl
gilet esp < ar < turc 210
gill (mesure de capacité) angl
gimblette (pâtisserie) prov
gimmick (truc) angl
gin angl < néerl < fr
gin-fizz angl
gin-rummy angl
gin-tonic angl

gingembre lat < grec < skr
ginger-ale angl
ginger-beer (boisson gazeuse) angl
gingerbread (pain d'épice) angl
ginkgo (bot.) jap ou chinois
ginseng (bot.) chinois
gipsy (bohémien) mot anglais 155
girafe ital < ar 123
girande (jets d'eau) ital
girandole ital
girasol *n.m.* (opale) ital
giraumont (courge) tupi
girelle (poisson) prov 107
girie (plainte) gallo-roman
girl angl
girl-friend (féminin de *boy-friend)* angl
girl-scout (féminin de *boy-scout)* angl
giron francique
girond(e) *adj.* prov
girouette norm < vx scand 95
gitan esp < lat 19, 154
gitano « gitan » mot espagnol 155
givre prélat 31
glacolithique (écriture) slavon
glaçure (poterie) all
glaesum « ambre » mot latin 84
glaise gaul
glamour (séduction) angl
glaner gaul
glasnost *n.f.* (politique) russe
glass « verre (d'alcool) » angl < all
glauque lat < grec 32
glène *n.f.* (cordage) prov
glissando (mus.) ital
glisser francique 92
globe-trotter angl
glockenspiel (mus.) all
gloss-, glott- « langue » grec 66
glucinium (chimie) lat
glui (chaume) gallo-roman
gnaf, gniaf(f) (cordonnier) lyonnais
gneiss (roche) all
gnocchi ital
gnôle, gnole, gniole lyonnais
gnou (antilope) hottentot 198, 199
go (jeu) jap
goal *abréviation* angl
goal-average angl
gobelet gaul (?)
gobelin (tapisserie) *Gobelins* (Paris)
gober gaul
goberger (se) gaul
gobin « bossu » ital
god jul « joyeux Noël » expr. danoise 97

goddam (sobriquet pour « Anglais ») angl
godet (récipient) néerl
godille oc du Nord
godillot (chaussure) *Godillot* (France) 76
godin « homme riche » (argot) esp 22
godiveau (cuisine) dial
goéland breton
goémon breton
goinfre gascon et oc du Centre
goitre lyonnais < lat pop
gold point (taux de change) angl
golden (pomme) angl
golem (relig.) hébreu
golf angl
golfe ital < grec
gombo (bot.) angl < angolais
gomène (câble) esp < ar
goménol (méd.) *Gomen* (Nlle-Calédonie)
  nom déposé
gomina esp, *nom déposé*
gonelle (fossé) saintongeais
gondole vénitien < grec byz 144, 146
gone (gamin) lyonnais
gonfalon, gonfanon (étendard) francique
gonfler oc du Sud-Ouest
gong malais 166, 189
gongorisme (littér.) *Gongora* (Espagne)
gonze, gonzesse (argot) ital 22, 25
gonzo « lourdaud » mot italien 25
good bye angl
gopak, hopak (danse) russe
gord (techn. de pêche) gaul
gorfou (manchot, pingouin) danois
gorgonzola (fromage) *Gorgonzola* (Italie)
gorille lat des naturalistes < grec
gorod « ville » mot russe 89
gosette (pâtisserie) wallon
gosier lat pop < celt
gospel (chant relig.) angl d'Am
gosse néerl
gothique/gotique (*orthographe*) 117
gouache ital
gouailler oïl de l'Ouest < prélatin 31
goualante oïl de l'Ouest < prélatin
goualer « chanter » (argot)
gouape prov < esp
gouda (fromage) *Gouda* (Pays-Bas)
goudron ital < ar
gouge (dévergondée) prov < hébreu
goujat languedocien < prov < hébreu
goula(s)che (cuisine) hongrois 171, 175
goulag *acronyme* < russe
goule (vampire) ar
goule « gueule » oïl de l'Ouest 112

goulgoleth « crâne » mot hébreu 118
goum (troupe) ar
goupil lat + germ 91
goupillon francique
goura (oiseau) malais
gourami (poisson) malais
gourbi berbère < ar 113
gourde (monnaie) esp
gourdin ital
goure (boisson falsifiée) prov < ar 24
gouren (lutte) breton
gourer « tromper » ar (argot) 24
gourgandine oc du Centre et du Sud
gourgouran (étoffe de soie) angl < hindi
  (?)
gourme (dermatose) < francique
gourmet angl < a. fr
gourou, guru (relig.) skr
goy, goï hébreu
goyave esp < arawak 158, 161
grabeler (séparer) ital
graben (géol.) all
grabuge ital
grâce (titre) angl
gracioso (mus.) ital
grade ital < lat
grader *n.m.* (trav. publ.) angl
gradille (archit.) esp
gradin ital 149
gradué angl
graffigner (érafler) vx scand 95
graffiti ital < longobard < grec
grafting (tricot) angl
graillon (crachat) germ
graillon (rogaton) norm
gram (bactériol.) *Gram* (Danemark)
grammaire 57
gramophone angl < grec *nom déposé*
grandesse esp
grandlose ital
grandissime ital
granit(e) ital
granny smith (pomme) *Granny Smith*
  (G.-B.)
grapefruit (bot.) angl d'Am < fr
grappa (eau-de-vie) *Grappa* (Italie)
grappe francique
grappin prov < francique
grasping-reflex (neurol.) angl
grat(t)eron (bot.) francique
graticuler (dessin) ital
gratification (valorisation) angl
gratifier « faire plaisir » angl
gratis lat 53, 58

gratte-ciel *calque* < angl d'Am 209, 210
gratter francique
gratuitement 53
grau *n.m.* (chenal) languedocien
graver néerl < francique
gravir francique
gravitation angl < lat
gray (mes. phys.) *Gray* (G.-B.) 78
grèbe *n.m.* (oiseau) savoyard
gredin néerl
green (golf) angl
greenockite (minerai) *Greenock* (G.-B.)
gréer scand 95
grège (soie) ital
grègues (culotte) prov
grêle *n.f.* francique
grelin (cordage) néerl
grelot bourguignon < germ
grenache (cépage)*Vernazza* (Italie)
grenadille esp
grès (roche) francique
grès (cheval) tsigane (argot) 22
grésil francique
grésiller normand < francique
gressin ital < piémontais
grève lat pop < gaul
grève (armure de jambe) francique
greyhound (race canine) angl
gri(s)-gri(s) ewé-fon, lgue d'Afrique 198
gribiche (sauce) norm < néerl
gribouiller picard < néerl (?)
griffer francique 92
griffon (source) prov
grigner *v.* (couture) francique
grigou languedocien < lat 108
grill(-room) angl
grillade 106
grimace francique
grimaud (mauvais écrivain) germ
grime *n.m.* (théâtre) ital < francique
grincheux norm-picard
gringalet (cheval chétif) *Keinkaled*
gringe, grinche (grincheux) francique
gringo esp d'Am. du Sud
griot (poète africain) ptg (?)
griotte (cerise) prov
grip (sport) angl
gripper (accrocher) francique
gris francique 89
grisou a. fr < wallon 111
grivois all
grizzli, grizzly (ours) angl < a. fr
groenendæl (race canine) flamand
grog angl < fr

groggy angl
groise (géomorphologie) dial
grol(l)e (chaussure) lyonnais (argot) 23
grol(l)e (oiseau) oïl de l'Ouest
grommeler néerl
groom angl
groschen (monnaie) all
groseille francique 94
groseille à maquereau 101
grossiste all
grosso modo lat
grotesque ital
grotte ital < grec
grouiller néerl
ground (pelouse de sport et musique) angl
group (sac de poste) ital
groupe ital < francique
groupie angl (argot) 27
grouse *n.f.* (gibier) écossais
gruau (céréale) francique
grugeoir (outil) néerl (?)
gruger néerl
gruppetto (mus.) ital
gruyer (féodal.) germ
gruyère (fromage) *Gruyère* (Suisse)
guacharo (oiseau nocturne) esp
guaitier mot d'a. fr 178
guanaco (lama) esp < quechua
guano (engrais) esp < quechua 161
gué lat + germ
guèbre (relig.) persan
guède *n.f.* (teinturerie) germ
guelfe (hist. polit.) germ
guelte (commerce) néerl ou all
guenille oïl de l'Ouest < gaul 39
guenon gaul (?)
guenuche (guenon, femme laide) champenois < gaul (?)
guépard ital
guêpe francique
guerdon (récompense) germ
guère francique 91, 92
guerilla esp
guerillero esp 152
guérir francique < a. fr 92, 93
guérite prov
guerre francique 93
guêtre francique (?)
guetter francique 92, 93
gueulard 91
gueule 112
gueuse (fonderie) all
gueuse, gueuze (bière) néerl
gueux néerl

gui (marine) néerl
gui lat < francique 87
guibol(l)e norm (?)
guiche (coiffure) francique
guichet vx scand 95, 97
guide prov < francique
guider a. fr < francique
guiderope (aérostats) *n.m.* fr + angl
guidon ital
guigne lat méd < francique
guigner francique 92, 110
guignol (marionnette) *Guignol* (Lyon) 110
guignolet angevin
guilde, ghilde néerl
guille (cannelle de tonneau) néerl
guilledin (qui va l'amble) angl
guilledou francique
guiller (brasserie) néerl
guillocher ital
guimbarde prov
guimpe (vêtement) francique 93, 210
guindeau (cabestan) vx scand 95
guinder vx scand 95
guinée (monnaie) angl
guingois (de) germ
guinguette germ (?)
guiper (gainer) germ
guirlande ital < francique
guise francique 93
guitare esp < ar 19, 120
guitoune (tente) ar
gulden (monnaie) néerl 140
gulf-stream (océanogr.) angl
gulpe, guse (héraldique) all
gumène (câble) esp < ar
gunite *n.f.* (béton) angl
günz (géol.) *Günz* (Allemagne)
guppy (poisson) angl
gurûr mot arabe 24
gusla, guzla *n.f.* (instr. mus.) croate
gutta-percha angl < malais 189
gwin « vin » mot breton 41
gymkhana *n.m.* angl < hindoustani 189

H

habanera esp
habeas corpus angl < lat
habere « avoir » mot latin 42, 93, 105
habiller gaul
hâbler esp
hâblerie esp

hâbleur esp
hache francique 92
hachis 76
hachisch, haschisch ar
hacienda (exploitation agr.) esp
hack (cheval) angl
haddock anglo-norm < germ
hadith (relig.) ar
hadj, hadji (pèlerin) ar
hafnium (chimie) (København)*havn* (Danemark) 62
hagard germ
haggis (cuisine) angl < écossais
hagionyme grec 33
hagiotoponyme grec 33
haïdouc, -douk, heiduque hongrois
haie francique 89, 93
haïk (vêtement) ar
haïkaï (poème) jap
haïku (poème) jap
haillon germ 92
haine germ 92
hair « poil » mot anglais 126
haïr francique
haire (étoffe) germ
haitier fr rég de Normandie 98
haje (bot.) ar
halbi (boisson) néerl
halbran (canard) germ
halde (tas de déchets miniers) all
halecret (armure) néerl
haler néerl
hâler francique (ou lat pop)
half-and-half « moitié-moitié » angl
half-track (véhicule) angl
halibut « flétan » angl
hall angl < francique
hallali francique (?)
halle francique 92
hallebarde ital < germ
hallier (buisson) 89, 90
hallope (filet de pêche) angl
halloween (fête) angl
halte picard < all
halva (confiserie) turc
hamac esp < arawak
hamada (géogr.) ar
hamburger (sandwich) *Hamburg* (Allemagne)
hameau picard < francique 93
hamée (artillerie) all
hammam arabo-turc
hammerless (fusil de chasse) angl
hampe francique

hamster (mammifère) all
hanap germ
hanche francique
handball all 10
handicap angl
hanebane (bot.) angl
hangar francique 14, 92
hanneton francique 92
hansard (couperet) germ
hanse all
hansom(-cab) (cabriolet) angl
hanter angl < vx scand 95, 97
happening angl
happer germ
happy birthday angl
happy end angl
happy few angl
happy new year angl
haquebute (arquebuse) néerl
haquenée (hipp.) *Hackney* (G.-B.) 185
hara(-)kiri jap 203, 204, 205
harangue ital < francique
haras vx scand (?) 95
harasse (emballage) germ
harasser francique
hard angl
hard « dur » mot anglais 91
hard-labour (travaux forcés) angl
hard-top angl
harde (troupeau) francique (?) 92
hardes *n.f. pl.* gascon < ar
hardi francique
hardware (matériel) angl
harem ar
hareng francique 92, 94
harfang (oiseau rapace) suédois
hargne francique 92
haricot (cuisine) francique
haricot (fève) nahuatl 59
haridelle (mauvais cheval) vx scand (?) 95
harki ar
harle *n.m.* (canard) nivernais
harmale (bot.) ar
harmattan (vent) twi, lgue africaine
harmonica (instr. mus.) all 169
harmonium *latinisation* de *harmonie*
harnais, harnois vx scand 95, 97, 112
haro francique
harouelle (ligne de pêche) dial
harpe (construction) germ
harpe (instr. mus.) germ
harpon anglo-norm < vx scand 95
hart *n.f.* (lien) germ

has been *n.* angl
hasard esp < ar 126
hasch-party angl
hase *n.f.* (gibier) all
hâte francique
hauban vx scand 95, 97
haubert a. fr < francique
Haus « maison » mot allemand 93
hausse-col (armure) néerl
haut-parleur *calque* < angl
hautboïste all
haute-fidélité *calque* < angl
hauturier prov
havane (cigare) *La Havane* (Cuba)
have (maigre) francique
haveneau, havenet (filet) scand
haveron (avoine) all
havet (instr. agric.) francique
havre vx scand (ou néerl)
havresac all (ou néerl)
hazel « noisetier » mot anglais 90
heaume francique
hébéchet (panier) créole
héberge (construction) germ
héberger francique
hégélianisme (philos.) *Hegel* (Allemagne)
hégire (calendrier) ital < ar
heiduque, haïdouk (soldat) hongrois
heimatlos « apatride » all
heitr « brûlant » mot scandinave 98
héler angl < scand 186
héliotrope *n.m.* 67
héliport angl
hélium (chimie) *Hélios* (myth.) 62
hém(at)o- « sang » grec 66
hémi- *préfixe* grec 67
hémicycle grec 67
hémorragie grec 66
henné (plante et colorant) ar 123
hennin (coiffure du M.Â.) néerl
henry (mes. phys.) *Henry* (G.-B.) 78
héraut francique
herbe à l'ambassadeur 158
herbe à la reine 158
herbe à Nicot 158
hercynien *adj.* germ 42
herd-book angl
hère (cerf) néerl
hère (misérable) all < germ
hermandad esp
héroïne (drogue) all
héron francique 92
herpès (dermatose) lat
her(s)cher *v.* (pousser les wagonnets) wallon

hertz (mes. phys.) *Hertz* (Allemagne) 78
hetman (cosaque) polonais
hêtre francique 87, 88
heure *(orthographe)* 92
heurtequin (mécanique) néerl
heurter francique
heuse (jambière) germ
hévéa lat des naturalistes < quechua 158, 161
hi-fi *acronyme* < angl
hiatus lat
hic et nunc lat
hickory (bot.) algonquin
hidalgo esp
hie (outil) néerl
high(-)life angl 196
high-school (école secondaire) angl
high-tech *abréviation* angl
highlander angl
highway (autoroute) angl
hiloire *n.f.* (marine) néerl
hinayana *adj.* (relig.) skr
hinterland « arrière-pays » all
hippie, hippy angl d'Am
hippogriffe *n.m.* (animal fabuleux) ital
hisser bas all (ou néerl)
histidine (acide aminé) all
histo- « tissu » grec 66
histogramme angl
histoire 57
hit (succès) angl
hit-parade angl d'Am
hittite angl < lat < hébreu
hobbisme (philos.) *Hobbes* (G.-B.)
hobby angl
hobereau néerl
hoca (jeu de cartes) ital
hocco (oiseau) caraïbe
hocher *v.* francique
hockey francique
hodjatoleslam (islam.) ar
hold-up angl < angl d'Am 193, 194
holding (société financière) angl
hollywoodien (cinéma) *Hollywood* (U.S.A.)
holmium (chimie) (Stock)*holm* (Suède) 62
homard vx scand 14, 95, 97
hombre (jeu de cartes) esp
home angl
home-rule (forme de gouvern.) angl
home-trainer angl
homenaje « hommage » mot espagnol 151

homespun (tissu de laine) angl
hommage 152
homme *(orthographe)* 92
homo 93
homo sapiens lat
honeymoon « lune de miel » mot anglais 210
hongrois turc 136
honing angl
honneur *(orthographe)* 92
honnir francique
honorable angl
honoris causa lat 58
honte francique
hooligan, houligan angl
hopak, gopak (chant) russe
hoqueton (veste) ar
horde tartare < turc
hormone angl < grec
hornblende (minerai) all
Hörnchen « petite corne » mot allemand 170
hors-bord *calque* < angl
hors-la-loi *calque* < angl 185, 192
horse power (cheval-vapeur) angl
horse-guard angl
horse-pox (variole du cheval) angl
horst *n.m.* (géol.) all
hosanna hébreu 118
hospitalem mot latin 52
hospodar russe
hot angl
hot money « capitaux flottants » angl
hot-dog angl
hôtel 52
hôtesse (employée à l'accueil) angl < fr
hotte francique 92
hottentot néerl
hotu (poisson) wallon
houache, houaiche (marine) néerl < scand
houari *n.m.* (marine) angl
houblon néerl < francique
houe (outil) francique 92
houille wallon < francique
houle norm < germ
houlette francique
houligan, hooligan (voyou) angl
houppe francique
houppelande vieil angl
hourd *n.m.* (estrade) germ
houret (chien courant) angl
houri (relig.) persan
hourque *n.f.* (embarcation) néerl
hourra angl et russe

house-boat angl
houseau (jambière) germ
housekeeping angl
housse francique
houx (bot.) francique 87
hovercraft angl
hoverport angl
hublot francique
huche germ 92
hucher germ
huerta (géogr.) esp
huguenot all
huile *(orthographe)* 92
huile de pétrole 70
huile minérale 70
huit *(orthographe)* 92
huître *(orthographe)* 92
hula-hoop (jeu de cerceau) angl
hully-gully (danse) angl
humble *(orthographe)* 92
humbug (mystification) angl
humérus lat
hummock (océanogr.) angl
humoriste angl
humoristique angl
humour angl
humus lat
hune vx scand (ou islandais) 95, 97
hunter (hipp.) angl
hurdler (sport) angl
hurricane (cyclone) angl < caraïbe
husky (race canine) angl
hussard all < hongrois 171
hutte francique
hydravion 68
hydrocracking (pétrole) angl
hydrofoil angl
hydrogène grec 71
hydronyme grec 32, 33
hygiène
hylozoïsme angl
hyper-*préfixe* grec 68
hypermarché 68
hypertension 68
hypnotisme angl < grec

I

ialo « clairière » mot celtique 35, 41
ibéris (bot.) lat
ibijau (oiseau) caraïbe
ibis (échassier) lat

icaque caraïbe (taino)
ice-boat angl
ice-cream angl 196
ice-floe (glace flottante) angl
iceberg angl < norvégien 171
icefield (géogr.) angl
icoglan (dignitaire) turc
icône russe < grec byz
iconique angl
ide n.m. (poisson) suédois
idem lat
idylle ital
if (bot.) gaul 39, 41
igapo (forêt d'Amazonie) amérind
igloo inuktitut 187
igname (bot.) esp < bantou 164, 199
ignifuge 68
igniteur (électrode d'allumage) angl
ignitron (électr.) angl
ignorantin (relig.) ital
iguane (reptile) esp < arawak 158, 161
igue n.f. (gouffre) dial du Quercy
ikébana (arrangement floral) jap 203
ilang-ilang, ylang-ylang malais
illustrissime ital
imam (relig.) ar
imbratter « souiller » fr du XVIᵉ s. 148
imbroglio ital
immature *adj.* angl < a. fr
immelmann (aviation) *Immelmann* (Allemagne)
immun *adj.* et n.m. (immunisé) angl
impala n.m. (antilope) zoulou
impasse 11
impeachment angl
impédance (électr) angl < lat
impérialisme, -iste angl < a. fr
impétigo (dermatose) lat
implanter ital
impluvium (archéol.) lat
impopulaire angl 180
import-export angl
importation angl < lat
importer angl < lat
imposte n.f. ital
imprésario ital
imprimatur lat
impromptu lat
improviser ital
improviste (à l') ital 14, 147
impulser angl
in « à la mode » angl
in articulo mortis lat 58
in extenso lat 58

in extremis lat 58
in petto ital
in vitro lat 58
in vivo lat 58
in-bord (marine) angl
in-folio (imprimerie) lat
inca quechua
incamérer (annexer) ital
incarnadin *adj.* (rose chair) ital
incarnat ital
incartade ital 106
incentive (motivation) angl
inch angl
incidence angl < a. fr
incidentiel (caract. de l'incident) angl
incipit (premiers mots d'un livre) lat
incognito ital
inconsistance angl
inconsistant angl
inconstitutionnel angl 180
incrément (augmentation) angl < lat 180
indélicat angl
indésirable angl
index lat
indigo esp (ou ptg)
indium (chimie) lat 62
indoor angl
indri (singe) malgache
inductance (électr.) angl
induction (électr.) angl
inexpédient (contre-indiqué) angl
inexpressible (sous-vêtement) angl
infant, infante esp
infanterie ital
infinitésimal angl
inflation angl
inflationniste angl
influence mot angl < fr 178, 208
influencer mot angl < fr 181, 208
influenza *n.f.* ital
informel *adj.* angl
ingambe ital 144, 149, 150
ingénierie angl
ingérence 193
inlandsis *n.m.* (glacier) scand
inlay (dentiste) angl
inlet (bras de mer) angl
inoculation angl
inoculer angl
input (informatique) angl
insane angl < lat
insanité angl < lat
inselberg (géogr.) norvégien
insert (cinéma) angl

insight (psychol.) angl
instrumentalisme angl d'Am
insuline angl < lat
insurgent (insurgé) angl
intaille *n.f.* (pierre gravée en creux) ital
intégriste esp
intelligentsia, -tzia russe
intension (logique) angl
interactif *adj.* angl
interchangeable angl < a. fr
intercourse *n.f.* (droit maritime) angl
interface *n.f.* (physique) angl
interférence (ingérence) angl 193
interférent angl
interférer angl < a. fr
interféron (biochim.) angl
interfluve *n.m.* (géogr.) angl
interim lat
interlingual angl
interlock (tissu indémaillable) angl
interlope angl < néerl 54, 186
interlude angl < lat médiév
intermède ital 144
intermezzo ital
international angl
intersecting (machine à défeutrer) angl
intertidal (marées) angl
interview angl < a. fr 182
interviewe(u)r *n.m.* angl < a. fr
interviewer *v* angl
inti *n.m.* (monnaie) quechua
intifada (guerre) ar
intra-muros lat 58
intransigeant esp
intrigant ital
intrigue ital
intriguer ital
introspection (psychol.) angl
introversion (psychol.) all < lat 169
intubation angl
invariant angl
investir (assiéger) ital
investir (finance) angl < ital
investissement angl
iode 71
iodos (couleur violette) mot grec 71
io(u)dler, jodler, yodler *v.* tyrolien
ion angl < grec
ionique angl
ionisation angl
ioniser angl
iourte, yourte *n.f.* (maison) russe
ipéca(cuana) ptg < tupi 161
ippon (arts martiaux) jap

ipso facto lat 58
iridium lat (chimie) 62
iris (bot.) lat < grec 32
irish-coffee angl
irrédentisme, -iste ital
isabelle (couleur) esp
isard (chamois) ibérique
isba (maison) russe 173
islam (relig.) ar
iso- *préfixe* grec 67
isolationnisme, -iste angl d'Am
isolé ital
isoprène *n.m.* (chimie) angl
isostasie (géol.) angl
isotope angl
itague (cordage) skr
italique (typogr.) ital
item angl < lat 19
itinérant angl < lat
iwan (archit.) persan
ixtle (chanvre) caraïbe

J

jabiru (échassier) tupi-guarani
jable (tonnellerie) gaul
jaborandi (bot.) guarani
jabot limousin ou auvergnat < prélatin 31
jacamar (oiseau) amérind
jacana (oiseau) guarani
jacaranda (bot.) guarani
jacasser lyonnais 110
jachère gaul
jacinthe 57
jack (technique) angl
jack-knife (commutateur) angl
jacket, jaquette (dentiste) angl
jackpot angl
jaconas (étoffe) *Jagganath* (Inde)
ja(c)quemart (horlogerie) prov
ja(c)quier « arbre à pain » ptg < malayalam 163
jacqueline (cruche) oïl du Nord
jade *n.m.* esp 19
jaguar ptg < tupi-guarani 161, 162, 165, 207
jaguarondi, -rundi (chat sauvage) amérind
jaillir lat pop < gaul 40
jaïn, jaïna (relig.) skr
jaïnisme skr
jalap (bot.) esp
jaleus mot d'a. fr 108

jalousie (volet) ital
jaloux prov 107
jam-session (jazz) angl
jamboree (scoutisme) angl
jambose, jambosier (bot.) ptg < malais
jamerose, jamerosier (bot.) ptg < malais
jangada (cabane de pêche) ptg < tamoul
janissaire ital < turc
jante gaul
jaque *n.m.* (fruit du jaquier) ptg < malayalam
jaquette (vêtement) catalan < ar 19
jaquette, jacket (dentiste) angl
jar, jard (géol.) gallo-roman
jarde, jardon (vétérinaire) ital < ar
jardin francique 89, 90
jardineux *adj.* (diamant avec défauts) francique
jargon (pierre précieuse) ital
jaro(u)sse (bot.) oïl de l'Ouest < gaul
jarovisation (agriculture) russe
jarre (vase) prov < ar
jarre, jars (dans la laine) francique
jarret prov (?) < gaul
jars (mâle de l'oie) francique
jas (marine) prov
jaseran, -ron (cotte de mailles) Al *Djazaïr* (Alger)
jasmin ital < ar < persan 131
jass, yass (jeu de cartes) all de Suisse
jauge francique
jaumière (marine) néerl
java (danse) *Java* (Indonésie)
javart (vétérinaire) gaul
javelle gaul
javelot gaul
javotte (enclume) celt
jazz angl
jazz-band angl
jazzman angl
jean(s) (pantalon) *Gênes* 81
jeep *acronyme* < angl
jéjunum (intestin) lat
jenny *n.f.* angl
jérémiade (plainte) *Jérémie* (Bible)
jerk (danse) angl
jéroboam (bouteille) *Jéroboam* (Bible)
jerrican(e), jerrycan angl
jersey (tissu) *Jersey* (G.-B.)
jésuite (relig.) *Jésus*
jet (aviation) angl
jet-piercing (forage) angl
jet-set, jet set angl
jet-society angl

jet-stream angl
jettatura (mauvais œil) ital
jigger (teinture) angl
jingle (motif sonore) angl
jingoïsme (chauvinisme) angl
jiu-jitsu jap 203, 204
job « travail » angl (argot) 26
jobard « niais » *Job* (Bible)
jocasse (grive) francique
jockey angl 183
jockey-club angl
jocko lgue africaine
jodhpur (pantalon) *Jodhpur* (Inde)
jodler, iodler (vocaliser) tyrolien
jogger *v.* angl
jogge(u)r *n.m.* angl
jogging angl 192, 195
joint angl
joint(-)venture angl
jojoba (bot.) esp du Mexique
joker angl
joli vx scand 95, 97
jolif « beau, amoureux » mot d'a. fr 98
jomon (géol.) jap
jongler francique
jonkheer (noblesse) néerl
jonque néerl (ou ptg) < malais 163
jonquille esp 19, 153
joruri (littérature japonaise) jap
jota esp
joue prélatin 31
jouer 54
joule (mes. phys.) *Joule* (G.-B.) 78
journey/journée 179
jovial ital 149
jubarte *n.f.* (baleine) angl
jubilé lat eccl < hébreu
jucher francique
judas (traître, ouverture) *Judas* (Bible)
judo jap 203, 204
judoka jap 203
juge de paix 185
juif Yehudi « *Judas* » (Bible)
juke-box angl
julep (sirop) esp < ar < persan
jumart (élevage) prov
jumbo (engin de trav. publ.) angl
jumbo-jet (aviation) angl
jumpe(u)r (hipp.) angl
jumping (hipp.) angl
junco « jonc » mot espagnol 153
jungle angl < hindoustani < skr 189
junior lat
junker (hobereau) all

junkie, junky (drogue) angl
junte esp
jupe sicilien < ar 14, 127, 210
juré 184
jurfix mot roumain < fr 11
jury angl < anglo-norm 184
jusant norm
jute angl < bengali < skr 189

K

K.O. *sigle* angl
kabbale, cabale (relig.) hébreu
kabic, kabig (manteau) breton
kabuki (théâtre) jap
kacha, kache (cuisine) russe
kachapi (cithare) indonésien
kachkaval (fromage) bulgare
kafkaïen Kafka (Tchécoslovaquie)
kaïnite (minéral.) all < grec
kaiser all < lat 169, 170, 174
kakatuwa malais 162
kakémono (tableau) jap 203
kaki (couleur) angl < hindoustani < skr 189
kaki (fruit) jap 203
kala-azar (maladie) hindoustani (?)
kaléidoscope, caléi- angl < grec 72
kali (bot.) ar
kalmia (bot.) Per *Kalm* (Suède)
kalmouk (langue) mongol
kamala (bot.) skr
kama(-)sutra skr
kami (relig.) jap
kamichi (échassier) caraïbe du Brésil
kamik (botte en peau de phoque) inuktitut
kamikaze (avion suicide) jap 203, 204
kammerspiel (théâtre) all
kan, khan (caravansérail) arabo-persan
kan, khan (gouverneur) persan
kana « écriture » jap
kandjar (poignard) ar
kangourou angl < lgue d'Australie 202
kanji (écriture) jap
kantisme (philos.) *Kant* (Allemagne)
kaoliang (sorgho) chinois
kaolin (céramique) chinois 202
kapok angl < malais 102
kara « vide » mot japonais 10
karaïte car-, gar- hébreu
karakul, caracul (mouton) *Karacol* (Russie)

karaoké (mus.) jap 10, 203
karata(s) (bot.) caraïbe
karaté jap 203, 204
karbau, kérabau (buffle) malais
karité « arbre à beurre » wolof 198, 199
karma (relig.) angl < skr
karman (aviation) *Karmann* (U.S.A.)
kart (véhicule) angl < norm
karting angl
kascher, casher (relig.) hébreu
kata (arts martiaux) jap
katchina *n.m.* (relig.) amérind
kathakali (danse relig.) malayalam
katta « lien » mot tamoul 188
kava (poivrier) polynésien
kayak, kayac inuktitut
kebab (cuisine) turc
keepsake (album) angl
keffieh (coiffure) ar
kéfir, képhir (boisson) caucasien
kelvin (physique) *Kelvin* (G.-B.) 78
kendo (arts martiaux) jap
kentia (bot.) *Kent* (G.-B.)
képi suisse-all
képlérien (astron.) *Kepler* (Allemagne)
kérabau, karbau (buffle) malais
kermès (cochenille) esp < ar < persan 133
kermesse flamand 54
kérosène angl < grec
kerria, kerrie (bot.) *Ker* (G.-B.)
ketch (marine) angl
ketchup angl < chinois 189, 202
ketmie (bot.) ar
keynésien, -isme (économie) *Keynes* (U.S.A.)
khâdi (étoffe) hindi (?)
khalifat, califat (relatif au calife) ar
khalife, calife (souverain musulm.) ar
khamsin, chamsin (vent) ar
khan, kan (caravansérail) arabo-persan
khan, kan (gouverneur) persan
kharidjisme (relig.) ar
khat, qat (bot.) ar
khédive (souverain) turco-persan
khiros « main » mot grec 72
khlôros « vert » mot grec 71
khmer, khmère (pop. du Cambodge) skr
khôl, kohl, kohol (fard) ar
kibboutz hébr
kiboko (fouet) swahili
kick (démarreur) angl
kid (gamin) angl 196
kidnapper *v.* angl
kidnappeur angl

kidnapping angl
kief (repos, béatitude) turc < ar
kieselgu(h)r (minéral.) all
kiesérite (minéral.) *Kieser* (Allemagne)
kif (haschisch) ar
kif-kif ar
kilim (tapis) turc
kilt angl < vx scand
kimono jap 203
kinein « mouvoir » mot grec 72
kinésie 72
kinésithérapie 72
kinesthésie angl
king-charles (race canine) angl
kinkajou (zool.) amérind
kiosque turc < persan 132
kippa (calotte) hébreu
kipper (hareng) angl
kir (apéritif) chanoine *Kir* (Dijon)
kirkja « église » mot scandinave 95, 96
kirsch alsacien
kit (objet à assembler) angl < néerl
kit(s)ch (style) *Kitsch* (Bavière)
kitchenette angl 19, 195
kiwi (oiseau et fruit) angl < maori 202
klaxon (avertisseur) angl, *nom déposé*
kleenex (papier jetable) angl, *nom déposé*
klippe (géol.) all
klystron (physique) angl
knack (sens de l'à-propos) angl
knickerbockers angl
knickers angl
knock-down angl
knock-out angl
knock(-)outer (mettre qqun knock-out) angl
knout (fouet) russe 173
know-how angl
koala (zool.) angl < lgue d'Australie 202
kobold (lutin) all
kodak angl *nom déposé*
kofun (tombeau) jap
kohol, khôl, kohl (fard) ar
kola, cola lgue du Soudan 192, 198, 199
kolinski (fourrure) russe
kolkhoze *acronyme* < russe
kommandantur all
komsomol russe
kônôpeion « moustiquaire » mot grec 57
konzern all
kopeck (monnaie) russe 173
korrigan (esprit malfaisant) breton
koto jap
koubba ar

koug(e)lhof, kouglof (pâtisserie) alsacien
koulak (propriétaire) russe < turc
koulibiac (cuisine) russe 173
koumis, koumys (boisson) tartare
kourgane (tumulus) 173
kouros « statue de jeune homme » grec
kraal (village) néerl
krach (à la Bourse) all
kraft (papier) suédois 172
krak (château fort) ar
kraken (monstre légend.) norvégien
krant « journal » mot néerlandais 103
krek « correct » mot néerlandais 103
kreu(t)zer (monnaie) all
kriss, criss (poignard) malais
Krokant mot allemand 10
kronprinz all
kroumir (chausson) *Kroumir* (Tunisie)
krypton (chimie) angl < grec
ksar, ksour (lieu fortifié) ar < lat
ksêron (pharm.) mot grec 120
kukkuru mot sarde 34
kumi-kata (prise de judo) jap
kummel (liqueur au cumin) all
kumquat (bot.) angl < chinois cantonais
   189, 202
kung-fu (art martial) chinois 203
kvas, kwas (boisson) russe
kymrique (langue celtique) gallois

L

L.S.D. *sigle* < all 169
label angl < a. fr
labferment all
labour angl
labrador (chien et minéral.) *Labrador*
   (Canada)
lac-dye (colorant) angl
laccolit(h)e (géol.) angl < grec
laceron (bot.) norm
lacté 53
lactem mot latin 52, 53
lactucarium (pharmacol.) lat
lad angl
ladanum (parfumerie) lat
ladino (langue) esp
ladre lat eccl < hébreu
lady angl
ladylike (digne d'une lady) angl
ladyship angl
lagan (épave) angl
lager (bière blonde) angl

lagon esp ou ital 152
lagre (insecte) all
lagune vénitien 144
lai (poème) celtique
laïc 84
laîche *n.f.* (bot.) bas-lat < germ
laid, laide francique
laie (femelle du sanglier) francique
laie (sentier) francique
laie, laye (orgue) néerl
laird (propriétaire en Écosse) angl
lait 52, 53
laiton ar < turc 136
laitue
laïus (discours) *Laïus* (Grèce) lat
lakiste (littérature) angl
lama (mammifère) esp < quechua 158,
   161, 165
lama (religieux) tibétain 203
lamanage, -neur (marine) néerl
lamantin (zool.) esp < caraïbe
lambada (danse) ptg du Brésil
lambeau francique
lambeth walk (danse) angl
lambic(k) (bière) flamand
lambin francique
lambourde (poutre) francique
lambrequin (décor.) francique + néerl
lambswool angl
lamento (chant) ital
lamp mot angl < fr 178
lampant (pétrole) prov < grec
lamparo (méth. de pêche) prov < grec
lampas *n.m.* (étoffe de soie) francique
lampion ital
lampourde (bot.) prov
lance lat < gaul (?)
land (État fédéré) all
land art angl
landau (véhicule) *Landau* (Allemagne)
lande gaul
landgrave all
landier (chenet) gaul 16
landing (débarcadère) angl
landlord (propriétaire) angl
landrover (voiture tout-terrain) angl
landsgemeinde all de Suisse
landsturm (armée) all
landtag (assemblée) all
landwehr (armée) all
langouste prov 108
langoustine prov
lanière francique
lanoline all < lat 169

lansquenet all
lantanier, lantana (bot.) gaul
laper lat pop < francique 92
lapereau ibéro-roman (?)
lapidaire 70
lapider 70
lapilli (géol.) ital
lapin ibéro-roman (?) 31
lapis « pierre » mot latin 70
lapis-lazuli lat médiév < ar < persan
lapon suédois
lapping (polissage) angl
lapsus lat
laquais catalan < esp < ar 19, 128
laque prov < ar < persan < skr
laque-dye (colorant) angl
larghetto (mus.) ital
largo (mus.) ital
largue *adj.* prov ou ital
larguer prov ou ital
lasagnes ital < lat < grec 28
lascar ptg < ar < persan
laser *acronyme* < angl
lasso esp
last(e) (unité de masse) néerl
lastex angl *nom déposé*
lasting angl
latanier (palmier) caraïbe
latéral
latitudinarien (relig.) angl
lato sensu expression latine 58
latte lat pop < francique 88
lattice (réseau) angl
laudanum (soporifique) lat
launch (embarcation) angl < esp < malais
launching (lancement) angl
lavabo lat
lavande ital 149
lavaret (poisson) savoyard
lavatory angl
lave napolitain < prélatin
lawn-tennis (tennis sur gazon) angl
lawrencium (chimie) *Lawrence* (U.S.A.) 62
lawyer (juriste) angl
lay (to) « étendre » mot anglais 103
lay-out (étude, projet) angl
laye
laye, laie (orgue) néerl
layer (tracer un sentier) francique
layette picard < néerl 54, 100, 102, 103
lazaret vénitien < hébreu
lazzarone napolitain < esp
lazzi ital

leader angl
leadership angl
lease-back (crédit-bail) angl
leasing (location) angl
leavers (tissage du tulle) angl
lécher francique 92
légal/loyal 54
legalis mot latin 54
legato (mus.) ital
lège (marine) néerl
legged (poulain aux jambes trop longues) angl
leggin(g)s (jambières) angl
leghorn (race de poule) angl
législatif angl
législation angl
législature angl 180
légume 55
leishmania (bactériol.) *Leishman* (G.-B.)
leitmotiv all
lem *acronyme* < angl
lemming (rongeur) norvégien
lemon-grass (bot.) angl
lendore (personne nonchalante) germ
léninisme (politique) *Lénine* (Russie)
lentisque *n.m.* (bot.) prov
lento (mus.) ital
lepus mot latin 31
lésiner ital < gotique
lésinerie ital
lessive oïl de l'Ouest 112
lest néerl (ou frison) 101
leste *adj.* ital < longobard
let (tennis) angl
lettrine ital
leu, lei (monnaie) roumain
leucémie all < lat 169
leucocytes 73
leucophobe 73
leude *n.m.* (féodal.) germ
lëum mot d'a. fr 55
leurre francique
lev, leva (monnaie) bulgare
lévitation angl
lévite hébreu
li (mes. de long.) chinois
liais (calcaire) gaul
liane oïl de l'Ouest ou Antilles (?)
lias (géol.) gaul
libeccio (vent) ital
liber (bot.) lat
libéralisation angl
libéraliser angl < fr < lat 181
libero (football) ital

locomotive angl
loden (tissu imperméable) all 210
loess (géol.) all
lof (marine) néerl
loft angl
log-house (hutte en troncs d'arbres) angl
logarithme angl < lat
loge angl < lat médiév < francique
loggerhead angl
loggia ital
lok, looch (sirop) ptg < ar
lollard (religion) angl
londrès (cigare) *Londres* (G.-B.)
londrin (drap de laine) *Londres* (G.-B.)
long acting (à action prolongée) angl
long drink angl
long playing (disque microsillon) angl
longane *n.m.* (bot.) port < chinois
longrine (charpente) ital
longuerie 146
looch, lok (sirop) ptg < ar
look angl 196
looping angl
loque néerl
loquet anglo-norm < vieil angl
loran (marine) *acronyme* < angl
lord angl
lord-maire *calque* < angl
lordship (dignité de lord) angl
lorgner a. fr < francique 92
lori (perroquet) néerl < malais
loriot prov
loris (primate) néerl
lorry (wagonnet) angl
losange persan ou gaul (?)
loser *n.m.* « perdant » angl (argot) 27
lot francique
lot(t)e *n.f.* (poisson) lat médiév < gaul 39
loterie néerl
loto francique
lotus (bot.) lat
louban djaoui « encens de Java » mot arabe 126
louche (cuiller) picard < francique
louer
loufa, luffa (bot.) ar
lougre *n.m.* (marine) angl
loup-garou francique
loupe francique
loure (danse) scand
loustic « mauvais plaisant » (argot) 25, 168
love (pain de savon) angl
lovelace (séducteur) *Lovelace* (Richardson, G.-B.)

lover *v.* (un cordage) frison
lovetel (hôtel de passe) angl
loyalisme, -iste angl
lucarne francique
luciole ital
luddisme, -iste angl
ludique 54
ludus « jeu » mot latin 54
luffa, loofa (bot.) ar
lug-sail (marine) angl
luge savoyard < gaul 39-40
lumachelle (minéral.) ital
lumbago lat
lump (poisson) angl < danois
lumpenprolétariat all
lunch angl
lune de miel *traduction* < angl 185, 192, 209, 210
lunel (vin muscat) esp
lupus (médecine) lat
luque « faux certificat » esp (argot) 22
luron oïl du Centre
lusin, luzin (cordage) néerl
lustig « joyeux » mot allemand 25, 168
lustre (éclat) ital
lustrer ital
lustrine ital
lutécium (chimie) *Lutèce* (France) 62
luth prov < ar 126
luthérien (relig.) *Luther* (Allemagne)
lutte pour la vie *calque* < angl
luzerne prov
luzule (bot.) ital
lycée grec 57
lychnis (bot.) lat
lycra (textile) angl *nom déposé*
lyddite (explosif) *Lydd* (Kent, G.-B.)
lyncher *v.* angl
lyric *n.m.* (chant) angl
lysergique (biochimie) all
lysozyme (biochimie) angl < grec

M

maboul « fou » ar (argot) 26, 113
macabre *Macchabées* (Bible)
macache (non, pas du tout) ar
macadam (revêt. routier) *Mac Adam* (G.-B.)
macaque ptg < bantou 164, 198, 199
macaron ital
macaronique ital
macaroni ital

macassar (parfum, bois) *Macassar* (îles Célèbes)

maccartisme, -thysme (polit.) *McCarthy* (U.S.A.)

macchabée *n.m.* (cadavre) *Maccabée* (Bible)

macchiaioli ital

maceron (bot.) ital

macfarlane (manteau) *Mac Farlane* (Écosse)

mach (vitesse) *Mach* (Autriche)

machette esp

machiavélisme (philos.) *Machiavel* (Italie)

mâchicoulis turc < arménien

machine à vapeur *calque* < angl 185, 209, 210

machisme esp

macho esp 152

mâchurer (meurtrir) pré-indo-eur

mackerel « maquereau » mot néerlandais 101

mackintosh (vêtement) *Mac Intosh* (G.-B.)

macle *n.f.* (cristall. et hérald.) germ

maçon lat pop < francique

macramé (dentelle) turc (?) < ar

macre (bot.) oïl de l'Ouest < germ

macreuse (canard) norm < néerl

macula (anat. de l'œil) lat

macumba (relig) ptg

made in angl

madone ital

madrague (pêche du thon) prov < ar

madrapolam (tissu) *Madrapolam* (Inde)

madras (étoffe) *Madras* (Inde)

madrasa, médersa (école musulm.) ar

madré *adj.* francique

madrépore (corail) ital

madricr prov

madrigal ital

maërl, merl (géol.) breton

maestoso (mus.) ital

maestria ital

maestro ital 177

maf(f)ia sicilien < ar

maf(f)ioso sicilien < ar

mafflu oïl du Nord < néerl 54

magasin prov (ou ital) < ar 124, 126, 132

magazine angl < ar 124, 126

mage lat < grec < persan

maghzen, makhzen (gouvernement) ar

magique grec 32

magnan (ver à soie) prov

magnanerie (ver à soie) prov

magnat (capitaliste) angl < lat

magnat (noble polon.) polonais < lat

magnésium (chimie) *Magnésie* (Grèce) 62

magnificat (liturgie) lat

magnum (bouteille) lat

magot (singe) hébreu

magret (filet de canard) oc du Sud-Ouest

mah-jong (jeu) chinois 203

mahaleb (bot.) ar

mahara(d)jah hindoustani < skr

maharani, -ané hindoustani < skr

mahatma (chef spirituel) hindi < skr

mahayana (religion) skr

mahdi (religion) ar

mahogany (acajou) angl

mahonia (bot.) *Port Mahon* (Baléares)

mahonne (embarcation) esp < ar < turc

mahous(se) (énorme) angevin (argot)

maid (servante) angl

maiden (hipp.) angl

mail-coach (malle-poste) angl

mailing angl 191, 192, 195

mainate (passereau) ptg < malayalam (ou malais) 163

maint, -te gaul (ou germ)

maintenance angl < a. fr

maire 56

maïs esp < arawak 155, 158, 161

maison 152

maïzena (fécule) angl *nom déposé*

majeur 56

majolique (faïence) *Majorque* (Baléares)

majoral (félibrige) prov

majorat (noblesse) esp

majordome ital (ou esp)

majorette angl < fr

majorité (les plus nombreux) angl 180, 184

make-up (maquillage) angl

makémono, makimono (peinture) jap

maki, maque (mammifère) malgache 198, 201

makila (canne épée) basque

mal'hak « messager » mot hébreu 118

malabar (home robuste) *Malabar* (Inde)

malaga (vin) *Malaga* (Espagne)

malandrin ital

malaria ital

malformation angl

malfrat languedocien 108

malines (dentelle) *Malines* (Belgique)

malle (bagage) francique

malle (des Indes) (courrier) angl

malnutrition angl
malocclusion angl
malpighie (bot.) *Malpighi* (Italie)
malposition angl
malstrom, mael- (tourbillon) néerl
malt angl
malthusianisme (natalité) *Malthus* (G.-B.)
malus lat
malvoisie *n.m.* (vin grec) *Malvasia* (Grèce)
maman mot persan < fr 131
mambo (danse) esp d'Am. du Sud
mamel(o)uk ar
mamie, mammy angl
mammée (bot.) caraïbe
mammouth russe < toungouze 173
man *n.m.* (ver blanc) francique
mana *n.m.* (relig.) polynésien
manade (troupeau) prov
management angl
manager *v.* angl < ital
manage(u)r *n.m.* angl < ital
mancenille (bot.) esp
mandala (relig.) skr
mandale (gifle) argot < ital
mandarin port < malais < skr 163
mandarine esp < port < malais < skr
mandoline ital < grec
mandorle *n.f.* (peinture) ital
mandrill angl < lgue de Guinée 198, 199
mandrin (mécanique) prov < gotique
manège ital
manganèse ital
mangle *n.f.* (bot.) esp. < malais
manglier (bot.) esp. < malais
mangoustan (bot.) ptg. < malais 163
mangouste (mammifère) marathe 163
mangrove *n.f.* (bot.) esp < arawak
mangue ptg < malayalam < tamoul 163
manichéisme (philos.) *Manès* (Perse)
-manie « folie » grec 66
maniérisme ital
manifeste *n.m.* ital
manifold (carnet et tuyauterie) angl
manigance prov (?)
maniguette (bot.) *Manighette* (Guinée)
manille (anneau) ital
manille (cigare) *Manille* (Philippines)
manille (jeu de carte) esp
manioc ptg < tupi-guarani
manitou algonquin 187
manne (corbeille) néerl
manne lat eccl < hébreu
mannequin néerl

manoque *n.f.* (tabac) flamand
manouche tsigane (argot) 22
manque (à la) « mal fait » ital (argot) 26
manquer ital 147
mansarde (archit.) *Mansart* (France) 76
mante prov
manta « couverture » mot espagnol 153
manteau mot persan < fr 131
mantille lat médiév < esp 153, 210
mantra (religion) skr
manu militari lat
manuélin (archit.) *Manuel* (Portugal)
manyatta (camp retranché) swahili
manzanilla (vin) esp
maoisme, -iste (politique) *Mao* (Chine)
maous(se) (énorme) angevin (argot) 23, 24
maqué (être) (concubinage) argot
maquereau (poisson) champenois < néerl (?) 54, 100, 101
maquereau « proxénète » néerl (argot) 24, 101
maquette ital
maquignon néerl
maquiller picard < néerl 100
maquis corse 108
maquisard 91
marabout (ermite ou oiseau) ptg < ar
maracas *n.f. pl.* (instr. de mus.) esp d'Argentine
maracu(d)ja amérindien
marais francique
maram « bois » mot tamoul 188
marasque (cerise) ital
marasquin ital
marathon (course) *Marathon* (Grèce)
maraud oïl du Centre ou de l'Ouest
maravédis (monnaie) esp < ar (ou tsigane) 22, 24
marc (mes. de poids) germ
marcaire (vacher) alsacien
marcassin picard
marcassite (minerai) lat médiév < ar < persan
marche francique 90
marché 132
marcher francique 92
marconi (marine) *Marconi* (Italie)
mare norm < francique (ou scand)
mare « jument » mot anglais
marécage norm-picard < francique
maréchal francique 90, 125
marelle prélatin (?) 31
maremme (marécage) ital

marengo (étoffe et cuisine) *Marengo* (Italie)

marennine (huître) angl

marfil, morfil (ivoire) esp < ar

margaille *n.f.* (désordre) néerl (?)

margay (chat sauvage) tupi

margouillis francique

margoulin oïl du Maine

margrave germ

marie-jeanne *adaptation* de *marijuana*

marigot caraïbe

marijuana, -huana angl d'Am < esp

marimba *n.m.* (instr. de mus.) bantou

marina angl < ital

marine *n.m.* (soldat) angl < fr

maringouin (moustique) tupi-guarani

maritorne *n.f.* *Maritorne* Cervantès (Espagne)

mark all < francique

Mark « borne » mot allemand 93

marlou oïl du Nord

marmalade mot anglais < fr < ptg 178

marmelade ptg < lat < grec 106, 164

marmelo « coing » mot portugais 164

marne (roche) gaul

maronner norm

maroquin (cuir) Maroc

marouette (oiseau) prov

maroufle (peinture) dial

marprime (marine) néerl

marque « fille » (argot) 22

marque (ancien droit) prov

marquer norm-picard < vx scand 95

marquette (pain de cire) esp

marquis francique 90

marrane (converti) esp < ar

marre (en avoir) esp (?)

marron (esclave fugitif) esp < arawak 166

marron (fruit) lyonnais < ligure 31

marsala (vin) *Marsala* (Sicile)

marshal (officier fédéral) angl

marshmallow angl

marsouin (mammifère marin) vx scand 95, 97

martagon (bot.) esp

marte, martre (mammifère) francique

martel (avoir) « être jaloux » fr du XVIᵉ s.

martel (avoir) en tête 148

martingale esp (ou prov) < ar

martini ital *nom déposé*

martre, marte (mammifère) francique

martyrium (tombeau de martyr) lat

marxisme, -iste Marx (G.-B.)

maryland (tabac) *Maryland* (U.S.A.)

mas prov

mascara (fard) ital

mascarade ital 106, 148

mascaret (grande vague) gascon 108

mascaron (archit.) ital

mascotte prov

maser *acronyme* < angl

maskinongé (poisson) algonquin

masochisme, -iste (philos.) Sacher Masoch (Autriche)

masque ital

mass médias angl

massepain vénitien < ar

masser ar

massicot (chimie) ital < ar

massorah, massore (relig.) hébreu

mastaba *n.m.* (tombeau) ar

mastère (diplôme) angl

mastiff (race canine) angl

mastigadour (vétérinaire) esp

mastoc all

mastodonte 71

mastos « mamelle » mot grec 71

mastroquet picard ou flamand

mat (aux échecs) ar < persan

mât francique 88

matador esp 152

mataf (matelot) ital (?)

matamata (tortue) esp < caraïbe

matamore (théâtre) *Matamore* (Espagne)

matasse (soie) ital

matassin (bouffon) esp < ar

match / mèche 179

match (compétition) angl

match-play (golf) angl

matchiche *n.f.* (danse) ptg

matchmaker (boxe) angl

maté esp < quechua 158, 161

matelas ital < sicilien < ar

matelot néerl 54, 100

mater « mère » mot latin 54

mater *v.* (épier) esp

matérialisme angl

maternel 54-55

materner angl

matraque ar

matras (arme) lat < gaul

matras (récipient) ar

matrilinéaire angl

matrilocal angl

matriochka (poupée) russe

matthiole *n.f.* (bot.) *Matthiole* (Italie)

maturité 55

maturum « mûr » mot latin 53
maul (rugby) angl
maurandie n.f. (bot.) *Maurandy* (Espagne)
mauresque, moresque esp
mauser n.m. (arme) *Mauser* (Allemagne)
mauviette norm < angl < francique
mauvis (grive) anglo-saxon
maxi- *préfixe* lat 67
maxi-manteau 67
maximalisation angl
maximisation angl
maximum lat
maxwell (mes. phys.) *Maxwell* (G.-B.)
maya (langue) *Maya* (Am. Centrale)
maya (relig.) skr
mayonnaise (cuisine) *Port Mahon* (Baléares) 81
mazagran (verre à café) *Mazagran* (Algérie)
mazdéisme (relig.) *Mazda* (Perse)
mazette norm (?)
mazout russe < ar
mazurka polonais 174
mea culpa (liturgie) lat
méandre 80, 135
méat prov
meccano (jeu) angl *nom déposé*
mèche (de) ital
méchoui ar
mechta (hameau) ar
méconium (fœtus) lat
médaille lat pop < ital
médaillon ital
medal-play (golf) angl
medecine-ball angl
medecine-man (guérisseur) angl
médersa, madrasa (école musulm.) ar
média *abréviation* < angl
médianoche (souper) esp
médiathèque 68
médicastre (charlatan) ital
médicée 158
medicine-ball angl
medicine-man (guérisseur) angl
médina (ville arabe) ar
médium (chant) lat
médium (spirite) angl
médius lat
meeting angl 186
méga- *préfixe* grec 67
mégalithe angl < grec
megalopole angl
mégalopolitain (d'une mégalopole) angl

mégaphone angl < grec
mégapole 67
mégot tourangeau < gaul 16
mégoter oïl de l'Ouest (argot) 23
mègue *n.f.* « petit lait » mot d'a. fr < gaul 16
méhari (dromadaire) *Mahra* (Algérie)
meiche mot d'a. fr 179
meiji (histoire) jap
meistre, mestre (mât) prov
meistre, mestre (officier) ital
méjanage (laine) prov
mélanine grec 73
mélanotrope grec 73
mélasse esp
melchite, melkite (chrétien) syriaque
mélèze francoprov < prélatin 31
melimelum mot latin 164
melting-pot angl
memento lat
memorandum angl < lat
men's lib *abréviation* < angl
menchevik (opposition polit.) russe
mendélévium (chimie) *Mendelleiev* (Russie) 62
mendélisme (génét.) *Mendel* (Moravie)
mendi « montagne » mot basque 34
mendigot esp (?)
mendole *n.f.* (poisson) prov
ménestre (potage) ital
menhir « pierre longue » breton 41
méniane (archit.) ital
menin, menine esp
mennonite (relig.) *Mennon* Simonis
menon (chèvre) prov
mensaje mot espagnol 152
mensole (archit.) ital
mentalisme angl
mentalité angl < fr
mentor (guide) *Mentor* (Odyssée)
mercanti sabir algérien < ital
mercantile ital
mercaptan (chimie) all < lat
merceriser (traiter le coton) *Mercer* (G.-B.)
merchandising angl
merci mot persan < fr 131
mère 54
mérengué (danse) caraïbe
merguez *n.f.* ar
meringue polonais (?) 174
mérinos esp < ar
merl, maërl (géol.) breton
merlin (cordage) néerl

merlin (masse) oïl de l'Est
merlon (archit.) ital
merlu(che) (poisson) prov (ou ital)
mérou (poisson) esp
merzlota *n.f.* (géogr.) russe
mesa (géogr.) esp
mésair, mézair (hipp.) ital
mésange francique
mescal, mezcal (alcool d'agave) nahuatl
mescaline nahuatl
mesclun (salade) prov
mesmérisme (médecine) *Mesmer* (Allemagne)
mesón « auberge » mot espagnol < fr 152
mesquin prov < ital < ar 128
mess/mets angl < a. fr 182
message 152
messer ital
messie lat < grec < araméen
mestre, meistre ital ou prov
métaphore grec 57
méthodisme, iste angl
métropolitain angl
meurtrir francique
mezza voce ital
mezzana « située au milieu » mot italien 144
mezzanine ital
mezzo-soprano ital
mezzotinto (gravure) ital
micmac (embrouille) néerl < a. fr
micocoulier (bot.) prov < grec
micro- *préfixe* 66
micro-onde 66
micro-ordinateur 67
microbe 71-72
microbe mot persan < fr 131
microbie 72
microclimat 67
microfiche 68
microprocesseur angl
micros « petit » mot grec 72
middle-class (classe moyenne) angl
middle-jazz (mus.) angl
middle-west (géogr.) angl
midship (enseigne de vaisseau) angl
midshipman (enseigne de vaisseau) angl
mièvre normand (?) < scand 95
mihrab *n.m.* (mosquée) ar
mijaurée oïl angevin
mijoté norm < germ 94
mikado jap 203
mil (céréale) persan
milady (titre) angl

milan (oiseau de proie) prov < lat pop
mildiou angl
mile angl
milk-bar angl 196
milk-shake angl
millage (mes. en milles) angl (au Québec)
millefiori ital
million ital
milord angl
minahouet (cordage) breton
minaret turc < ar 129
minbar (chaire de mosquée) ar
mince-pie angl
mindel (géol.) *Mindel* (Allemagne)
mine (aspect) breton (?)
mine (gisement) gallo-roman < celtique
minéralogie 68
minestrone ital
mini- préfixe 66
minibus 66
minijupe angl 66
miniature ital
minimal art angl
minimum lat
minium (chimie) lat
minnesang all
minnesänger, -singer all
minois breton (?)
minorité (moindre nombre) angl 180
minot (marine) breton
mint-julep (boisson) angl
minus habens lat
miocène (géol.) angl
mir (propriété rurale) russe
mirabelle ital < grec
mirador esp
mirlicoton esp
misaine (marine) ital (ou catalan) 144
miserere (liturgie) lat
mispickel (minerai) all
miss angl
missing link (évolution) angl
mistelle (liqueur) esp
mister angl
miston prov (?)
mistral prov
mita (esclavage) esp < inca
mitan franc-comtois (argot) 24
mite néerl
mitonner oïl de l'Ouest (?)
mitraille moyen néerl
mixage angl < anglo-norm
mixe(u)r *n.m.* angl 195
mixer *v* angl

mo(uf)fette (zool.) ital
mobile *n.m.* (art mod.) angl
mobile(-)home angl
mocassin angl < algonquin 14, 165, 186
modèle ital
modénature (archit.) ital
moderato (mus.) ital
modern style (art moderne) angl
modillon (archit.) ital
modulation (mus.) ital
module angl
moduler *v.* ital
modus vivendi lat 58
moëre, moere (géogr.) néerl
mohair angl < ar 126
moignon prov < esp
moine 152
moire (étoffe) angl < ar 126, 127, 185
moïse (berceau) *Moïse* (Bible)
moka ar
moksen (mocassin) algonquin
môle ital
moleskine angl
molinisme, -iste (relig.) *Molina* (Espagne)
mollah, mullah (relig.) ar
mollé (bot.) quechua
molto ital
momie lat méd < ar < persan
monadnock (géomorphol.) angl
monazite (minerai) all
mondrain (monticule de sable) créole
monégasque Monaco
monel (alliage) *Monell* (G.-B.)
monisme (philos.) all
monitor (marine) angl
monitorage (contrôle) angl
monitoring angl
monje « moine » mot espagnol < fr 152
mono- *préfixe* grec 67
monochrome 67
monocle 68
monoï (huile parfumée) polynésien
monsignor, -ore (prélat) ital
mont-de-piété ital 148
mont-joie (marque en pierre) germ
montagnard 91
montem mot latin 34
montgolfière (ballon) *Montgolfier* (Annonay) 76
montre (contre la) *calque* < angl
moon boots (cosmonaute) angl
moque *n.f.* (marine) néerl
moque *n.f.* (récipient, tasse) néerl
moquette (vénerie) néerl

morailles (tenailles) prov
moraine savoyard 109
morasse (imprimerie) ital
morbidesse ital
mordicus (obstinément) lat
moret, mouret (airelle) norm
morfal « glouton » rouchi (argot) 23, 24
morfil, marfil (ivoire) ar
morganatique francique
morgeline (bot.) ital
morille all (ou lat) 94
morion (casque) ital
morisque (converti) esp
mormon angl
morne *adj.* francique
morne *n.m.* (colline) créole < esp
morphème angl < grec
morse (mammifère marin) russe < lapon
morse (télégraphe) *Morse* (U.S.A.)
mortadelle ital
mortaise ar
morula (embryol.) all
morve francique
mosaïque ital < lat < grec
mosca « mouche » mot espagnol 153, 208
mosette, mozette (capeline) ital
mosquée ital < esp < ar
mosquito « moustique » mot espagnol
  208
mosso (mus.) ital
motel angl
motion angl 184
moto(-)cross angl
motoball (football à moto) angl
motor-home angl
motorship angl
motte prov < prélatin 31
motu proprio lat
motus lat
moucharabieh, -abié (archit.) ar
mouchoir (dans un) (sport) *calque* < angl
moudjahiddin (combattant) ar
moue francique
mouette norm < angl < francique
moufle (gros gant) lat médiév < germ
mouflon (mammifère) lat médiév < ital
mouise franc-comtois < all (argot) 23, 168
moujik russe 173
moujingue ar < esp
moukère, mouquère ar
mouloud (fête relig.) ar
mound (archéol.) angl
mouquère, moukère ar
mouron néerl (?) < germ

mourre (jeu) ital
mousmé jap 14, 203
mousquet ital 143
moussaka (cuisine) turc
mousse (bot.) francique
mousse (matelot) esp 151
mousse *adj.* (émoussé) gallo-roman
mousseline (étoffe) *Mossoul* (Russie) 13
mousson ptg < ar 127
moustache ital < grec
moustiller (moustiquaire) prov
moustique esp 19, 153, 207
moutard (enfant) lyonnais 23, 26, 110
mouton gaul 40
moviola (app. de projection) angl
moxa *n.m.* (médecine) jap
mozarabe ar
mozartien Mozart (Autriche)
mozette, mosette (pèlerine) ital
mozo « jeune garçon » mot espagnol 152
mozzarella (fromage) *Mozzarella* (Italie)
mucher, musser « cacher » gallo-roman
mucor (moisissure) lat
mucre vx scand 97
mucus (physiol.) lat
mudéjar (musulman d'Espagne) esp < ar
muder *v.* (marine) prov
mudra (religion) skr
muesli, musli, müesli (céréales) all de
    Suisse
muezzin turc < ar
muffin (pâtisserie) angl
mufle francique
mufti, muphti (juge) turc < ar
muge *n.m.* (poisson) prov
muguet lat pop < grec < ar < persan < skr
    132
Mühle « moulin » mot allemand 93
muire (eau salée) gallo-roman
muklok (mocassin) amérind
mulâtre esp
mule-jenny (filature) angl
muleta (tauromachie) esp
mullah, mollah (relig.) ar
mulot (mammifère) lat méd < francique
multi- *préfixe* lat 67
multiforme 67
muntjac (cervidé) angl < javanais
muphti, mufti (juge) turc < ar
mûr 53, 55
murmel (marmotte) all
musa paradisiaca 199
musacée (bot.) ar
musc grec < ar < persan < skr 132

muscade prov < skr 106, 108
muscadelle (cépage) oc de l'Ouest
muscadet prov < skr
muscadin ital
muscardin (rongeur) ital
muscardine (maladie) ital
muscat prov < skr
muserol(l)e (hipp.) ital
muséum lat
mushroom / mousseron 179, 182
music-hall angl
musical (film mus.) angl
musli, müesli (céréales) all de Suisse
musser, mucher « cacher » gallo-roman
must *n.m.* angl
mustang (cheval sauvage) angl < esp
musulman ar
mutant all (ou angl) 169
mutatis mutandi lat
mycélium (bot.) lat
mygla « moisissure » mot scandinave 97
mykr « fumier » mot scandinave 97
myope grec 32
myosotis (bot.) lat < grec

N

N.A.S.A. *acronyme* < angl
nabab angl < ptg < hindoustani < ar
nabi (prophète) hébreu
nabisme (peinture) hébreu
nable (trou de vidange) néerl
nacaire (instr. music. milit.) ar
nacarat (couleur) esp
nacre ital < ar 139
nadir ar
naevus (médecine) lat
nafé (bot.) ar
nafle (eau de fleur d'oranger) ar
nagaïka, nahaïka (fouet) russe
naguère 91-92
naja (cobra) cinghalais
nandou (autruche) esp < tupi-guarani
nankin (étoffe jaune) *Nankin* (Chine)
nansouk, nanzouk (toile) hindi
nantir norm < a. fr < vx scand 95, 97
nanto « vallée » mot gaulois 37, 38
napalm (bombe incend.) angl < lat
naphte lat < grec < persan
narcoanalyse (médecine) angl
narcodollar angl
narghilé, narguilé persan < skr
narguer lat pop < prov

narval danois (?) < islandais 171
national-socialisme, -iste all
natron, natrum (carbonate de sodium) esp < ar
natte lat pop < phénicien (?)
naulage (marine) gallo-roman
nautonier prov
navaja esp
navel (orange) angl
navicert *acronyme* < angl
naville (canal d'irrigation) ital
navrer francique (ou vx scand)
nazi *acronyme* < all 169
néandertalien (paléont.) *Neandertal* (Allemagne)
nebk(h)a (géogr.) ar
nec plus ultra lat
neck (géol.) angl
négation 56
négociant ital (?)
négocier (un virage) *calque* < angl
négondo, négundo (bot.) ptg < malais
nègre esp (ou ptg) < lat
negro-spiritual angl
néguentropie (phys.) angl
négus (titre éthiopien) amharique
nélombo, nélumbo (bot.) cinghalais
nem (cuisine) vietnamien
némale, némalion *n.m.* (algue) angl < grec
nénuphar, nénufar ar < persan < skr 72, 131
néoblaste (biol.) angl
néolithique (paléontol.) angl < grec
néoprène (chimie) angl *nom déposé*
néoténie (biol.) all < grec
népérien (logarithme) *Neper* (Écosse)
néphro- « rein » grec 66
népotisme ital
neptunium (chimie) *Neptune* (mythol.) 63
néré (bot.) mandingue
néroli (parfum) ital
nervi *n.m.* (homme de main) prov < ital
nescius mot latin
net *adj.* (tennis) angl
netsuke (costume) jap
neur- « nerf » grec 66
neutrino (phys. nucl.) ital
neutron (phys. nucl.) angl
névé angl (?) < valaisan 109
névr- « nerf » grec 66
névrose angl < grec 183
new-look angl
newdeal (économie) angl

newsmagazine angl
newton (mes. phys.) *Newton* (G.-B.) 77, 78
nhaqué (paysan) vietnamien
niais/nice 179
niaouli (bot.) lgue de Nlle-Calédonie
nice mot anglais < fr < lat 179
nickel suédois < all 168
nicol (optique) *Nicol* (G.-B.)
nicotine (tabac) Jean *Nicot* (France) 75
nier 56
niet (non !) (argot) russe 26
nietzschéen (philos.) *Nietzsche* (Allemagne)
night cap (grog) angl
night-club angl
nilgaut (antilope) < hindoustani < persan
nimbus (météo.) lat
ninas (cigare) esp
niobium (chimie) *Niobé* (mythol.) 63
nippe oïl de l'Ouest
nippon jap 203
nirvâna (sérénité) skr
nitrate de potassium 69
nivereau, niverolle (pinson) gallo-roman
nix (non !) all (argot) 26
nixe (divinité) all
nizeré (parfum) persan
no man's land angl
nô jap 203
nobélium (chimie) *Nobel* (Suède) 63
nocher (pilote) ital
noctambule 68
noème *n.f.* (ce qui est pensé) all < lat
noèse *n.f.* (acte de pensée) all < lat
noir 89
noise mot anglais < fr 179
noix de pécan 187
nolisé (vol) 150
nombreux 67
nomenklatura russe
nominer angl < lat 195
nommer 195
non-conformiste angl
non-conventionnel 193
non-directif angl
non-retour (point de) *calque* < angl
non-sens angl 192
non-stop angl 191
non-violence angl < skr
nonce *n.m.* ital
nonciature ital
nono (bot.) tahitien
nop(p)e (tissage du drap) néerl

nopal (cactus) esp < nahuatl
nord angl
nord-américain angl
nore gallo-roman
norfolk (race chevaline) angl
noria esp < ar
normand francique
norois, noroît oïl de l'Ouest
nota bene lat
nouba ar
nougat prov
nouille all 14
noumène *n.m.* all < grec 169
nourish/nourrissent 182
nourrice 182
nouvelle ital
nouvelliste ital
nova (astron.) lat
nuisance angl
numéro ital
numerus clausus lat
nunatak (géogr.) inuktitut
nunchaku (arme) jap
nuoc-mâm (sauce) vietnamien
nuque lat médiév < ar
nuraghe *n.m.* (archéol.) sarde < hébreu
nurse angl < a. fr 182
nursery (enfants) angl
nursing (infirmière) angl
nyctalope 68
nylon angl *nom déposé*

O

O.K. *sigle* < angl
oasis grec < ar d'Égypte
objecteur (de conscience) *calque* < angl
obsolescent angl 195
obsolète 195
obstruction angl
obus all < tchèque 174
ocarina *n.m.* (instr. de mus.) ital
occiput lat
occlusion angl
occurrence angl
ocelot esp < nahuatl 157, 161
octavin (instr. de mus.) ital
octavon (métissage) esp
octet (informatique) angl
octette « octuor » angl
oculaire 55
odalisque turc
odeur 54

odons, odontos « dent » mot grec 71
odonyme 33
œdème grec 65
œil 55
off angl 195
off (the) record angl 195
off-line (informatique) angl
off(-)shore (pétrole) angl
officiel angl 180
officina mot latin 111
offset (impression) angl
oflag (camp d'officiers) acronyme < all
ogham (écriture) angl
oghamique (écriture) angl
ogive esp < ar
ognette (burin) ital (?)
ohm (physique) *Ohm* (Allemagne) 78
oïdium (bot.) lat
oie champenois
oille (cuisine) esp
okapi angl < bantou 198, 199, 200
oké « orchestration » mot japonais 10
okoumé (bot.) bantou 14, 198, 199, 200
ol(l)a potrida (cuisine) esp
olé, ollé esp
oléfine (chimie) angl
oléum (chimie) lat
olibrius (fanfaron) *Olybrius* (Gaule)
olifant, oliphant « cor d'ivoire » 72
olive prov
omble *n.m.* (poisson) en Suisse romande
   109
ombrelle ital 146, 149
ombrer ital
ombudsman (administration) suédois
omelette oc
omerta « loi du silence » dial ital
omni- *préfixe* 67
omnibus lat
omnicolore 67
omnium (finance et bicyclette) angl < lat
on the rocks angl 196
on-line (informatique) angl
ondatra *n.m.* (rongeur) huron
one-man-show angl
one-step (danse) angl
onglette (burin) ital
-onne *suffixe* gaul
onno « cours d'eau » mot gaulois 37, 38
op art angl
open (sport) angl
open door « porte ouverte) » angl
open market angl

openfield (géogr.) angl
opéra ital
opérande (math.) angl
opérationnel angl
opérette all < ital
ophrys (bot.) lat
ophtalmo- « œil » grec 66
opium lat
opossum angl < algonquin 186
opportunité (occasion favorable) angl
opposition (politique) angl 184
optimiser angl
optionnel angl (?)
opus incertum (construction) lat
orang-outan(g) malais 201
orange ital < ar < persan < skr 129, 131
orangeade 106
orangiste (hist. polit.) angl
oratorio (mus.) ital
orcanette, -nète (bot.) ar
orchestrion (orgue portatif) all
orchidée grec 57
orchis (bot.) lat
ordalie (jugement) angl
ordinateur 182
ordre du jour *calque* < angl 185
oreille 55
oremus (liturgie) lat
organsin (soie) *Ourgentch* (Ousbékistan)
orgeat prov
orgueil *n.m.* francique
oriel (fenêtre en saillie) angl
origami (papier plié) jap
orignal (cervidé du Canada) basque 30
orin (cordage) néerl
orlon (fibre synth.) angl *nom déposé*
oronge (champignon) prov
oronyme grec 32, 33
orphie (poisson) néerl
orseille (lichen) catalan < ar (?)
orteil gaul
ortolan (oiseau) prov 107
orviétan (drogue) *Orvieto* (Italie)
oscar (récompense) *Oscar* (U.S.A.) 177
oseille 59
osier francique 87
osmium (chimie) grec 63
ossianisme (littér.) *Ossian* (G.-B.)
osso-buco (cuisine) ital
ostinato (mus.) ital
oto- « oreille » grec 66
ottoman (étoffe) ar
ottomane (canapé) ar
oua

ouabaïne (biochim.) somali
ouaiche angl
ouananiche *n.f.* (saumon) algonquin
ouaouaron (grenouille) iroquois
ouassou créole 166
ouate ital < ar
oued ar
ouest angl
ouest-allemand angl
ouïe
ouistiti (singe) tupi-guarani
oukase, ukase (édit) russe
ouléma, uléma (docteur de la loi) ar
oumiak (embarcation) inuktitut
ouragan esp < arawak (taïno) 158, 161, 165
out angl
outlaw « hors-la-loi » angl
output (informatique) angl
outrigger (embarcation) angl
outsider angl
ouvrable 53
ouvrir 53
over arm stroke (natation) angl
overdose angl 193
overdrive angl
overkill (stratégie militaire) angl
oxford (tissu) *Oxford* (G.-B.)
oxygène 71
oxygine 71
ozalid angl *nom déposé*

P

paca amérindien
pacane (noix) algonquin 187
pacant (rustre) gallo-roman
pacemaker (stimulateur) angl
pacha persan
pachalik *n.m.* (territoire) turc
pachyderme 72
pack (rugby et emballage) angl 191
pack(-ice) angl
package angl 191
package deal (accord global) angl
packaging angl 191
packet-ship (paquebot) angl
pac(k)fung (alliage) angl < chinois
pacotille esp 19
pacquer (mettre en baril) néerl
padding (rembourrage) angl
paddock (hipp.) angl
paddock « lit » angl (argot) 27

paddy (riz) angl < malais
padi(s)chah (souverain) persan
paele mot d'a. fr 152
paella esp 152
pagaie (rame) malais 201
pagaille, pagaïe, pagaye prov (argot) 23
pagne esp
pagnoter (se) « se mettre au lit » prov
pagode ptg < tamoul < skr 163
paillasse (théâtre) *Paillasse* (Italie) 177
paille (la) et la poutre *calque* < hébreu 119
paillote ptg 164
pair angl
pairesse angl
palabre *n.m.* ou *f.* esp
palace (hôtellerie) angl < a. fr
paladin ital
palafitte *n.m.* (archéol.) ital
palais Palatin, Rome (Italie) 81
palan ital
palangre *n.f.* (ligne de pêche) prov < grec
palangrotte (ligne de pêche) prov
palanque (mur de pieux) ital
palanquin ptg < hindoustani < skr 163
pale *n.f.* (hélice) prov
pale-ale (bière) angl
palefrenier prov
palefroi grec < gaul
paléolithique angl < grec
paletot angl
palétuvier (bot.) tupi 14
palification (action de palifier) ital
palifier (consolider le sol avec des pieux) ital
palissandre néerl < arawak 200
palladium (bouclier) lat
palladium (chimie) *Pallas* (mythol.) 63
pallium (manteau) lat
palmarès lat
palmas (battement de mains) esp
palmiste (bot.) ptg (ou esp)
palombe languedocien 108
palombin (marbre blanc) ital
palonneau (palonnier) germ
palonnier germ
palourde (mollusque) oïl de l'Ouest
paludier (marais salants) dial
palynologie (pollen) angl < grec
pampa esp < quechua
pampero (vent) esp
pamphlet (litt.) *Pamphilet* (G.-B.)
pamphlétaire angl
pamplemousse néerl

pan- *préfixe* grec 67
pan-bagnat prov
panache ital
panade prov (ou ital) 25, 106
panama (chapeau) *Panama*
panaméricain angl
panard prov
panatel(l)a (cigare) esp
panca, panka *n.m.* (ventilateur) hindi
panch « cinq » mot hindi 189
panchromatique 67
pancosmisme angl
panda (mammifère) népalais
pandanus (bot.) malais
pandémonium (enfer) angl
pandit (titre honorifique) skr
panel angl 195
panetier mot d'a. fr 101
pangolin (mammifère) malais 201
panicaut (bot.) prov
panini (sandwich) ital 10
panlogisme (philos.) all
panmixie (reproduction) all (?)
panne (en) (marine) prov (ou ital)
pannequet (crêpe) angl
panorama angl < grec
pantalon Pantalon (Italie) 79, 144, 149, 210
pantenne, -tène *n.f.* (marine) prov
panthéisme, -iste angl
panthère grec 57
pantoufle ital < grec 149
pantoum (poème) malais
panty (gaine-culotte) angl
panzer « char, blindé » all
paon 55
paour (lourdaud) all
papa « pomme de terre » mot d'esp d'Am
papable ital
papalin (partisan du pape) ital
paparazzi (photographe indiscret) ital
papaye (bot.) arawak 158, 161
papegai (perroquet) prov < ar
paperback (livre de poche) angl
paperboard (tableau de feuilles de papier) angl
papouch « qui couvre le pied » mot persan 128
paprika hongrois 175
papyrus (bot.) lat
paquebot *calque* < angl 185
pâques lat eccl < hébreu
paquet néerl
paquet-bot / paquebot 185

par *n.m.* (golf) angl
para « à côté » mot grec 66
parabellum all < lat 169, 170
parabole 57
parade (escrime) ital 106
parade (nuptiale) esp 106
paradis lat eccl < grec < persan
parages esp
paragon (parapluie) angl
paraguante (cadeau) esp
parangon (modèle) esp < ital < grec 177
paranoïa *n.f.* all < grec 169
paranzella (bateau de pêche) ital
parapet ital 148
parapsychologie angl < grec
parasite 66
parasol ital 149
paravent ital
parc lat pop < gotique
parc(o)mètre angl
parchemin (écriture) *Pergame* (Mysie) 135
parelle (oseille) dial
paréo tahitien 14, 202
parer (escrime) ital
parer (hipp.) esp
parère *n.m.* (certificat) ital
parfum ital
parfumer ital
paria (Indien hors caste) ptg < tamoul
parka (vêtement) inuktitut
parking *pseudo-anglicisme* 192
parlement angl 185
parlementaire (député) angl
parmesan (fromage) *Parme* (Italie)
paroisse lat < grec 57
paroli (au jeu) ital
parpaillot (protestant) gascon (ou langue-docien)
parquer angl
parsi (zoroastrien) persan
partenaire angl 177, 186
partisan (franc-tireur) italt
partita (mus.) ital
partition (mus.) ital
partition (partage) angl
partner / partenaire
partnership (association) angl
pas(s)ionaria esp 152, 153
pascal 78
paso doble (danse) esp
pasquin (pamphlet) *Pasquino* (Rome antiq.)
pasquinade (raillerie) *Pasquino* (Rome antiq.)

passacaille (danse) esp
passade (hipp. et liaison amoureuse) ital 106
passe-vite mot portugais < fr 10
passège (hipp.) ital
passim (çà et là) lat
passing-shot (tennis) angl
passivation (chimie) angl
pasta « pâte » mot esp 153
pastel (bot.) prov
pastel (dessin) ital
pastenade (panais) oc
pastenague *n.f.* (poisson) prov
pastèque (bot.) ptg < hindi < ar
pastiche ital
pastille esp 153
pastis prov
pat (aux échecs) ital
patache (bateau ou diligence) esp < ar
pataras (marine) prov
patarasse (calfat) prov
patard (monnaie) prov
patarin (relig.) ital
patate (patate douce) esp < arawak 155, 158, 159, 161
patate (pomme de terre) angl 159, 209
patch (médecine) angl
patchouli (bot.) angl < tamoul 189
patchwork angl < anglo-norm (?)
pater (liturgie) lat
pater familias lat
paternalisme angl
patient (qui subit un traitement) angl 192
patine ital
patio catalan < esp
patraque prov (argot) 26
patriarche 72
patrilinéaire angl
patrilocal angl
patronesse angl
patronyme grec 33
patte (chiffon) germ 31
patte (jambe d'animal) préceltique (?)
pattemouille germ
pattern (modèle) angl
patterning (modelisation) angl
pauchouse, pochouse (cuisine) franc-comtois
paumelle prov
paupériser angl
paupérisme angl
pause ital
pause-café *traduction* < angl
pavane (danse) ital 81

pavaner (se) lat 55
pavesade (protection) ital
pavois ital
payant (qui donne des résultats) angl
peau sur les os 119
peautre (grabat) champenois < all
pébrine (maladie du vers à soie) prov
pecado « péché » mot esp 153
pécaïre (exclamation) prov
pécan, pékan (noix) angl < algonquin 187
pécari (cochon sauvage) arawak
peccadille esp 153
pechblende (minerai) all
pêche (fruit) lat < persan
pécore *n.f.* (animal et péronnelle) ital
pecorino (fromage) ital
pecque (femme sotte) prov
pédale ital
pédant ital
pédanterie ital
pédantesque ital
pedestrian (marcheur à pied) angl
pedigree angl < anglo-norm 182
pédiment (géol.) angl
pédiplaine (géol.) angl
pedzouille prov
peeling (chir. esthétique) angl
pégase (poisson) *Pégase* (Myth.)
pego mot provençal 26
pègre (milieu des voleurs) prov 26
peille (chiffon) prov
pékan, pécan (noix) angl < algonquin
pékin (soie) *Pékin* (Chine)
pelegrin mot d'a. fr 178
pellet (comprimé) angl
pelotari (sport) basque 30
pelouse prov (ou oïl de l'Ouest)
pelvis (anat.) lat
pembina, pimbina (bot.) algonquin
pemmican (viande séchée) angl < algonquin
pénalisation angl
pénaliser angl
penalty (football) angl
pénéplaine (géogr.) angl
péniche esp (ou angl)
pénicilline angl
pénis lat
penny, pence angl
pensum (punition) lat
pent(h)ode (électronique) angl
penthouse (appartem. de luxe) angl
péon (paysan) esp
péotte (gondole) vénitien

pep (dynamisme) angl
péperin (géol.) ital
pépite esp
péplum (vêtement) lat
peppermint angl
percale turc < hindi < persan 131
percept angl
perceptionnisme angl
perceptuel angl
perchman (cinéma) angl
perdrigon (prune) prov
perestroïka (restructuration) russe
performance angl
performatif angl
pergélisol (géol.) angl
pergola ital
péri *n.f.* (fée) persan
périscope angl < grec
perish / périssent 182
perle ital
permafrost (géogr.) angl
permalloy (alliage) angl
permien (géol.) *Perm* (Russie)
permissif angl
permissivité angl
permittivité (électr.) angl
perron mot néerlandais < fr 11
perroquet ital
perruque ital
pers (bleu) *Perse*
perse (tissu) *Perse*
persienne (volet) *Perse*
persil 68, 69
persona grata lat 58
personnaliser angl
perspectivisme all
pertuisane (arme) ital 143
pesade (hipp.) ital
pesat (tiges de pois séchées) gallo-roman
peseta (monnaie) esp
peso (monnaie) esp
pesse (bot.) gallo-roman
pesticide angl
pestor « boulanger » mot d'a. fr 101
pétanque prov
pétarade prov 106
pétéchie (dermatol.) ital
pétition (requête collective) angl 180, 184
pétition de principe 184
petra « pierre » mot latin 68, 70
pétrel (oiseau palmipède) angl
pétrochimie angl
petrodollar angl
pétrole 68, 69

petroselinon mot grec 68
pétun (tabac) ptg < amérind
pétunia *n.m.* ptg < tupi
peuchère, péchère prov
peul(e), peuhl(e) lgue africaine
peulven (menhir) breton
peuplade esp
peyotl (bot.) nahuatl 157
pfennig (monnaie) all
phagein « manger » mot grec 66
phallus lat
pharaon lat < grec < égyptien
phare Pharos (Alexandrie) 80, 135
pharisien lat < grec < hébr (ou araméen)
phénologie (climat.) angl
philharmonique ital < grec
philibeg (jupon des Écossais) celt
philippine (jeu) all < angl
philistin lat eccl < hébreu
philosophie 57, 72
photo-finish angl
photogénique angl
photographie angl < grec 15
-phrénie « maladie mentale » grec 66
phylétique (biol.) all
phylogenèse (biol.) all
phylogénie (biol.) all
phylum (biol.) all
physiogénie (physiogenèse) angl
phytotron (labo. bot.) angl
pian (maladie) tupi
piane-piane (doucement) fr du XVIᵉ. ital
pianelle « chaume? » fr du XVIᵉ s. 148
pianissimo (mus.) ital
piano (mus.) ital
piano-(forte) (instr. de mus.) ital
pianola (piano mécanique) angl *nom déposé*
piassava (bot.) ptg < amérind
piastra « lame de métal » mot italien 140
piastre ital 140
piazza ital
pibale (jeune anguille) poitevin
pic (montagne) prélatin 31
pic (oiseau) prov
pic(c)olo (instr. de mus.) ital
picador (tauromachie) esp 152
picaillons savoyard < préceltique
picaresque esp
pichenette prov
pichet oïl de l'Ouest
picholine (olive) prov
pick-up angl
pickles angl

pickpocket angl 183
picotin dial
pictographie angl < grec
pidgin chinois < angl 190
pie-mère (vinaigre) ar
pièce gaul
pied de grue 182
pied en cap (de) prov
piédestal ital
piédouche (petit piédestal) ital
piémont, pied- (géogr.) angl
pier « boire » grec 24
pierre 70
pietà ital
piétisme, -iste (relig.) all
pieu « lit » picard
pieu « piquet » picard
pieuvre anglo-norm
piger dial
pignade (pinède) oc du Sud-Ouest
pigne « pomme de pin » prov
pignolat (pignon) prov
pignon (graine de pigne) prov
pignouf oïl de l'Ouest
pilaf (cuisine) turc < persan 131
pilastre ital
pilchard (sardine) angl
pilgrim mot anglais < fr 178
pillow-lava (géol.) angl
pilote ital < sicilien < grec
pilotis picard
pimbina (bot.) algonquin
piment prov
pin-up angl
pinard « vin » (argot) 25
pinasse (embarcation) esp 152
pinchard *adj.* (couleur gris-fer) norm
pinchina(t) (étoffe de laine) prov
pine « pénis » néerl (argot) 24
pinède prov
ping-pong angl
pingouin angl (ou néerl)
pinque (marine) néerl
pinscher (race canine) all
pintade ptg 14, 106, 164
pinyin (transcription phonétique) chinois
piolet valdôtain < piémontais 109
pioncer « dormir » picard (argot) 23
pionnier angl
pipa *n.m.* (crapaud) caraïbe
pipe (tube) angl
pipeline angl
piper-cub (aviation) *acronyme* < angl
piperade (cuisine) béarnais 108

pipéronal (chimie) all
pipistrelle (chauve-souris) ital
pique néerl
pira « poire » mot latin 125
piranha, piraya (poisson) ptg < tupi 161, 162
pirogue esp < caraïbe 158, 161, 165
pirojki (cuisine) russe
pisé (construct.) lyonnais
pissaladière (cuisine) prov
pistache ital < lat < grec < persan 131
piste ital
pistole all < tchèque
pistolet all (ou ital) < tchèque 174
piston ital
pistou (cuisine) prov
pitance 152
pitanza mot espagnol < fr 152
pitch (golf) angl
pitchpin (bois) angl
pite (bot.) esp du Pérou
pitre franc-comtois
pittoresque ital
piu (mus.) ital
pive *n.f.* (fruit des conifères) parler de Suisse
pixel (informatique) angl
pizza ital
pizzeria ital
pizzicato (mus.) ital
placebo (pharmacol.) lat
placebo angl < lat
placenta lat
placer *n.m.* (mine d'or) esp
plage ital < grec 57
plagios « en pente » mot grec 57
plaid angl < gaélique 186
plaisir 103
plancton all < grec 169
planèze *n.f.* (géol.) dial
planisphère 68
planning angl
planning familial angl
plansischter (tamis) all
plantain (bananier) esp
plantation (expl. agr. tropic.) angl
planteur (expl. agr. tropic.) angl
plaquemine (fruit) algonquin
plaquer néerl
plasma all < grec 169
plastic (explosif) angl
plastron ital
plate-forme angl
plateresque (archit.) esp

platine *n.m.* (métal précieux) esp
play-back angl
play-boy angl
play-girl (féminin de play-boy) angl
plé- « paroisse » *préfixe* lat 41
plebs « peuple » mot latin 41
-plégie « paralysie » grec 66
plein emploi angl
plein-temps angl
plenty mot anglais < fr 179
plenum angl < lat
plésiosaure angl < grec
pleu- « paroisse » *préfixe* lat 41
pleurnicher norm
pleutre oïl du Nord-Est < flamand
plexiglas angl *nom déposé*
plexus lat
plezier « plaisir » mot néerlandais < fr 103
pli (dans le contreplaqué) angl
pliocène (géol.) angl
ploc (duvet) néerl
plot (technique) lat + germ
plou- « paroisse » *préfixe* lat 41
plouc, plouk (paysan) breton 41
plum-cake angl
plum-pudding angl
plutonium (chimie) *Pluton* (mythol.) 60, 63
pneumatique angl < grec
poche (livre de) angl
poche francique
pochouse, pauchouse (cuisine) franc-comtois
poco ital
pod- « pied » grec 66
podestat ital
podium mot latin 34
podzol (géogr.) russe
poêle (chauffage) oïl de l'Est
poète 57
pognon lyonnais (argot) 23
pogrom russe
pointer *n.m.* (race canine) angl
pointille (minutie dans un débat) ital
pointilleux ital
poire 125
poise (mes. phys.) *Poiseuille* (France) 78
poivre lat < ar < persan < skr
poker angl 186
polacre *n.f.* (voilier) ital
polaroïd angl *nom déposé*
polatouche *n.m.* (écureuil volant) russe ou polonais

polder (marais asséché) néerl
pole position (course) *calque* < angl 191
polémique grec 71
polémologie grec 71
polemos mot grec 71
polenta (cuisine) ital
police (d'assurance) ital
policeman angl
polichinelle (théâtre) *Pulcinella* (Naples) 149
politesse ital 148
politicien angl
politologie all < grec 169
poljé (géogr.) lgue slave
polka (danse) polonais
pollen (bot.) lat
pollution angl
polo (chemise) angl
polo (sport) angl < tibétain 189
polonium (chimie) *Pologne* 78
poltron ital
poly- *préfixe* grec 67
polycopie grec 68
polymorphe grec 67
pomelo (bot.) angl
pommade ital 106, 149
pomme de terre *traduction* < néerl 159
pomœrium (archéol.) lat
pompe ital (ou néerl)
ponant (vent) prov
ponce (roche) lat < osque
poncho (vêtement) esp d'Am. du Sud
poney angl
pongé(e) (soie légère) angl < chinois 189, 202
pongo lgue africaine
pool (groupement) angl
pool « mare » mot anglais 93
pop (mus.) angl
pop art, pop'art angl
pop-corn angl
pop-music, pop'music angl
pope russe < grec
popeline (tissu) *Poperingen* (Flandre) 81
populace ital
populaire (qui plaît au peuple) angl 181, 209
popularité angl
population angl
populeum (onguent) lat
poquer (au jeu de boules) néerl
poquet (semis) gallo-roman
porc-épic prov < ital
porcelaine ital

porion (contremaître ds une mine) picard
porphyre (roche) ital
porque (marine) prov ou ital
porridge (cuisine) angl 179
port « col » oc des Pyrénées 107
portable angl
porte ouverte *traduction* < angl
portelone (sabord) ital
porter *n.* (bière brune) angl
portland (ciment) angl
portmoneu mot roumain < fr 11
portor (marbre) ital
portulan (carte marine) ital
posada (auberge) esp
positionner angl
post-scriptum lat
postcombustion angl
poste *n.f.* (courrier) ital
poste *n.m.* (situation) ital
poster *n.m.* « affiche » angl
postiche ital
postillon ital
posting (pétrole) angl
postsonorisation angl
posture ital 146
pot lat pop < préceltique 31
potage 179
Potasse « potasse » mot allemand 63
potasse all < néerl
potassium *latinisation* angl *potass* < néerl 63, 69
potato « pomme de terre » mot anglais 159
potentialiser angl
poteur, putter *n.m.* (golf) angl
potin (bavardage) norm 112
potine « chaufferette » 112
potiron ar < syriaque
potlatch (relig.) angl < amérind
potorou (rat-kangourou) angl < lgue d'Australie
potron-minet norm
potto (lémurien) angl < lgue de Guinée
pottock (poney) basque
poubelle (bac à ordures) *Poubelle* (France) 75
poudingue *n.m.* (roche) angl
poule (sports) angl
pouliche norm-picard
poulpe *n.m.* prov < grec
poupe prov < lat
pourridié (bot.) prov
poussah chinois
poussière oïl du Centre et de l'Est

pull-(over) angl
pulle(u)r (chasse) angl
pullman (wagon de luxe) *Pullman* (G.-B.)
pulque *n.m.* (boisson) esp du Mexique < lgue amérind
pulsar (astron.) *acronyme* < angl
pulser *v.* angl < lat
pulsomètre (vapeur) angl
pultrusion (extrusion) angl
pulu « balle » mot tibétain 203
pulvérin (pyrotech.) ital
puma (fauve carnassier) esp < quechua 158, 161
pumping (pompage) angl
puna *n.f.* (physiol. et géog.) esp < quechua 162
punch (boisson) angl < hindi < skr 186, 189
punch (dynamisme) angl
punching-bag (boxe) angl
punching-ball (boxe) angl
punk angl
puntarelle (corail) prov
puntillero (taurom.) esp
pupazzo (marionnette) ital
purau (arbre) tahitien
purchase/pourchasier 179
pure et simpliciter expression latine 58
purée de pois *traduction* < angl
purin norm
puritain (relig.) angl < lat 185
purot (fosse à purin) dial
push/poussent 182
push-pull (électron.) angl
puszta (plaine) hongrois
putonghua (langue commune offic.) chinois
putsch all 169
putt, putting (golf) angl
putter *n.m.* (golf) angl
putter *v.* (golf) angl
putting-grass (golf) angl
putto (angelot) ital
puzzle angl
pyjama angl < hindoustani < persan 10, 131, 132
pyrét- « fièvre » grec 66
pyromane grec 68
pyrrol(e) (chimie) all < grec
pyxis « buis » mot grec 57

Q

qaraïte, karaïte (relig.) hébreu
qasida *n.f.* (poème) ar

qat, khat *n.m.* (bot.) ar
qitâra (instr. de mus.) mot arabe 120
quadrangulaire 67
quadrette (pétanque) prov
quadri- *préfixe* lat 67
quadrille (danse) esp
quadrivium (univ. au M. Â.) lat
quai norm < gaul 39
quaker (relig.) angl
quakerisme (relig.) angl
qualification (sport) angl < fr
qualifier (sport) angl < fr
quamquam mot latin 53
quanta 169
quantification (logique) angl
quantifier (logique) angl
quantum (pl. **quanta**) (physique) all < lat
quark (phys. nucl.) angl
quarte (mus. et jeu de cartes) ital
quarter (mesure) angl 186
quarteron (métis) esp
quartet (quatuor) angl
quartette (mus. de jazz) ital
quartier-maître all < fr 169
quartz (roche) all
quasar (astron.) *acronyme* < angl
quasi (pour ainsi dire) lat
quasi *adv.* (à peu près) lat
quasimodo lat
quassia, quassier (bot.) *Coissi* (Surinam)
quater (quatrièmement) lat
quaterne *n.m.* (loto) ital
quaternion (math.) angl
quatre 67
quattrocento ital
quatuor (mus.) lat
quebracho (bot.) esp
quenelle (cuisine) alsacien < all
quenotte norm < francique
quercitron (chêne) angl
quercus « chêne » mot latin 42
question préalable *traduction* < angl 185
quête *n.f.* (marine) dial (?)
quetsche « prune » alsacien
quetzal (oiseau) nahuatl
quiche (cuisine) alsacien
quichenotte (coiffe) angl
quick (revêtement de cours de tennis) angl
quick lunch « repas rapide » angl
quid lat
quidam lat 53

quidlibet « n'importe quoi » mot latin 53
quille (jeu) all
quille (marine) vx scand 95
quinine (médecine) esp < quechua
quinoa (bot.) esp < quechua
quinquenove (jeu de dés) ital
quinquet (lampe) *Quinquet* (France)
quinquina (médecine) quechua (ou ar)
quintal (mesure de poids) ar < grec
quintet (mus. de jazz) angl
quintette (mus.) ital
quinto (cinquièmement) lat
quip(o)u (comptage) quechua
quiproquo lat
quirat *n.m.* (marine) ar
quiscale (oiseau) caraïbe (?)
quitus lat 58
quiz (devinette) angl
quolibet (raillerie) lat 53
quorum (assemblée) angl < lat 58
quota (répartition) angl < lat

R

raban (amarre) néerl
rabane (tissu en raphia) malgache 198, 200
rabbin araméen
rabibocher oïl du Nord
rabiole (chou-rave) prov
rabiot (supplément) gascon (ou berrichon) 108
rabot (menuisier) oïl du Centre ou néerl
rabouillère (terrier de lapin) berrichon (?)
rabouilleuse berrichon < gaul
raca (injure) araméen 39
racahout (cuisine) ar
racaille norm
racc ital
racer *n.m.* (cheval ou bateau de course) angl
rachi- « moelle épinière » grec 65
racing (course à pied) angl
racing-club (assoc. sportive) angl
rack (meuble de rangement) angl
racket angl 27
racketter *v.* angl
racketteur angl
racler prov
rada (assemblée) slave
radar *acronyme* < angl
rade (marine) vieil angl
radeau prov

radian (mesure d'angles) angl
radical (partisan de réformes) angl
radiographie grec 68
radiomètre (app. de mesure) angl
radis ital 149
radium (chimie) lat 63
radius (anat.) lat
radja(h), raja(h) ptg < hindi < sk
radoire prov
radôme mot valise < angl
radoter *v.* germ
raf(f)ut gallo-roman
rafistoler ital
rafle (arrestation massive) all
raft (embarc. insubmersible) angl
rafting (descente de rapides) angl
raglan (manteau) *Raglan* (G.-B.) 79
ragtime (mus.) angl
raguer *v.* (s'user) angl < néerl
rahat-lo(u)koum (confiserie) ar
raï (mus.) ar
raia, raya (non musulman) turc
raid (opération militaire) angl < écossais 186
raide/roide 112
raider *n.m.* (Bourse) angl
raie (ligne droite) gaul
rail (voie ferrée) angl 14, 182
rail(-)route *calque* < angl
railler *v.* prov 25
raillère (versant abrupt) oc des Pyrénées
rain (lisière) néerl
raiponce *n.f.* (bot.) ital
raïs (chef) ar
raki (liqueur à l'anis) turc < ar
ralingue (cordage) néerl
rallye (compétition) angl < fr
rallye-man *pseudo anglicisme*
rallye-papier (jeu) angl
ram (informatique) *acronyme* < angl
ramadan (fête musulmane) ar
ramade (troupeau de moutons) prov
ramapithèque (fossile de primate) *Rama* (Inde)
rambarde (marine) génois
ramberge/rowbarge 185
ramboutan (bot.) malais
ramdam « vacarme » ar
rame (de papier) ar
ramequin (récipient) néerl (ou bas-all) 54, 100
rami (jeu de cartes) angl
ramie (bot.) malais
ramingue (équit.) ital

ramper *v.* francique
rancart norm
ranch *n.m.* (expl. agric.) angl < esp
ranche *n.f.* (échelon) francique
rancher *n.m.* (échelle) angl
ranchero (échelle) angl
ranchman (fermier de ranch) angl
rancho (expl. agric.) esp
rancio (liqueur) esp
randomisation (échantillonnage aléatoire) angl
randomiser (aléatoire) angl
randonnée francique
rang francique
ranger (militaire) angl
rang(i)er (renne) scand
ranging (repérage) angl
rani (épouse d'un radjah) hindi < skr
ranz (chant) alémanique
raout (fête) angl 186
rap (mus.) angl 11
râpe (outil) germ
râpes (résidu des grappes) germ
rapetasser lyonnais ou prov 110
raphia (palmier) malgache 14, 198, 200
raptus (psych.) lat
raquer dial (?)
raquette ar
rarissime ital
ras *n.m.* (chef éthiopien) ar
rascasse (poisson) prov
rash *n.m.* (dermatose) angl
raskol (relig.) russe
raspoutitsa (dégel) russe
rasta(fari) (relig.) ar(?)
rasta(quouère) (étranger) esp
rastel (réunion amicale) prov
ratafia *n.m.* (liqueur) créole (?)
rate (anat.) néerl
ratiboiser *v.* francique
rating (marine) angl
ratio (rapport de deux grandeurs) angl < lat
rave (plante potagère) francoprov
ravelin (fortification) ital
ravenala *n.m.* (bot.) malgache
ravioli (cuisine) ital
ray-grass (bot.) angl
raya, raia (non musulman) turc
rayon (de miel) francique
rayonne (soie artific.) angl
raz (de marée) breton < norm < vx scand 95
razzia (expéd. punitive) ar algérien

réactance (électricité) angl
ready made angl
réal (monnaie) esp
réale (galère royale) esp
réalgar (chimie) ar
réaliser (se rendre compte) angl
reality show 195
rebec (instr. de mus.) ar < fr
reblocher *v.* (traire) 109
reblochon (fromage) savoyard 109
rebuffade ital 106, 143
rébus lat
récépisse lat
récession angl
réchappé 110
rêche (âpre, rugueux) picard < francique
rechigner *v.* francique
récif esp < ar
récital (mus.) angl
récitatif (mus.) ital
récolte ital 148
record angl
recording (enregistrement) angl
recordman *pseudo-anglicisme*
recordwoman *pseudo-anglicisme*
recto lat
rectum lat
rede « filet » mot espagnol 153
rédemption/rançon 54
redemptionem mot latin 54
redingote angl 182
rédintégration (psychol.) angl
redoul (bot.) prov
redoute ital
redowa *n.f.* (danse) tchèque
réécrire 195
réécriture 195
référendum lat 58
reflet ital
reflex *adj.* (photographie) angl
réflexibilité angl
réflexible (qui peut être réfléchi) angl
reformage (pétrole) angl
reforming (raffinage) angl
réformiste angl
réfracter angl
réfrangibilité (réfraction) angl
réfrangible angl
refuznik (émigration des Juifs russes) russe
reg *n.m.* (géogr.) ar
régate vénitien
regency (style de mobilier) angl
reggae *n.m.* (danse) créole de la Jamaïque

riff (jazz) angl
rifle (carabine) angl
rifler *v.* (limer) all
rift (géol.) angl
rigolade 106
rigole (canal) néerl
rillettes (cuisine) tourangeau
rimaye *n.f.* (crevasse) savoyard
rimer francique
rinforzando (mus.) ital
ring (boulevard circulaire) all
ring (boxe) angl
ringard *n.m.* (tisonnier) wallon < all
ringard *adj.* (démodé) oïl du Nord (argot)
    23, 24, 91
rink (piste de patinage) angl
ripaille néerl 54
riper *v.* (faire glisser) néerl
ripieno (mus.) ital
riposte ital
ripper *n.m.* (trav. publ.) angl
ripple-mark (géogr.) angl
ris (voile) vx scand
risban (fortification) néerl
risberme (fortification) néerl
risée (brise) vx scand 95
riser *n.m.* (forage pétrolier) angl
risotto (cuisine) ital
risque ital 148
risquer 149
rissole (filet à petites mailles) prov
ristourne ital
ritardando (mus.) ital
ritournelle ital
rivelaine (outil de mineur) wallon < néerl
rixdale *n.f.* (monnaie) néerl
riz ital < persan < skr 132
riz pilaf 131
roadster *n.m.* (voiture décapotable) angl
rob (fruit cuit) ar < persan
rob, robre (bridge) angl
robe germ
robot tchèque 14, 174
rocella, rocelle (oseille) catalan
rochet (fuseau et roue dentée) germ
rochet (vêtement) francique
rock (and roll) (danse) angl
rock (oiseau fabuleux) ar
rock-song angl
rocker, rockeur *n.m.* (chanteur de rock)
    angl
rocket, roquette (fusée) angl
rocking-chair angl
rocou (bot. et colorant) tupi

rodéo (jeu sportif) angl < esp
rôder prov 25
rœsti, rösti (galette de p. de t.) all de
    Suisse
rogne oïl du Centre et de l'Est
rognonnade (cuisine) prov
rogue *adj.* « arrogant » vx scand 95
rohart (ivoire du morse) vx scand
roi 90
roi des rois *calque* < hébreu 119
roll on - roll off (manutention) angl
roller *n.m.* (patin à roulettes) angl
roller-catch angl
roller-skate angl
rollier (oiseau) angl < all
rollmops (hareng) all
rom (gitan) tsigane
rom (informatique) *acronyme* < angl
romaine (balance) prov (ou esp) < ar
romancero (poème épique) esp
romanesque ital (?)
romani langue tsigane
romanichel tsigane
romano (romanichel) tsigane
romanticisme (romantisme) ital
romantique angl 180, 192, 208
romsteck, rumsteck angl
ronchonner oïl de l'Est 110
rondache *n.f.* (bouclier) ital
rondo (mus. et poésie) ital
röntgen (mes. phys.) *Röntgen* (Allema-
    gne) 78
roof, rouf (marine) angl
rookerie, roquerie (rass. de manchots)
    angl
rooter *n.m.* (trav. publ.) angl
roquer *v.* (aux échecs) esp < ar < persan
roquerie, rookerie (manchots) angl
roquet gallo-roman
roquetin (tissage) germ
roquette, rocket (fusée) angl
roquette, rouquette (plante potagère) ital
rorqual (cétacé) norvégien 171
rosa « rose » mot latin 31
rosbif angl < fr 182, 183
rose sémitique (?) 31, 89
rose-croix (confrérie) *calque* < all
roseau gotique
roson (rosace) ital
Ross « cheval » mot allemand 168
rosse *n.f.* all 168
rossignol prov 107
rossinante (mauvais cheval) esp
rossolis *n.m.* (liqueur de roses)

rostir mot d'a. fr 182
rot *n.m.* « pourriture » angl
rôt de bif expression d'a. fr 182
rotang (palmier) malais
rotary (forage et téléphonie) angl
rote (instr. de mus.) germ
rotengle *n.m.* (gardon rouge) all
roténone (bot.) angl < jap
rotin néerl < malais 102
rôtir francique 94
rotonde ital
rotor *contraction* < angl < lat
rouan (hipp.) gotique (ou esp)
roubignoles « testicules » prov
rouble (monnaie) russe 173
roudou (bot.) prov
rougail(le) (cuisine) malgache
rouge 89
rough (maquette publicitaire) angl 191
rouir (traiter le lin ou le chanvre) francique
roumi (européen pour un musulman) ar
round (boxe) angl < fr
roupie (monnaie) ptg < hindoustani < skr
roupiller « dormir » picard (argot) 23
rouquette, roquette (plante potagère) ital
rousserolle *n.f.* (oiseau) germ (?)
roustir (rôtir) fr rég de Provence
rouvieux (vétérinaire) picard
rowing (aviron) angl
royalties *n.f. pl.* (redevances) angl
-rragie « écoulement » grec 66
-rrhée « écoulement » grec 66
ruban néerl 54, 100, 102
rubato (mus.) ital
rubican (hipp.) esp
rubidium (chimie) lat 63
ruche gaul 39
rudbeckia (bot.) *Rudbeck* (Suède)
ruf(f)ian (voyou) germ 144
ruffiano « ruffian » mot italien 144
ruffle « feu » (argot) 22
ruflette (galon de rideaux) *Ruflette, nom déposé*
rugby (sport) *Rugby* (G.-B.)
rugbyman *pseudo-anglicisme*
rumb, rhumb (marine) angl
rumba (danse) esp de Cuba
ruminer 195
runabout (canot automobile) angl
rune (écriture) vx scand
rupin (bien habillé) néerl
rush (ruée) angl 182
rush (to) mot anglais 182

rushes (cinéma) angl
rustique 56
rustre 56
rutabaga *n.m.* (plante potagère) suédois 14
ruthénium (chimie) *Ruthenia* (Russie) 63
rutherfordium (chimie) *Rutherford* (G.-B.) 63
rye *abréviation* < angl

S

sabayon ital
sabbat lat eccl < grec < hébreu
sabbatique (congé) angl
sabéen (relig.) araméen
sabine (bot.) *Sabin* (Italie)
sabir (langue mixte) esp
sable « couleur noire » polonais
sabre all < polonais (?) < hongrois 171, 175
sabretache (sacoche) all
sac (pillage) ital < germ
sac (poche en tissu) grec < lgue sémitique
saccade picard (ou esp) < gotique
saccager ital
sachem (chef) angl < iroquois
sacoche toscan
sacramentum, mot latin 52
sacre (faucon) ar
sacrement 15
sacripant (chenapan) *Sacripante* (Italie) 79, 144
sacrum lat
safari angl < swahili < ar
safran (épice) lat méd < persan < ar 131
safran (marine) esp < ar
saga *n.f.* (conte) vx scand
sagaie (javelot) esp < ar < berbère
sagard « scieur » all
sagne (tourbière) franc-comtois
sagou (moelle de palmier) ptg < malais
sagouin (singe) ptg < tupi 161, 162, 165
sagri (cuir) mot turc 136
sagum (manteau) gaul
sahel (géogr.) ar
saï (singe) tupi
saie (manteau) gaul
saïga *n.m.* (antilope) russe
saïmiri (singe) ptg < tupi
saint des saints *calque* < hébreu 119
sajou, sapajou (singe) tupi 162
saké (boisson alcoolisée) jap 203

saki (singe) tupi
sakieh (noria) ar
salade (casque) ital
salade (mets assaisonné) prov 106
saladero (cuir de bœuf) esp
salam alayk « paix sur toi » ar 25
salamalec (politesse) ar (argot) 25, 26
salami ital
salangane *n.m.* (oiseau) malais
salat *n.f.* (prière) ar
salbande *n.f.* (géol.) all
sale *adj.* francique
salep (fécule) ar
salicional *adj.* (orgue) all
salicoque *n.f.* (crevette) norm
salicor(ne) *n.f.* (bot.) ar
saligaud picard (ou wallon) < francique
salle francique
salon ital
saloon angl < fr < ital
salpêtre 68-69
salpicon (cuisine) esp
salsepareille (bot.) esp < ar
salsifis ital
saltarelle (danse) ital
saltimbanque ital
salto ital
salve (regina) (liturg.) lat
sam-lô (tricycle) cambodgien
samara *n.m.* (sandale) persan
samarium (chimie) *Samarski* (Russie) 63
samba ptg (ou esp) < tupi
samedi lat < grec < hébreu
samizdat *n.m.* (diffusion clandest.) russe
sammy (surnom des sold. améric.) *Sam*
  (U.S.A.)
sam(o)uraï (guerrier) jap 203
samovar (bouilloire) russe 173
samoyède (langue de Sibérie) russe
sampan(g) (embarcation) malais < chinois 202
sampot (culotte) cambodgien
san mot japonais 205
san-benito (casaque des condamnés)
  Saint Benoît
sanatorium angl < lat
sanderling (oiseau) angl
sandhi (liaison) skr
sandjac (div. administr.) turc
sandow (câble élastique) angl
sandre *n.m.* (poisson) all < néerl
sandwich (alimentation) *Sandwich* (G.-B.)
sanforisage (trait. du coton) angl
sangria (boisson) ptg < angl < hindi < skr

sanhédrin (relig.) araméen
santal (bois odorant) ar < persan < skr
santoline *n.f.* (bot.) dial
santon (ascète) esp
santon (figurine) prov
santonine (pharmacie) saintongeais
sanza (instr. de mus.) lgue africaine
sapajou, sajou (singe) tupi 162
sapèque *n.f.* (monnaie) malais
saper *v.* ital
saphène (anat.) ar < grec (?)
sapin gaul
sapiteur (expert) prov
sapo « savon » mot latin < frison 84
sapot(ill)e (fruit) nahuatl
sar (poisson) prov
sarabande (danse) esp < ar < persan
sarbacane esp < ar < persan < malais 162,
  201
sarcophage grec 66
sardane (danse) catalan
sardine (poisson) *Sardaigne* (Italie)
sargasse ptg < esp (ou néerl)
sari (vêtement drapé) hindi
sarigue (mammifère) ptg < tupi-guarani
  161, 162
sarkos « chair » mot grec 66
sarong (vêtement drapé) malais
saroual, sarouel (pantalon) ar
sarrasin grec < ar
sarrau (blouse) germ
sart (varech) oïl du Nord (?)
sashimi (cuisine) jap
sassafras (bot.) esp < amérind
sasse (marine) prov
satané, -ique Satan (Bible)
sâti (veuve) hindi
satin (tissu) *Tsia-Toung* (Chine)
satori (relig.) jap
sauce mot anglais < fr 178
sauce mot persan < fr 131
saucisson ital 149
saule lat < francique 87
sauna finnois 175
saupe (poisson) gallo-roman
saur « fumé » néerl 94
savane (géogr.) esp < arawak (taïno)
savate (chaussure et sport) ital < turc 136
savon frison
saxhorn (instr. de mus.) all
saxophone (instr. de mus.) *Sax* (Allemagne)
saynète (théâtre) esp
sayon (casaque) esp

sbire (policier) ital < lat < grec 144
scabellon (socle) ital
scala-santa (relig.) ital
scalaire (math.) angl
scalde (poète) scand
scalp angl < scand
scalper *v.* angl < scand
scampi ital
scandale lat eccl < grec < hébreu 118
scandium (chimie) *Scandia* (Scandinavie) 63
scanner *n.m.* (radiographie) angl
scanner *v.* angl
scanning (balayage) angl
scarole, escarole (chicorée) ital 149
scat (jazz) angl
scénario ital
scenic railway angl
schah, shah, chah (souverain) persan
schabraque, chab- (hipp.) all
s(c)hako (coiffure milit.) hongrois
schappe (filature de la soie) all de Suisse
schapska, chapka (coiff. de fourrure) russe
scheider *v.* (trier du minerai) all
scheik, cheik (chef) ar
schelem, chelem (bridge) angl
schéol (relig.) hébreu
scherzando (mus.) ital
scherzo (mus.) ital
schibboleth (test de prononciation) hébreu
schilling, schell- (monnaie) all
schlague all
schlamm (résidu) all
schlass (couteau) angl
schlass *adj.* (ivre) all
schlich (minerai broyé) all
schlinguer, chlin- *v.* (puer) all
schlitte *n.f.* (traîneau pour le bois) alsacien < all
Schnapphahn « maraudeur » mot allemand
schnaps (eau-de-vie) all (argot) 26
schnauzer *n.m.* (race canine) all
schnick (eau-de-vie) all
schnorchel, -orkel (sous-marin) all
schofar (instr. de mus.) hébreu
schola « école » mot latin 52
schooner *n.m.* « goélette » angl
schorre *n.m.* (géol.) flamand
schproum (bruit de dispute) all (?)
schupo (policier) *abréviation* < all
schuss (ski) all

Schüssel « plat » mot all 84
science-fiction *calque* < angl
scion (jeune branche) picard < francique 88
sconse, skunks (fourrure) angl < algonquin 187
scoop (nouvelle exclusive) angl
scooter *n.m.* angl
scorbut lat méd < suédois < scand 95
score angl
scorpène *n.f.* « rascasse » prov
scorsonère *n.m.* (salsifis) ital
scotch (ruban adhésif) *Scotch, nom déposé*
scotch (whisky) *Scotch* (G.-B.)
scotch-terrier (race canine) angl
scottish (danse) angl
scottish-terrier (race canine) angl
scoumoune (malchance) ital (argot) 26
scoured *n.m.* (laine) angl
scout angl
scout-car (véhic. milit.) angl
scrabble (jeu) angl
scramasaxe (arme) francique
scraper *n.m.* (engin de trav. publ.) angl
scratch (sport) angl
scratcher *v.* (sport) angl
scriban(ne) (pupitre) néerl
scribler *v.* (traitement de la laine) angl
script angl
script-girl angl
scrotum (anat.) lat
scrub (géogr.) angl
scrubber *n.m.* (chimie) angl
scull (aviron) angl
scutella « écuelle » mot latin 84
scutum (bouclier) lat
sea-line (pétrole) angl
sealskin (étoffe) angl
sébaste *n.m.* (poisson) ar (?)
sébile ar
sebk(h)a géogr.) ar
sécessionniste angl
secko (palissade) lgue du Tchad
sectoriel angl
sedo « soie » prov 105
sedia gestatoria (Vatican) ital
seersucker (tissu de coton) angl
séfarade (Juif d'Espagne) hébreu
ségala (terre à seigle) prov
seghia, seguia (irrigation) ar
ségrég(u)é *adj.* (ségrégation) angl
séguedille, -illa (danse) esp
séide (fanatique) *Zayd* (Arabie)
seille (seau) dial

sel de la terre *calque* < hébreu 119
sélect *adj.* angl
sélection (darwinisme) angl 180
sélection naturelle *calque* angl 185
sélénium (chimie) grec 63
self *abréviation* < angl
self inductance (physique) angl
self induction (physique) angl
self-control angl
self-government angl
self-made man angl
self-service angl
self-trimmer (marine) angl
self-trimming (marine) angl
selve (forêt amazonienne) ptg
semantikos mot grec 71
sémantique grec 71
sémasiologie all
semelle picard
semi- *préfixe* lat 67
sémillon (cépage) oc
sémiotique *n.f.* angl
semoule ital
sen (monnaie) jap
senau (voilier) néerl
séné (bot.) ar 123
sénéchal francique 90, 125
senghi (cyprès) jap
senior (sport) angl < lat
senior lat
séniorité (ancienneté) angl
seûorita esp
sens (direction) germ
senseur (capteur) angl
sentimental *adj.* angl 181, 192, 208
sentinelle ital 143
sentire « entendre » mot italien 143
sep poukou « hara-kiri » jap 204, 205
sépia (mat. colorante) ital
sépiolite (écume de mer) all < grec
septi- « infection » grec 66
séquenceur angl
sequin (monnaie) ital < ar
séquoia (bot.) *See-Quayah* (Amérique) 165, 188, 200
sérac (bloc de glace) savoyard
sérail ital < turc < persan
séran (peigne) gaul
sérancer *v.* (peigner) gaul
sérapeum (archéol.) lat
séraphin hébreu 118
serdab (archéol.) persan
sérénade ital 106, 149
sérénissime ital

serial *n.m.* (à épisodes) angl
serin (oiseau) prov
seringuero (cult. des hévéas) ptg
sériosité ital
serment 15, 52
sérotonine (biochim.) angl
serpolet (thym) prov
serra (chaîne de mont.) mot prélatin 34
sertïo (géogr.) ptg
sérum lat
serval « chat-tigre » ptg
serventois, sirventès *n.m.* (poème) prov
sesbania, -nie (bot.) ar < persan
session angl 180
set (tennis) angl
seta mot latin 9, 105
séton (chirurgie) prov
setter (race canine) angl
settlement (colonie) angl
sex-appeal angl
sex-shop angl
sexta hora « sixième heure » mot latin 153
sextine (poème) ital
sexy *adj.* angl
sforzando (mus.) ital
sfumato (peinture) ital
sgraffite (fresque) ital
shake-hand angl 196
shaker *n.m.* (cocktail) angl
shako, schako (coiff. milit.) 175
shama *n.m.* (oiseau) hindi
shaman, chaman (relig.) toungouze (?)
shampo(o)ing angl < hindoustani 189
shampoo (masser) mot hindi 189
shant(o)ung, chant- (soie) *Shantung* (Chine) 203
sharia, charia *n.f.* (loi islamique) ar
shed (toiture) angl
shérif angl
sherpa *n.m.* « guide » tibétain
sherry (vin apéritif) *Jerez* (Espagne)
shetland (laine) *Shetland* (Écosse)
shiatsu (médecine) chinois
shilling (monnaie) angl
shilom (pipe à haschisch) persan
shimmy (danse) angl d'Am < fr
shingle (bardeau) angl
shintoïsme (religion) jap
shipchandler *n.m.* (marine) angl
shirting (tissu de coton) angl
shocking *adj.* angl
shog(o)un (dictateur milit.) jap 203
shoot, shot *n.m.* (au foot-ball) angl

shooter *v.* (au foot-ball) angl
shooter (se) *v.* (drogue) angl
shop(p)ing angl
shopping-center (centre commercial) angl
short (culotte courte) angl 19
short-story « nouvelle » angl
shorthorn angl
show angl 11
show-business angl
show-show (chien) angl < chinois 189
showroom « salle d'exposition » angl 191
shrapnel(l) (obus) *Shrapnell* (G.-B.)
shunt (électr.) angl
Schüssel *n.f.* « plat » mot allemand 84
sic lat
side(-car) angl
sidi ar
siècles des siècles *calque* < hébreu 119
siemens (mes. phys.) *Siemens* (Allemagne) 78
sierra (chaîne de mont.) esp
sieste esp 153
sievert (mes. phys.) *Sievert* (G.-B.) 78
şifr « vide » mot arabe 122
sigisbée *n.m.* (chevalier servant) ital
signalé *adj.* (remarquable) ital
signaliser *v.* angl < fr
signum mot latin 40
sikh (relig.) skr
silentbloc (amortisseur) angl
silex lat
silhouette *Silhouette* (France) 76
silicium (chimie) angl < lat 63
silicone angl 14
silicose angl
sillet (instr. de mus.) ital
sillon gaul
silo esp < celtique
silt (limon) angl
silurien (géol.) angl
simar(o)uba *n.m.* (bot.) caraïbe guyanais
simarre (robe) ital < ar (?)
simoun (vent de sable) angl < ar
sine die lat 58
sine qua non lat
sinécure angl < lat
single (individuel) angl
singleton (carte unique) angl
singspiel (théâtre) all
sinistre ital
sinn-feiner (nationaliste irlandais) angl
sinoque *adj.* « fou » savoyard (argot) 23, 24
sinus (géométrie) ar

sinus (nez) lat
sionisme, -iste (relig.) *Sion* (Jérusalem)
sioux (rusé) *Sioux* (Am. du Nord)
sipo (bois) lgue africaine
sir angl
sirdar (titre honorifique) persan
siroc(c)o (vent) ital < ar
sirop ar 14, 113, 126
sirvente (poème) prov
sisal (bot.) *Sisal* (Yucatan)
sister-ship (navire de la même série) angl
sit-in (contestation non violente) angl 191
sitar *n.m.* (instr. de mus.) hindi
sitcom *acronyme* < angl
site ital
sitos « nourriture » mot grec 66
sizerin (oiseau) flamand
skandalon mot grec 118
skate(-board) angl
skating angl
skeet (tir au pigeon d'argile) angl
skeleton (toboggan) angl
sketch ital < néerl < angl
ski norvégien 171
ski-bob (bicyclette à skis) angl
skif(f) « bateau à un seul rameur » angl < longobard
skin(head) (groupe de jeunes) angl
skip (élévateur) angl
skipper *n.m.* (barreur) angl < vx scand 192
skunks, sconse angl < algonquin 187
sky-scraper mot anglais 210
skye-terrier *n.m.* (race canine) angl
slacks (pantalon) angl
slalom norvégien 171
slang « argot » angl
sleeping (wagon-lit) *abréviation* < angl
slice *n.m.* (tennis) angl
slicer *v.* (couper une balle au tennis) angl
slick (magazine de luxe) *abréviation* < angl
slikke (géogr.) flamand
slip (plan incliné) angl
slip (sous-vêtement) *pseudo-anglicisme* 19
slogan angl < gaélique
sloop (voilier) angl < néerl < fr 186
slot-machine (machine à sous) angl
sloughi (lévrier) ar
slow (danse) angl
slum (quartier misérable) angl
smala(h) (famille, tribu) ar 113
smalt (colorant bleu) ital

smart *adj.* (chic) angl 196
smash (tennis) angl
smocks *n.m. pl.* (fronces) angl
smog (brouillard) *mot valise* < angl
smoking (vêtement) angl
smolt (petit saumon) angl
smorzando (mus.) ital
smurf (danse) angl
snack(-bar) angl 196
sniffer *v.* (priser de la drogue) angl
sniffing (prise de drogue) angl
snob angl < lat (?)
snobisme angl
snow-boot angl
S.O.S. *sigle* < angl
soap-opera (feuilleton) angl
soc gaul 39
sociodrame (psychol.) angl
socle ital
socquette angl 19
soda angl
sodium (chimie) angl < lat 59, 63
sodoku (médecine) jap
sodomie (sexualité) *Sodome* (Palestine)
sofa turc < ar
soffite *n.m.* (plafond) ital
soft *adj.* angl
software *n.m.* (logiciel) angl
soie 9, 105
soigner *v.* francique 92
soin francique
soja, soya angl < jap (ou all < mandchou)
   203
sol (note de mus.) lat
sol (solution colloïdale) angl
solanacée (bot.) 159
solarium lat
soldanelle (bot.) prov < ital (ou germ)
soldat ital 143, 147
soldatesque ital 146
solde *n.f.* (rémunération) ital
solde *n.m.* (terme de banque) ital
solder (clore un compte) ital
sole (poisson) prov
soleá (chant andalou) esp
solécisme (grammaire) *Solès* (Cilicie)
solfatare *n.m. ou f.* (volcanol.) ital
solfège (mus.) ital 149
soliste (mus.) ital
solo (mus.) ital
sombrero (chapeau) esp
somite *n.m.* (embryol.) angl
sommelier prov < lat médiév 108
sommet (conférence au) *calque* < angl
   < fr

sonar (marine) *acronyme* < angl
sonate (mus.) ital
sonatine (mus.) ital
sonde *n.f.* (marine) vx scand (?)
sonnet ital < prov
sophistiqué (artificiel) angl < fr
sophora *n.m.* (bot.) ar
soprano (mus.) ital
sorbet ital < turc < ar 113, 126
sorgho ital
sornette prov
sortir par le nez 119
sostenuto (mus.) ital
sotch (géogr.) oc < prélatin
soubresaut esp (ou prov)
soubrette prov 25
soubreveste (veste sans manches) ital
souche berrichon < gaul 39
souchong (thé noir) angl < chinois
soucoupe ital
soucoupe volante *calque* < angl
soudan « sultan » ar
soudard 143
soude ar
soue (étable à cochons) gaul
soufi (relig.) ar
soufisme (relig.) ar
souhaiter francique
souï-manga, souwi- (oiseau) malgache
souk « désordre » ar (argot) 26
soul (mus.) angl
soulane *n.f.* (versant ensoleillé) béarnais
soupe francique 94
souquenille (blouse) germ < slave
souquer *v.* (tirer, ramer) prov
s(o)urate *n.f.* « verset du Coran » ar
sourdine (instr. de mus.) ital
sournois *adj.* prov
sous-développé *calque* < angl
soutache *n.f.* (galon) hongrois 175
soutane ital 146
soutanelle (redingote) ital
soute (marine) prov
soutra, sutra (textes relig.) skr
soutrage (expl. forest.) gascon
souverain (monnaie) angl
soviet russe 173
sovkhoze *acronyme* < russe
soya, soja angl < jap (ou all < mandchou)
space opera (science fiction) angl
spada « épée » mot italien 143
spadassin ital 143
spadelle (métall.) néerl
spadille (petite épée) esp

spaghetti ital
spahi (cavalier) turc < persan
spallation (phys. nucl.) angl
spalmer *v.* (marine) ital
spalt (métall.) all
spalter *n.m.* (peinture) all
spardeck (marine) angl
sparring-partner (boxe) angl
spartéine (chimie) angl
spath (roche) all
speakeasy (cabaret) angl
speaker *n.m.* « présentateur » angl
speakerine « présentatrice » angl + all
spécimen lat
spectre (optique) angl
speculum (médecine) lat
speech angl
speed *adj.* (excité par la drogue) angl
speed-sail (planche à roulette à voile) angl
speedé *adj.* (excité par la drogue) angl
speiss (métall.) all
spencer (veste) *Spencer* (G.-B.)
sphère
spi(nnaker) (marine) angl
spider *n.m.* (voiture) angl
spiegel (alliage) all
spin (phys. nucl.) angl
spinelle (chimie) ital
spinning (pêche au lancer) angl
spirite (spiritisme) *abréviation* < angl
spiritual (negro-) (mus.) angl < fr
spleen angl 186, 196
spleenétique angl
spoiler *n.m.* (aérofrein) angl
spoom (pâtisserie) angl < lat
sponsor (commanditaire) angl < lat
sponsoring angl
spoon (golf) angl
sport angl < fr 183
sportsman angl
sportswear (équipement sportif) angl
spot (projecteur et publicité) angl
spoutnik (satellite) russe
sprat (hareng) angl
spray *n.m.* (liquide pulvérisé) angl
sprechgesang (chant) all
springbok (antilope) néerl
springer *n.m.* (race canine) angl
sprint (course) angl
sprinter *n.m.* (coureur) angl
sprue (médecine) angl
spurquesse fr du XVIᵉ s. 148
square (jardin public) angl
squash (sport) angl

squat *n.m.* (occupation illégale d'un logem.) angl
squatter *n.m.* (occupant illégale d'un logem.) angl
squaw (épouse d'un Indien) angl < algonquin 187
squeezer *v.* (prendre l'avantage) angl
squire (titre nobiliaire) angl 186
S.S. *sigle* < all
st(o)upa (reliquaire) skr
staccato (mus.) ital
staff (équipe de dirigeants) angl
staff (plâtre) angl
staffa « étrier » mot italien 143
stage-coach (diligence) angl
stagflation *mot valise* < angl
stainless (inoxydable) angl
stakhanovisme (rendement) *Stakanov* (Russie)
stakning (ski) norvégien
stalag *acronyme* < all 169
stalle lat médiév < francique
stampede « rodéo » (Canada) esp
stance ital
stand (de tir) all de Suisse
stand angl
stand-by (liste d'attente) angl
standard (téléphonique) angl < fr
standard angl < a. fr < anglo-norm < francique
standardisation angl
standardiser *v.* angl
standing angl
star *n.f.* angl
star-system angl
starets, stariets (ermite) russe
starie *n.f.* (marine) néerl
starking (pomme) angl d'Am
starlette angl
staroste (noble polonais) polonais
starter *n.m.* (départ de course et carburateur) angl
starting-block (cale-pieds) angl
starting-gate (hipp.) angl
stathouder (gouverneur) néerl
station-service *traduction* < angl
station-wagon (véhicule) angl
statistique all (ou ital) 169-170
statu quo lat
stawug (ski) norvégien
stayer *n.m.* (hipp.) angl
steak angl < vx scand
steam engine mot anglais 210
steam reforming (raffin. pétrole) angl

steam-cracking (raffin. pétrole) angl
steamboat (bateau à vapeur) angl
steamer *n.m.* (marine) angl 186
steeple (course d'obstacles) angl
steeple-chase (hipp.) angl
stellage (Bourse) all
stem(m) (ski) norvégien
stencil (reproduction) angl
sténographie angl
steppe russe
stepper, steppeur (hipp.) angl
stéréoscope angl
sterlet (esturgeon) russe
sterling (monnaie) angl
sterne *n.f.* (oiseau) angl
steward angl
stick (canne) angl
stick (parachutisme) angl
stilton (fromage) angl
stock angl 186
stock-car (course de voitures) angl
stock-exchange (Bourse) angl
stock-shot (images d'archives) angl
stocker, stoker *n.m.* (locomotive) angl
stockfish (poisson séché) néerl
stoff (étoffe légère) angl < fr
stokes (mes. phys.) *Stokes* (G.-B.) 78
stol *acronyme* < angl
stomato- « bouche » grec 66
stop angl
stop-and-go angl
stop-over (escale volontaire) angl
stopper *v.* (réparer) néerl
stopper *v.* « arrêter » angl
stoppeur (football) angl
store (rideau) ital
story-board (cinéma) angl
stot (minerai) picard
sto(u)pa (tombeau) hindi
stout *n.m. ou f.* (bière) angl
stradivarius (violon) *Stradivari* (Italie)
stramonium (bot.) lat
strapasser *v.* (peinture) ital
strapontin ital
straque « fatigué » fr du XVIᵉ s. 148
stras(s) (verre coloré) *Strass* (Allemagne)
strasse (bourre de soie) ital
Strasse « rue, route » mot allemand 84
strata « route » mot latin 84
stratus (météo) lat
streaker (manif. nudité) angl
streaking (manif. nudité) angl
stress angl
stretch (traitement de tissu) angl

strette (mus.) ital
strette (douleur.) mot fr du XVIᵉ s. 146
string (maillot de bain) angl
strip(-)tease angl
strip-line angl
stripage (phys. nucl.) angl
stripper *n.m.* (chirurgie) angl
stripper *v.* (distillation) angl
stripping (chirurgie et distillation) angl
strontium (chimie) *Strontian* (Écosse) 63
stuc (plâtre) ital
stud-book (hipp.) angl
studio angl < ital
Stuhl « chaise » mot allemand 88
stylet (poignard) ital
stylo(graphe) angl
subdiviser 68
subliminal *calque* < all
subrécargue (marine) esp
subrécot (surplus) prov
substratum (géol.) lat
sucre ital < grec < ar < persan < skr 132
sud angl
suède (peau) *Suède*
suffète (magistrat) punique < hébreu (?)
suffire 147
suffragette (vote des femmes) angl
suggestif angl
sui generis lat 58
suie gaul
suite (appartement) angl
sukiyaki (cuisine) jap
sulky (hipp.) angl
sultan turc < ar 128
sumac (bot.) ar
summum (apogée) lat
sumo (lutte) jap 203
sunlight (projecteur) angl
sunna *n.f.* (islam.) ar
super lat
super- *préfixe* 68
supercherie ital
supérette (magasin) angl
superman angl
supermarché *calque* < angl 68
superproduction (cinéma) angl
superstar (cinéma) angl
supertanker *n.m.* (pétrolier) angl
superviser *v.* angl
superviseur angl
superwelter *n.m.* (boxe) angl
supplique ital
support (to) « soutenir » mot anglais < fr
   193

supporte(u)r *n.m.* (partisan d'un sportif)
supporter *v.* (encourager) angl < fr 193
suprématie angl
sur, sure *adj.* « acide » francique
surah (étoffe de soie) *Surate* (Inde)
surate, sourate « verset du Coran » ar
surbooking (surréservation) *pseudo-anglicisme*
sureau champenois
surestarie (marine) esp
surf(-board) (sport nautique) angl
surfer *v.* (se déplacer rapidement) angl
surfe(u)r *n.m.* angl
surge (laine grasse) prov
suricate, -kate *n.m.* (mangouste) néerl
surimi (succédané de crabe) jap
surin (couteau) tsigane (argot) 26
suroît (vent) normand
surprise-partie, -party angl 196
suspense angl < fr
sutra, soutra (textes sanskrits) skr
svastika, swa- (symbole hindou) skr
svelte *adj.* ital
swap (accord de crédit) angl
sweat-shirt angl
sweater *n.m.* angl
sweating-system (expl. des ouvriers) angl
sweepstake (hipp.) angl
swing (boxe) angl
syllabus (relig.) lat
symposium « colloque » angl < grec
symposium « banquet » lat
symptôme 65
synapse *n.f.* (neurol.) angl
synopsis *n.m.* (schéma de scénario) angl < grec
syphilis (médecine) *Syphilus* (Ovide)
système 72
systémique *adj. et n.f.* angl

T

T-bone (boucherie) angl
T-shirt, tee-shirt (maillot) angl
taart mot néerlandais 11
tabac esp < ar (ou haïtien) 115, 158
tabas(c)hir (sécrétion sucrée) ar
tabès (maladie) all < lat
tabla *n.m.* (instr. de mus.) hindi
tablar(d) (étagère) francoprov
table mot anglais < fr 178
table ronde *traduction* < angl
tabloïd(e) *adj. et n.m.* (format de journal) angl

tabor (soldat marocain) ar
tabou angl < polynésien 202
taboulé (cuisine) ar
tabouret persan
tacaud (poisson) breton
tacca *n.m.* (bot.) malais
tache francique
tacite *adj.* gascon 108
tacle *n.m.* (football) angl
tacon (raccommodage) francique
tacon (saumon) gaul 16
taconeos (martèlement des talons) esp
taedium vitaeb (pathol.) lat
taël (monnaie) ptg < malais
taffetas (tissu de soie) ital < turc < persan 131, 139
tafia *n.m.* (eau-de-vie) créole
tag (dessin sur les murs) angl
tagger, tagueur (auteur de tags) angl 27
tagal (lgue des Philippines) malais
tagète (bot.) *Tagès* (étrusque)
tagliatelles ital
taguer *v.*
tai-chi(chuan) (gymnastique) chinois
taïga *n.f.* (géogr.) russe < turc (?)
taillade (coupure) ital 106
taisson (blaireau) dial
take-off (aviation) angl
talc ar 19
talé (meurtri) prov < germ (?)
taleth, tallith (châle rituel) hébreu
talisman ar < grec
talk-show angl 195, 207
talkie-walkie angl < pidgin antillais
tallipot (palmier) angl < malayalam < hindi 188, 189, 200
tallith, taleth (châle rituel) hébreu
talmud (textes relig.) hébreu
taloche (gifle) germ
taloche (outil de plâtrier) gaul
talpack (bonnet d'astrakan) turc
talus gaul
talweg, thalweg (géogr.) all
tam-tam 166
tamandua *n.m.* (petit tamanoir) ptg < tupi
tamanoir (fourmilier) caraïbe < tupi
tamarin (bot.) ar
tamarin (singe) tupi-guarani (?) 124
tambouille (cuisine) angevin
tambour persan < ar
tamis gaul ou préceltique
tamouré (danse) polynésien
tampico (crin végétal) *Tampico* (Mexique)
tampon francique

tan *n.m.* (écorce de chêne) gaul (?)
tanche *n.f.* (poisson) gaul 39
tandem (cyclisme) angl < lat
tandem lat
tandoori, tandouri (cuisine) hindi
tangara *n.m.* (oiseau) tupi
tango (danse) esp
tangon (marine) néerl
tangue (sable vaseux) vx scand
tanguer (marine) frison (?)
tanière (gîte, terrier) gaul
tanin, tannin gaul
tank (réservoir) angl < goudgerati < skr
tanker *n.m.* (pétrolier) angl
tannin, tanin gaul
tanrec, tenrec (mammifère) malgache
tansad angl *mot valise* < angl
tantale (chimie) *Tantale* (mythol.)
tantra (relig.) skr
tantrisme (relig.) skr
tao, dao (philos. chinoise) chinois
taoïsme, -iste (phil. chinoise) chinois
tapas (cuisine) esp
tape *n.f.* (bouchon) prov
tapenade (cuisine) prov 106, 107
tapeno « olive » mot provençal 107
taper *v.* (boucher) prov
taper *v.* (frapper) moy néerl ou germ
tapioca ptg < tupi 162
tapir (mammifère) tupi
tapir (se) *v.* francique
tapis grec byz
tapon (bouchon) germ
taque (plaque de fonte) gallo-roman
taquet (pièce de bois) francique
taquin *adj.* (malicieux) moy néerl ou gotique
taquin « tricheur » esp (argot) 22
tarabiscoté prov (?)
tarabuster prov 25
tarama *n.m.* (cuisine) grec < turc
tarantass (voiture à cheval) russe
tarasque (monstre) *Tarascon* (Provence)
tarbouch(e) *n.m.* (bonnet) turc
tare ital < ar
tarentelle (danse) ital
tarentule (araignée) *Tarente* (Italie)
targe *n.f.* (bouclier) francique
targuer (se) ital < prov < francique
tarière (vrille) gaul
tarif ital < ar 139
tarir francique
tarlatane (étoffe apprêtée) ptg < fr (?)
tarmac (aéroport) angl

tarmacadam (revêtement routier) angl
taro (bot.) polynésien
tarot (carte à jouer) ital
tarpan (cheval sauvage) turc < kirghise
tarpon (poisson) angl
tartan (étoffe de laine) angl < fr
tartan (revêtement routier) angl *nom déposé*
tartane (voilier) prov (?) < ital
tartare *adj. et n.m.* turco-mongol
tartufferie (hypocrisie) *Tartuffe*
tas francique
tasse ar < persan 131
tasse de thé (ce n'est pas ma) *calque* < angl 192
tassette (armure) all
tassili (géogr.) berbère
tatami (tapis de sport de combat) jap 203
tatou (mammifère) tupi
tatouer *v.* angl < polynésien 202
taube all
taud(e) (marine) scand
taudis oïl du Nord-Est < francique
taule (chambre) oïl du Nord-Est
tavaïolle (linge d'église) ital
taxi diminutif de **taximètre** < all < grec
taxi-boy (danseur) angl
taxi-girl (danseuse) angl
taximètre all < grec 169
taxiway (aéroport) angl
taylorisme (organisation du travail) *Taylor* (U.S.A.)
tchador (grand voile de femme) persan
tcharchaf (voile de femme) turc
tchatche *n.f.* (bagout) esp
tchéka (police) *acronyme* < russe
tcheng (instr. de mus.) chinois
tchérémisse (lgue finno-ougrienne) russe
tchernoziom (géogr.) russe
tchervonets (monnaie) russe
tchin-tchin « à votre santé » pidgin de Canton
tchirou (antilope) tibétain (?)
tchitola (bois africain) lgue africaine
te deum (liturgie) lat
team *n.m.* (équipe) angl
teaser *n.m.* (leurre de pêche) angl
technétium (chimie) grec 64
technicolor angl (?)
technocratie angl
teck, tek (bot.) ptg < malayalam 163
teckel (race canine) all
tectonique (géol.) all
teddy-bear (ours en peluche) *Teddy* Roosevelt 186

tee (golf) angl
tee-shirt, T-shirt (vêtement) 210
teen(-)ager *n.* angl 196
teen-age (adolescence) angl
tefillin, tephillin (relig.) hébr
téflon (mat. plastique) *acronyme* < angl
   nom déposé
tegula « tuile » mot latin 84
teinte ital
téju (lézard) tupi (?)
tek, teck (bot.) ptg < malayalam
télécopie 194
téléférage, téléph- (téléphérique) angl
téléga, télègue (charrette) russe
télépathie angl
téléphérage, téléf- (téléphérique) angl
téléphone angl
télescope angl (ou ital)
télescoper *v.* (enfoncer) angl
télétype angl
télévision 68
télex angl 194
tell (tumulus) ar
telson (zool.) angl
tempera (a) (peinture) ital
tempo (mus.) ital
tempura (cuisine) jap
tender (wagon auxiliaire) angl
tenetz 179
tenir compte (de)
tennis angl < fr 179
tennis-elbow angl
tennisman *pseudo-anglicisme*
ténor ital
ténorino ital
tenrec, tanrec (mammifère) malgache
tenuto (mus.) ital
teocalli (pyramide aztèque) nahuatl
téorbe, théorbe *n.m.* (instr. de mus.) ital
tephillin, tefillin (relig.) hébreu
tépidarium (archéol.) lat
tequila (alcool) *Tequila* (Mexique)
terbium (chimie) *Ytterby* (Suède) 63
tercet (groupe de trois vers) ital
terminal *n.m.* angl lat
terminus angl < lat
termite angl
ternir germ (?)
terpène (chimie) all
terpine angl
terral (marine) prov
terramare (habitat préhist.) ital
terrasse prov (?)
terre-plein prov

terril, terri oïl du Nord
terza rima (versification) ital
terzetto (mus.) ital
tesla n.m. (mes. phys.) *Tesla* (Slovénie)
tessiture (mus.) ital
test (alchimie) a. fr 183
test angl < fr 183
test-match (sport) angl
testa « tesson de bouteille » mot latin 52
tester (soumettre à des tests) angl
teston (monnaie) ital
tête 52, 53, 155
téter germ 92
tétra- grec 67
tétragone 67
tette « bout de mamelle » francique
thaler (monnaie) all
thallium (chimie) grec 64
thalweg, talweg (géogr.) all
thane (titre nobiliaire d'Écosse) angl
thé malais 189, 190, 202
théâtre grec
théisme angl
théologie grec 72
théonyme grec 33
théorbe, téorbe *n.m.* (instr. de mus.) ital
théorétique all
-thérapie « soin » grec 66
thermodynamique angl
thermomètre 68
thesauros « trésor » mot grec 57
thon prov
thora, torah (Bible) hébr
thorax lat
thorium (chimie) *Thor* (mythol.) 64
thoron (émanation du thorium) all
thréonine (chimie) angl < all
thrill (émotion) angl
thriller *n.m.* (film) angl
thrombus (caillot) lat
thulium (chimie) *Thoulê* (Scandinavie) 64
thymus (glande) lat
tian (écuelle) prov
tiare (coiffure orientale) grec < persan
tiaré (bot.) polynésien
tiavali (pagne) lgue du Sénégal
tibia lat 56
ticket mot anglais < fr 178
tie-break (tennis) angl
tiento (mus.) esp
tif, tiffe *n.m.* dauphinois < germ (argot)
   23
tige 56
tigre grec < persan

tilbury (voiture) *Tilbury* (G.-B.)
tilde (signe graphique) catalan < esp
tillac (marine) vx scand 95, 97
tillandsie (bot.) *Tillands* (Suède)
tillite (géol.) angl
tilt (déclic) angl
timbale (instr. de mus.) esp < ar < persan
time-sharing (temps partagé) angl
timing (minutage) angl
tin (marine) prov (?)
tinamou (oiseau) caraïbe
tincal, tinkal (borax) ar
tipi *n.m.* (tente conique) angl < amérind
tique (parasite) angl
tiqueté (tacheté) néerl
tirade ital (?) 106
tire *n.f.* (héraldique) francique
tire-braise (tisonnier) prov
titan (géant) *Titan* (myth.)
to purchase / pourchasier 179
to support 193
to toast / toster 179
toast angl < fr 179
toast mot anglais < fr 178, 179
toaster, toasteur *n.m.* (grille-pain) angl
   < fr
toboggan angl (ou fr) < algonquin 187
tobogganing (sport de glissade) angl
tocard, toquard norm
toccata (mus.) ital
tocsin prov
toffee (caramel) angl
tofu (pâte de soja) jap
tohu-bohu (chaos) hébreu
tokaj, tokay (vin) hongrois
tokamak (phys. nucl.) russe
tokay, tokaj (vin) hongrois
tolar (monnaie) slovène
tôle (feuille de métal) gascon
tolet (aviron) vx scand
tolu (baume) *Tolua* (Colombie)
toluène (chimie) *Tolua* (Colombie)
toluidine (chimie) *Tolua* (Colombie)
tom-pouce (nain) angl
tomahawk (hache) angl < algonquin 187
toman (monnaie) ar < persan
tomate esp < nahuatl 10, 155, 157, 161
tomawak (hache) angl < algonquin
tombac (laiton) malais (ou siamois)
tomber *v.* francique 92
tombola ital
tombolo (cordon du littoral) angl
-tomie « action de couper » grec 66
tomme francoprov < prélatin 31

tommy (simple soldat) *Thomas* Atkin
   (G.-B.)
tonca, tonka *n.m. ou f.* (bot.) guyanais
tondin (archit.) ital
tong *n.f.* (sandale) angl
tonic *abréviation* angl tonic-water
tonka, tonca (bot.) guyanais
tonnage angl
tonne gaul
tonneau gaul 39
tonus (physiol.) angl < grec
top (sommet) angl 191
top du top *calque* < hébreu 119
top model, -dèle angl 192
top niveau angl 191
top secret angl
toper (accepter un enjeu) esp
topette (bouteille) oc
tophus (médecine) lat
topinambour tupi (*Topinambas*) 159
topless « sans soutien-gorge » angl
toponyme grec 33
topping (distillation) angl
toquard, tocard norm
toque (coiffure) ital < longobard
torah, thora (Bible) hébreu
torana *n.m.* (portique décoré) skr
toréador (taurom.) esp
toréer *v.* (taurom.) esp
torero (taurom.) esp
torgnole dial du Centre
torii « portique shintoïste » jap
toril (taurom.) esp
tornade (ouragan) angl < esp 106
torpédo (automobile) angl < esp
torpille (engin militaire) angl
torpille (poisson) prov
torr (mes. phys.) *Torricelli* (Italie)
torse ital
tortellini (cuisine) ital
tortilla « omelette » esp d'Espagne
tortilla « crêpe de maïs » esp d'Am
tortorer *v.* (manger) prov
tortue prov 107
tory angl
toster mot d'a. fr 179
-tot *suffixe* scand 96
totem (fétiche) angl < algonquin 187
toto « pou » champenois
touaille (essuie-main) francique
touareg, targui berbère
toubab (européen, blanc) lgue africaine
toubib « médecin » ar algérien (argot) 26,
   113

toucan (oiseau) tupi-guarani
touer (remorquer) francique ou vx scand
touffe alémanique < francique
touloupe (veste en peau) russe
toundra (géogr.) russe < lapon
toupet francique
toupie angl < anglo-norm
toupin (fromage) savoyard
touque (fût métallique) prov < prélatin
tour 178
tour opérateur, -ator angl
touraco (oiseau) lgue africaine
tourbe (combustible) francique
tourd (poisson) prov(?)
tourdille (hipp.) esp
tourin (cuisine) béarnais
tourisme, iste angl
tourlourou (crabe) créole
tourmaline (pierre précieuse) cinghalais
tourne-pierre (échassier) angl
tournesol ital 67
touron (confiserie) esp
touselle (épi de blé sans barbes) prov
tout 67
tower « tour » mot anglais < fr 178
township (ghetto en Afr. du Sud) angl
toxine all
tra(n)vestisme (psychiatrie) all
trabac (filet de pêche) ital
traban (militaire) all
traboule (passage entre maisons) lyonnais
trabouler v. (utiliser un passage) lyonnais
trabuco(s) (cigare) esp
tracaner (dévider) ital
tract angl < lat
trade-mark (marque de fabrique) angl
trade-union (syndicat) angl
trafic (circulation) angl
trafic (commerce illégal) ital
tragédie 57
tragêmata « friandises » mot grec 5
tragus (oreille) lat
traînard lat + germ 91
training (entraînement) angl < fr
trajet ital
tram(way) angl
tramontane ital
tramp (cargo) angl
tramping (transport maritime) angl
trampoline n.m. (gymnastique) angl < ital
tranchet 194
tranchoir 194
transalpin 40
transe (hypnose) angl < fr

transept (archit.) angl < lat
transfini (math.) all
transhumer v. esp
transistor (électronique) acronyme < angl
transit ital
translocation (biol.) angl
trapèze grec
trappe francique
trappeur angl
traquenard gascon 108
trattoria (restaurant) ital
traumat- « blessure » grec 66
travade (marine) ptg
travel(l)ing (cinéma) angl
travel(l)er's cheque angl
travertin (roche) ital
travestir ital 146, 148
trébucher v. francique 92
trek(king) (randonnée) angl
trelingage (cordage) ital
trémolo ital 177
tremplin ital < moy haut-all
trenail (voie ferrée) angl
trench-coat angl < fr
trend (économ.) angl
trépang, trip- (animal marin) malais
trépigner v. francique
très peu pour moi 192
trésor 57
trêve francique
trévise (salade) Trévise (Italie)
trial (sport motocycliste) angl < fr
trias (géol.) all
tribal adj. angl < fr
tribord néerl
tribune ital
tric(k) (au jeu de bridge) angl
triceps lat
trickster n.m. angl
tricoises dial
tricoter germ
tricouse (chaussette) néerl
tride (hipp.) esp
trie n.f. (action de trier le poisson)
triforium (archit. eccl.) angl
trigaud n.m. (finassier) néerl
trille ital
trimaran angl < tamoul 188
trimmer n.m. (engin de pêche) angl
tringa (échassier) ital
tringle néerl
trinken « boire » mot allemand 168
trinquart (bateau de pêche) angl
trinquer all 168

trinquet (mât) ital
trinquette (voile) ital
trio (mus.) ital
triolet (mus.) ital (ou prov)
trip (état hallucinatoire) angl
tripang, trép- (holothurie) malais
tripe (boyaux) ital (ou esp) < ar
trique néerl
trirègne (tiare du pape) ital
trisser (courir) all
triumvir (magistrat) lat
trivelin (bouffon) *Trivellino* (Italie)
trivium (univ. M. Â.) lat
troène francique 87
trogne gaul
troïka (attelage à trois chevaux) russe 173
troll *n.m.* (lutin) suédois
trolle *n.m.* (bot.) all
trolley angl
trolleybus *pseudo-anglicisme*
tromba (hystérie) malgache
trombe ital
trombine (visage) ital (?)
tromblon ital 143
trombone ital
trommel (triage du minerai) all
trompe (instr. de mus.) francique
trop *adv.* francique 91
trotskiste (hist. polit.) *Trotski* (Russie)
trotter *v.* francique 92
trotting (hipp.) angl
troubadour prov 105
trouble, truble (filet de pêche) norm
trouille oïl du Nord < néerl
troupe francique 91
troupeau francique 91
troussequin (sellier) picard
troussequin, trusquin (menuiserie) flamand
trouvère 105
truand gaul
truble, trouble *n.f.* (filet de pêche) norm
truc prov (?)
truc(k) (wagon à plate-forme) angl 186
truchement « interprète » ar 122, 127
trudgeon (natation) *Trudgeon* (G.-B.)
truelle (outil de maçon) oïl du Nord
truffe prov ou périgourdin 108
truie 81, 135
truisme (évidence) angl
trullo (archit.) ital
trumeau (panneau) francique
trusquin, troussequin (menuiserie) flamand

trust angl
trustee (finance) angl
tsar, tzar russe < lat 173, 174
tsarévitch russe
tsarine russe
tsé-tsé (mouche) bantou 198, 199
tsigane, tzigane all < hongrois < grec byz
tsunami (raz de marée) jap
tub (bassine) angl
tuba (instr. de mus.) all
tubeless « sans chambre à air » angl
tubing (mines de l'Est) angl
tudesque (allemand) ital < francique
tuf (roche) ital
tulipe turc < persan 131
tumbling (gymn. acrobatique) angl
tumulus (tertre) lat
tuner *n.m.* (amplificateur) angl
tungstène (chimie) suédois
tunnel angl < fr < gaul
tupaïa, tupaja (mammifère) malais
tupinambis (grand lézard) tupi
turban ital < turc < persan 131, 210
turbé, turbeh (tombeau) ar
turbiner « travailler » dial du Nord (argot) 23
turbith (bot.) ar
turbot vx scand 95, 97
turc grec byz < ar < persan < mongol
turco (tirailleur algérien) sabir < ital
turf (hipp.) angl 186
turista (la) (diarrhée) esp
turnover angl
turne « chambre » alsacien (ou all)
turnep(s) (chou-rave) angl
turquin (bleu foncé) ital
tussah (soie sauvage) angl < hindi
tussau (soie sauvage) angl < hindi
tussor (soie sauvage) angl < hindi 189
tuthie, tutie (chimie) ar
tutti (mus.) ital
tutti frutti ital
tutti quanti ital
tuyau francique
tweed (étoffe) *Tweed* (Écosse)
tweeter *n.m.* (haut-parleur) angl
twill (tissu) angl
twin-set (vêtement) angl
twist (jeu de cartes) angl
typhon angl (ou ptg) < ar < chinois 202
typhus (médecine) lat
typographie grec 14
tzar, tsar russe < lat 173, 174
tzarévitch, tsarévitch russe 173

tzarine, tsarine russe 173
tzigane, tsigane all < hongrois < grec byz

U

ubac (versant nord) prov
uhlan (cavalier) all < polonais
uisgebeatha mot irlandais 40
ukase, oukase (édit) russe 173
ulcère prov
uléma, ouléma (relig.) ar
ulluque *n.m.* (bot.) esp < quechua
ultimatum lat
ultra lat
ultrason 68
unau *n.m.* (mammifère.) tupi
underground (mouvem. artist.) angl
understatement « litote » angl
underworld (pègre) angl
uni- *préfixe* lat 67
uniate (relig.) russe
unicolore 67
unidimensionnel angl
union jack (drapeau du Royaume-Uni) angl
unionisme, -iste (politique) angl
unique 67
unitarien (relig.) angl
unitarisme (relig.) angl
up-to-date (récent, à jour) angl
upas *n.m.* (bot.) malais
upérisation (stérilisation) angl < fr
uppercut (boxe) angl
upwelling (océans) angl
urane (chimie) *Uranus*
uranisme (homosexualité masc.) *Ourania*
uranium (chimie) *Uranus* (mythol.) 64
urbi et orbi lat 58
ursuline (religieuse) *Sainte Ursule*
urubu (vautour) tupi
usine picard 111
usnée *n.f.* (lichen.) ar
usquebac (whisky) celt
usus (auroch) lat < germ
utérus lat
utilisation 208
utiliser angl < fr 181, 208
utilitaire angl
utilitarisme, -iste (philos.) angl
utopie angl

V

vacarme néerl
vacive *n.f.* (jeune brebis) prov
vacuum (vide) lat
vacuum cleaner (aspirateur) angl
vade-mecum (aide-mémoire) lat
vadrouille (balai à franges) lyonnais et Canada 110
vague *n.f.* vx scandinave 95, 97
vaguemestre all
vahiné tahitien 202
vaigre *n.f.* (marine) vx scand
vaina « gousse » mot espagnol 153
vaisya *n.m.* (caste hindoue) skr
valable (qui a du mérite) angl
valet gaul 40
valise ital < ar (?) 149
valleuse (géog.) oïl de l'Ouest
vallon ital
valse all
valser *v.* all
vamp *abréviation* < angl 177
vampire all < serbe < turc (?) 171
van (fourgon) angl
vanadium (chimie) *Vanadis* (myth.) 64
vanda *n.f.* (bot.) hindi
vandoise (poisson) gaul
vanille esp 10, 19, 153
vanity-case (valise de toilette) angl
vanne (barrage) celt
vantard 91
vapor-lock (avion) angl
vaquero (bouvier) esp
var(r)on (vétérinaire) prov
vara, vare (unité de long.) esp
varactor angl
varaigne (marais salants) oïl de l'Ouest (?)
varan (reptile) ar
varangue *n.f.* (marine) vx scand
varangue *n.f.* (vérandah) ptg
varappe (escalade) *La Varappe* (Hte-Savoie)
varech vieux scandinave 95, 97
vareuse norm
variation mot anglais < fr 178
varicap (électronique) angl
variorum (édition) lat
varlope *n.f.* (rabot) oïl du Nord-Est < néerl
varve *n.f.* (géol.) suédois
vase « boue » moyen néerl
vaseline (pommade) angl < all + grec 186
vasistas all

vasque (bassin) ital
vassal gaul
vaten « eau » mot scandinave 98
vâtrer fr région de Normandie 98
vaudeville (théâtre) *Vau-de-Vire* (Calvados)
vaudou (culte animiste) ewé-fon, langue africaine 198
vecteur angl
véda (texte relig.) skr
vedette ital
vedika *n.f.* (balustrade) skr
végétarien angl
végétarisme angl
veillaque (injure) ital
veinard 91
veir dit a. fr 184
vélarium (tente) lat
velche, welche (étranger) all en Suisse
veld(t) (géogr.) néerl
velours prov
velte *n.f.* (instr. de mes.) all
velum (toile) lat
velvet (velours de coton) angl
vendetta corse 108
venet (filet de pêche) gallo-roman
venette (peur) dial
ventilateur angl
ventolier (fauconnerie) prov
véranda(h) angl < hindi (ou bengali) < ptg
verbiage picard < francique
verdict angl < fr 180, 184
vere dictum expression latine 180
vergne « aulne » gaul 16, 45-49, 87
vergobret (juge) gaul
vergue (marine) norm-picard
vérin (instr. de levage) picard
vérisme (littérature) ital
vermicelle ital 149
vermout ou vermouth all
verne « aulne » gaul 39, 46-48
vernis (enduit) *Bérénice* (Cyrénaïque)
verno « aulne » mot gaulois 45, 87
véronique (taurom.) esp
verre 56
vers (poésie) 173
versatile 193
verso lat
versus (opposé à) angl < lat
versus mot latin 173
verste (mes. de long.) russe 173
vert 89
vertere « tourner » verbe latin 173

vertigo lat
vertugadin *n.m.* (jupon) esp
very mot anglais 180
vesou (jus de canne à sucre) créole
vespa (motocyclette) ital, *nom déposé*
vessigon (vétérinaire) ital
veste ital 149, 210
vestibule ital
vétille prov
vétiver (plante à parfum) tamoul
veto lat
viaduc angl
viandas « mets » mot espagnol < fr 152
viande 152
viarne 48
vibord (marine) vx scand
vibrato (mus.) ital
vice-versa lat
victoria (bot. et voiture) *Victoria* (G.-B.)
vidange flamand
vidéo angl
vidicon (télévision) angl
vidimus (admin.) lat
vidrecome (grand verre à boire) all
vielle (instr. de mus.) prov
viène 48
vigie ptg
vignoble prov
vigogne *n.f.* (mammifère) esp < quechua 158, 161
viguier (magistrat) prov
vihara *n.m.* (monastère) skr
vik « baie » mot scandinave 98
viking vx scandinave 95
vilayet *n.m.* (province ottomane) ar
vilebrequin flamand < néer
villa ital
villa « ferme » mot latin
villanelle (danse, chanson) ital 146
-ville lat 95, 96
villégiature ital
vimana *n.m.* (tour sanctuaire) skr
vina *n.f.* (instr. de mus.) skr
vinasse prov
vindas *n.m.* (cabestan) vx scandinave
vintage (vin millésimé) angl
viole (instr. de mus.) prov
violon ital
violoncelle ital
viquet fr rég de Normandie 98
virago lat
virev(e)au (marine) prov
virginie (tabac) *Virginie* (U.S.A.)
virki « fortification » mot scandinave 94

virole *n.f.* (bague de métal) gaul
virtue mot anglais < fr 178
virtuose ital 149
virus lat
vis-à-vis mot anglais < fr 11
visa lat
viscache (rongeur) esp < quechua
visualiser angl
vitamine angl
vitellus (biol.) lat
vitre 56
vivace (mus.) ital
vizir turc < persan 128
vocératrice (pleureuse) corse
vocero (chant funèbre) corse
vocodeur (analyseur vocal) angl
voda « eau » mot russe 173
vodka russe 173
vœu 53
vogue ital
voguer germ
voiler (se) la face 119
voiturin (voiturier) ital
voïvode (gouverneur) slave
volapük (langue artificielle) *acronyme* < angl
volcan (géol.) *Vulcain* (mythol.)
volcanologie angl
volley(-ball) angl
volleyeur angl
volt (mes. phys.) *Volta* (Italie) 77, 78
volte « fois » fr du xvie s. 147
volte-face *n.f. calque* < italien
volter *v.* (hipp.) ital
voltiger ital
volubilis (bot.) lat
volute ital
vomer (soc de charrue) lat
vomito negro « fièvre jaune » esp
vote angl 180, 184
voter *v.* 55
votum « vœu » mot latin 53
voucher *n.m.* (bon de voyage) angl
vouer 55
vouge *n.m.* (arme) gaul
vox populi lat
vrac néerl
vulcanisation angl
vulcaniser angl
vulcanologie angl

W

wading (méth. de pêche) angl
wagage (limon servant d'engrais) néerl

wagon angl < néerl
wait (to) verbe anglais < fr 178
waiter mot anglais 178
walk-over (compétition) angl
walkie-talkie angl < pidgin des Antilles
walkman (baladeur) *Walkman, nom déposé*
walkyrie (déesse guerrière) vx scand
wallaby (kangourou) angl < lgue d'Australie
wallon francique
wapiti (cervidé) angl < algonquin
war mot angl 93
wargame angl *calque* < all
warning *n.m.* (feux de détresse) angl
warrant *n.m.* (commerce) angl < fr
washingtonia *n.m.* (palmier) *Washington* (U.S.A.)
wassingue (serpillière) flamand < germ
watchman (garde de nuit) angl
water-ballast angl < vx scand
water-closets, **waters** ou **W.-C.** angl
water-polo angl < tibétain
watergang (canal) néerl
wateringue (drainage) flamand
waterproof angl
watt (mes. phys.) *Watt* (G.-B.) 77, 78
wattman (conducteur de tramway) *pseudo-anglicisme*
weber (mes. phys.) *Weber* (Allemagne) 78
week-end angl 195
welche, velche (étranger) all
wellingtonia *n.m.* (bot.) *Wellington* (G.-B.)
weltanschauung (philos.) all
welter (boxe) angl
wergeld (indemnité) all < saxon
western *n.m.* (film d'aventures) angl
wharf (appontement) angl
whig (du parti libéral) angl
whipcord (tissu serré) angl
whisky gaélique 40, 173
whist *n.m.* (jeu de cartes) angl
white-spirit (produit pétrolier) angl
wigwam (hutte indienne) angl < algonquin
wil(l)aya *n.f.* (div. admin. algérienne) ar
winch (treuil) angl
winchester *n.m.* (carabine) *Winchester* (U.S.A.)
windsurf (planche à voile) angl *nom déposé*
wintergreen (essence de parfum) angl

wishbone (vergue) angl
witloof « endive » flamand (en Belgique)
wolfram (minerai de tungstène) all
wombat (kangourou) angl < lgue d'Australie
wombatidé (zool.) lgue d'Australie
won *n.m.* (monnaie) coréen
wood « forêt » mot anglais 34
woofer *n.m.* (haut-parleur) angl
wormien (anat.) *Worm* (Danemark)
wu (dialecte chinois) chinois
würmien (géol.) *Würm* (Allemagne)
wyandotte *n.f.* (race de poule) *Wyandotte* (U.S.A.)

X

xantholâtre 73
xérès (liqueur) *Jerez* (Andalousie)
ximénie (bot.) *Ximenes* (Espagne)

Y

yacht angl < néerl 54, 186
yacht(s)man angl
yacht-club angl
yachting angl
yack ou **yak** (buffle) angl < tibétain
yakimono (poterie) jap
yakitori (brochette de volaille) jap
yakuza (association « mafieuse ») jap
yama mot jap 205
yamamai (ver à soie) jap
yamba (chanvre) wolof (?)
yang (philos.) chinois
yankee néerl ou amérindien
yard (mes. de long.) angl
yass (jeu de cartes) all de Suisse
yatagan (sabre) turc
yawl (voilier) angl
yearling (hipp.) angl
yen (monnaie) jap 203
yeoman (garde en costume) angl
yeomanry (garde en costume) angl
yeshiva *n.f.* (école talmudique) hébreu
yéti (humanoïde légendaire) tibétain
yeuse (chêne vert) prov
yéyé ou **yé-yé** angl
yin (philos.) chinois
ylang-ylang, ilang-ilang (bot.) malais

yod *n.m.* (semi-consonne) all < hébreu
yodler, iouler *v.* all
yoga (discipline spirituelle) skr
yogi (ascète pratiquant le yoga) skr
yohimbehe (bot.) bantou
yole (embarcation) danois-norvégien < néerl
yom kipp(o)ur (fête juive) hébreu
yorkshire-terrier (race canine) angl
yourte, iourte (tente de nomade) russe
youyou *n.m.* (canot) chinois 203
ypérite (gaz toxique) *Ypres* (Belgique)
ysopet, isopet (recueil de fables) *Esope*
ytterbium (chimie) *Ytterby* (Suède) 64
yttrium (chimie) *Ytterby* (Suède) 64
yuan (monnaie) chinois
yucca (bot.) taïno de Haïti
yumi (arc) jap

Z

zain (pelage) esp < ar
zakat (aumône islamique) ar
zakouski *n.m. pl.* (cuisine) russe 10, 173
zambo (métissage) esp
zan(n)i (bouffon) *Zanni* (Venise)
zaouia, zawija (établis. relig.) ar
zapateado (danse) esp
zapper *v.* angl
zappeur angl
zapping angl
zarâfa « girafe » mot arabe 123
zarzuela (litt. et cuisine) esp
zawija, zaouia (établis. relig.) ar
zèbre ptg
zébu tibétain (?) 203
zeda « (lettre) z » mot espagnol 153
zèle lat < grec 32
zellige *n.m.* (marqueterie émaillée) ar
zemstvo (assemblée) russe
zen (méditation) skr
zénana (étoffe cloquée) hindi < persan 131
zénith ar 125, 126
zephro < zephiro ital ancien 122
zeppelin (dirigeable) *Zeppelin* (Allemagne)
zéro ital < ar 122, 126
zérumbet (bot.) ar < persan
zheng (instr. de mus.) chinois
zibeline (fourrure) ital < russe 173
Ziegel « tuile » mot allemand 84
ziggourat *n.f.* (temple) assyrien

zigouiller *v.* oïl de l'Ouest < prov (?) 23
zimbu lgue africaine
zinc all 170
zingaro (bohémien) ital
zinjanthrope (australopithèque) *Zinj* (Tanzanie)
zinnia (bot.) *Zinn* (Allemagne)
zinzolin *adj.* (couleur violette) ital < ar
zip (fermeture à glissière) angl *nom déposé*
zipper v. angl
zircon (pierre semi-précieuse) syriaque < grec
zirconium (chimie) lat 64
zizanie « discorde » grec < sémitique,

zloty (monnaie) polonais
zoê « vie » mot grec 71
zoïle « critique envieux » *Zoïle*
zombi, **zombie** *n.m.* (fantôme) créole 165
zonage angl
zoning (urbanisme) angl
zoom (photographie, cinéma) angl
zoreille (métropolitain) créole
zorille *n.f.* (mammifère) esp
zouave (fantassin français) tribu *Zwava*
zouk mot créole 165
zoulou (ethnie africaine) bantou
zuc(c)hette « courgette » ital
zwanze (plaisanterie) (à Bruxelles)
zwanzer *v.* (plaisanter) (à Bruxelles)

TABLE DES MATIÈRES

11. LES APPORTS DES SŒURS LATINES 137

L'italien

12. LES APPORTS DES SŒURS LATINES 151

L'espagnol

TABLE DES CARTES, DES TABLEAUX DES LANGUES, DES RÉCRÉATIONS

Cet ouvrage a été réalisé par la
SOCIÉTÉ NOUVELLE FIRMIN-DIDOT
Mesnil-sur-l'Estrée
pour le compte des Éditions Robert Laffont
24, avenue Marceau, 75008 Paris
en janvier 1997

Imprimé en France
Dépôt légal : décembre 1996
N° d'édition : 37791/02 - N° d'impression : 37454